KU-202-237

LE TRIOMPHE DES TÉNÈBRES

Éric Giacometti a été journaliste au *Parisien*. Il est aussi le scénariste de la bande dessinée *Largo Winch*.
Jacques Ravenne est écrivain. Maître franc-maçon, il est spécialiste des manuscrits anciens.
La série autour du commissaire Marcas qu'ils ont créée ensemble s'est vendue à plus de deux millions d'exemplaires à travers le monde.

ÉRIC GIACOMETTI
JACQUES RAVENNE

Le Triomphe des ténèbres

La saga du Soleil noir

ROMAN

JC LATTÈS

ISBN : 978-2-253-25824-7 – 1re publication LGF

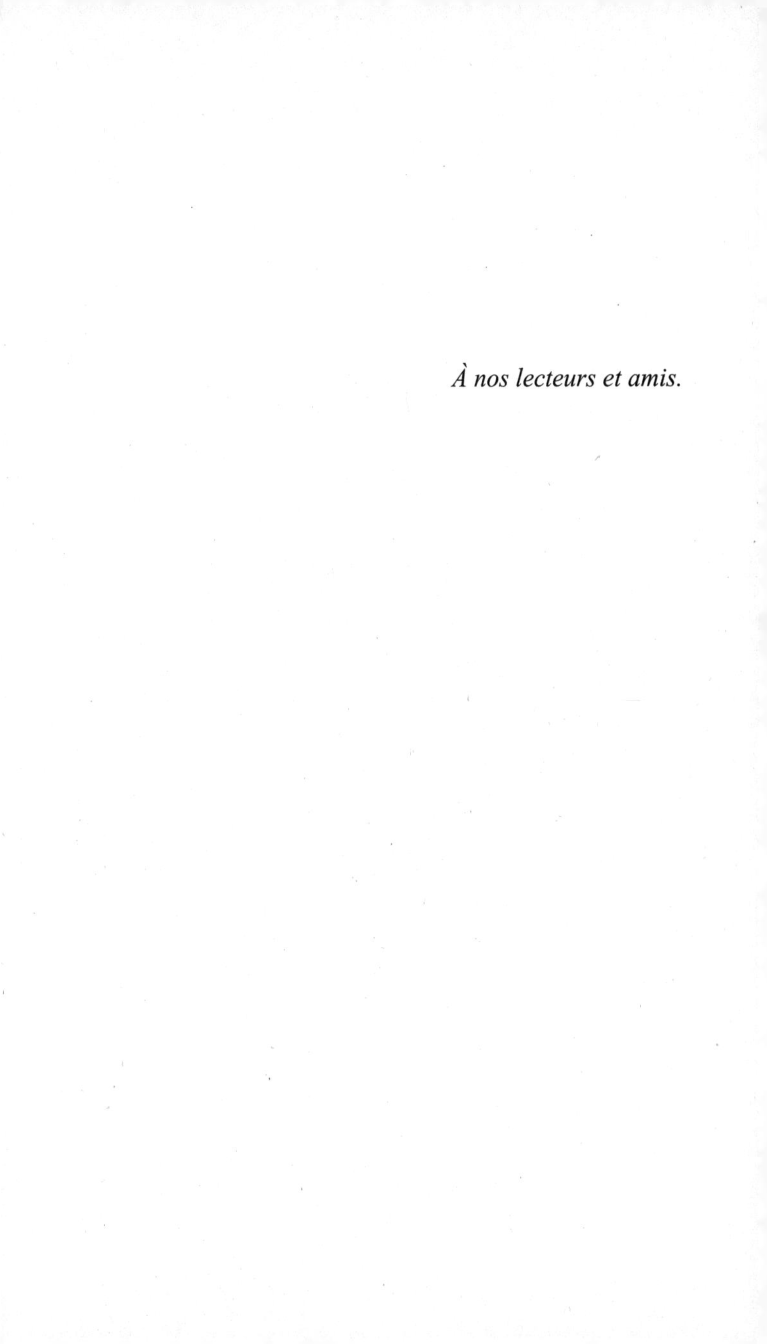

À nos lecteurs et amis.

« L'Organisation de la SS a été pensée par Himmler
selon les principes de l'Ordre des Jésuites.
Les règles et exercices spirituels définis
par Ignace de Loyola constituaient un modèle
que Himmler s'est efforcé de reproduire. »

Général Brigadeführer SS Walter SCHELLENBERG,
directeur de la division espionnage
et contre-espionnage du RSHA, Office central
de sécurité du Reich, *The Memoirs of Hitler's Spymaster,* Walter Schellenberg,
A. Deutsch Editions, 1956.

Comment est né ce thriller…

Moscou, mars 2016, centre sécurisé des archives de l'armée Rouge. Nous tournons un documentaire pour la chaîne France 5[1] sur l'odyssée des archives maçonniques spoliées par les nazis et récupérées par les Russes. Pas de hasard, notre premier thriller, *Le Rituel de l'ombre*, le premier de la série des Marcas, s'inspirait de cette incroyable histoire.

Imaginez un bâtiment austère et enneigé avec à l'intérieur des enfilades de salles de stockage mal éclairées, des dédales de rayonnages métalliques croulant sous des milliers de vieux cartons jaunis. Sous l'œil vigilant d'un cerbère russe en blouse grise, nous découvrons dans une caisse, scellée depuis des décennies, un traité français d'alchimie datant du XVIIe siècle. Un ouvrage inestimable volé par les nazis, persuadés que les francs-maçons détenaient le secret de la pierre philosophale. L'équipe de tournage n'en revenait pas. Un grimoire occulte conservé dans un centre d'archives

1. *La Mémoire volée des francs-maçons*. Réalisateur Jean-Pierre Devillers, Adltv production. Diffusion : France 5, RTBF, chaîne Histoire.

militaires et d'espionnage de l'ex-KGB, de l'Indiana Jones en direct…

Remonter aux origines du mal

Durant notre enquête, à Paris, Bruxelles et Berlin, nous accumulons une masse considérable d'informations sur les recherches ésotériques du Troisième Reich. Nous savons déjà que nous ne pourrons pas tout utiliser pour le documentaire. Une idée surgit : pourquoi ne pas s'en servir pour un prochain thriller ? Pas pour Antoine Marcas, mais pour revenir aux sources à travers un récit qui se déroulerait pendant les heures sombres de la Seconde Guerre mondiale.

Sorcières et démons

Paris, deux semaines plus tard, pendant que notre ami, le réalisateur Jean-Pierre Devillers, monte le film, une information étonnante tombe. À Prague, des chercheurs viennent de retrouver une cache secrète de 13 000 livres sur la magie, la sorcellerie et la démonologie : la collection personnelle d'Heinrich Himmler, le chef des SS et de la sinistre Gestapo. Eh oui, aussi insensé que cela puisse paraître, l'homme le plus puissant de l'Allemagne nazie après Hitler, l'organisateur de la Shoah, était fasciné par l'occultisme. La décision est prise. Sitôt le documentaire terminé et la fin de l'écriture de notre roman en cours, nous nous lancerons dans une nouvelle saga,

Soleil noir, avec pour premier titre : *Le Triomphe des ténèbres*.

Le soleil noir

Nos lecteurs le savent, nous n'aimons pas faire prendre des vessies ésotériques pour des lanternes spirituelles. Le livre que vous tenez entre les mains est un roman, mais il s'inspire de très nombreux faits aussi réels que surprenants. Nous vous en présentons certains en annexes à la fin de l'ouvrage. Vous découvrirez que souvent la réalité l'emporte sur la fiction…

Un dernier point, capital. Le national-socialisme a conduit à la mort de soixante millions de personnes dans un conflit devenu mondial. Et à l'extermination dans les camps de six millions d'hommes, femmes et enfants, juifs en majorité. Cette horreur ne peut bien sûr pas être réduite, *ad absurdum*, à une seule interprétation ésotérique. Le nazisme résulte avant tout d'une conjonction de faits politiques et économiques. En revanche, il s'est aussi produit en Allemagne un phénomène d'ordre quasi religieux autour d'Hitler. La patrie de Goethe et de Beethoven – l'un des pays les plus civilisés de l'époque – a basculé en quelques années dans une folie meurtrière sans égale. Quelque part, dans le tréfonds de l'esprit de certains dirigeants nazis, il existait une véritable pensée magique, une vision mystique du monde basée sur la primauté du sang et de la « race ». Ce que nous appelons un « ésotérisme d'État ». Une singularité qui différenciait le nazisme des autres régimes dictatoriaux en Europe : fascisme en Italie, communisme en URSS ou pétainisme en France.

Ce que les initiés appellent le soleil noir de l'ésotérisme…

Éric et Jacques

TDHRUQAHYZHAYLDIX
GXQMAMNEIRKHHLZD
XLWYZHNZDQALLVQZY
OFHACPANIQ
CLE Le maître d'Albion
DAGQQGXELYNNZ
GMHWECOMUAA
CLE Le maître de la swastika

Prologue

Berlin
9 novembre 1938

Le poêle à charbon diffusait une épaisse chaleur dans la semi-pénombre. Debout devant les hautes fenêtres aux encadrements de bois lustré, le professeur Otto Neumann contemplait la ville illuminée. Sa ville. Il l'aimait passionnément et pourtant c'était la dernière soirée qu'il y passerait.

Sa dernière nuit en Allemagne.

Le libraire n'arrivait toujours pas à réaliser : lui qui n'avait jamais quitté Berlin, demain, à la même heure il serait à Paris, puis le jour suivant à Londres. Il n'avait jamais pris l'avion de sa vie, mais sa femme s'était montrée enthousiaste au téléphone :

« C'est merveilleux. Là-haut, on se sent comme un oiseau. »

Entendre la voix espiègle de sa chère Anna lui avait redonné espoir. Elle s'était envolée la semaine précédente avec un visa de tourisme pour ne pas éveiller les soupçons. Et maintenant, c'était à son tour de prendre le chemin de l'aéroport de Tempelhof. Il jeta un regard agacé à la pendule accrochée au mur, il était presque dix heures trente et son ami n'arrivait toujours pas. Pourtant l'ambassade anglaise n'était qu'à un quart d'heure en voiture. À moins qu'il ne soit tombé sur un poste de contrôle sauvage d'une brigade de SA. Depuis quelques mois, les brutes en chemise brune s'amusaient à jouer les agents de circulation dans la ville. Un prétexte idéal pour tabasser les juifs et voler leurs voitures.

— Monsieur Neumann, je peux y aller ? Les cartons sont rangés, j'ai rendez-vous avec ma Greta.

La voix fluette de son apprenti montait du rez-de-chaussée par l'escalier en colimaçon.

— Oui, Albert, laisse la porte ouverte en partant, j'attends quelqu'un, répondit le libraire. À la semaine prochaine.

Le grelot de la porte d'entrée de la librairie tinta. Il n'avait pas eu le courage de le saluer.

Il resta prostré quelques minutes, songeur, il ne reverrait jamais plus le garçon. Officiellement, il fermait la librairie pour une semaine de vacances en France, mais il ne se faisait aucune illusion, quand les autorités s'apercevraient de sa fuite, la boutique serait mise sous séquestre par le bureau de l'aryanisation du commerce.

Depuis l'arrivée des nazis au pouvoir, il était devenu un Mischling, un métis mi-juif mi-aryen, un ex-professeur chassé de l'université, reconverti en libraire. Pour les doctes concepteurs des lois raciales en vigueur, cela équivalait à un mélange entre un *sous-homme* et un *surhomme*. Une véritable « pollution » raciale.

Cinq ans auparavant, à Heidelberg, le recteur de la faculté, mathématicien, nazi enthousiaste et vice-président de l'association des sciences du Reich, avait argué de cette loi pour formuler le renvoi d'Otto de la chaire d'histoire comparée. Neumann avait tenté de faire appel à sa raison en expliquant que, le « sous » et le « sur » s'annulant algébriquement, il devait juste être considéré comme un *homme*. Et cela lui allait très bien. Hélas, son interlocuteur, imperméable à son humour, était resté inflexible et, trois mois plus tard, l'éminent professeur Neumann avait dû se reconvertir en libraire spécialiste des livres anciens, sa passion.

Il se leva de son fauteuil et ferma un petit carton rempli de livres précieux.

Mes chers livres...

Il ne pouvait pas tous les emporter. Seuls trois cartons remplis des ouvrages les plus estimables, ses trésors, allaient être discrètement expédiés en Suisse chez un confrère. Le reste, plus d'un millier de titres, serait abandonné. Savoir qu'ils passeraient entre les mains de fanatiques aussi arriérés que zélés le révulsait, mais il ne pouvait pas faire autrement.

De tous ses trésors il n'y en avait qu'un seul qu'il emporterait avec lui à Londres. Pour le moment, il était en sécurité dans le coffre-fort. Celui-là, il n'était pas question que les nazis mettent la main dessus. Il ne voulait même pas songer aux conséquences d'un tel sacrilège.

Par la fenêtre, la ville paraissait si paisible, si douce. Et pourtant le mal coulait dans ses artères, s'infiltrait dans les pierres et les esprits, empoisonnait jusqu'à l'air. Il n'osait même plus tourner son regard sur la droite car, au-delà de la première ligne d'immeubles, on apercevait la silhouette massive de l'édifice de style néoclassique du quartier général de la Gestapo sur la Prinz-Albrecht-Straße. L'oriflamme gigantesque frappée de la croix gammée était illuminée toutes les nuits par des projecteurs verticaux. La ténébreuse swastika. Noire comme une araignée venimeuse et trapue avec ses quatre pattes bien grasses. Une araignée devenue drapeau.

« Swastika. Symbole immémorial d'harmonie et de paix en Asie et plus particulièrement dans l'Inde traditionnelle. »

C'était ses propres mots, écrits il y a plus de vingt ans dans son ouvrage sur les symboles païens.

Harmonie et paix ! Quelle sinistre ironie… Il aurait dû ajouter : avec une swastika, à l'indienne, orientée vers la gauche. Hitler, lui, n'était pas un adepte de sagesse orientale. Il la faisait tournoyer dans l'autre sens. Une inversion totale des traditions asiatiques.

Il avait vampirisé la swastika pour la métamorphoser en un signe d'infamie. Du moins pour les races dites inférieures, juifs en tête, estampillés par le Reich. L'Allemagne, elle, s'enivrait l'âme dans la vénération de cette sinistre croix.

Il consulta à nouveau l'horloge murale. L'heure tournait et son visiteur se faisait toujours attendre. Il traversa la pièce et s'accroupit devant le coffre-fort encastré dans le mur. Les molettes tournèrent rapidement sous ses doigts, libérant la porte blindée de son sommeil.

Au moment où il glissait un objet dans sa sacoche de cuir roux, le grelot de la porte de la librairie tinta à nouveau. Neumann poussa un soupir de soulagement. Enfin, son ami était arrivé. Le libraire posa la sacoche sur le bureau et descendit l'escalier, le cœur joyeux.

— Ah, cela fait presque une heure que je vous attendais, dit-il en descendant les dernières marches. Décidément vous…

Son cœur fit un bond.

Trois hommes se tenaient debout devant le comptoir. Trois hommes habillés de la même façon. Casquette à visière ornée d'une tête de mort, veste et pantalon noirs soigneusement ajustés, brassard avec une croix gammée au bras droit et bottes de cuir luisantes. Et chacun portait un pistolet à la ceinture. Le visage du plus âgé des trois s'éclaircit. Une fine cicatrice courait le long de sa joue pour remonter jusqu'à la tempe.

— Bonjour, professeur, dit le SS en inclinant la tête. C'est un honneur de vous rencontrer.

Il était de haute taille, la quarantaine svelte, les cheveux courts et blancs, un visage mince et intelligent. Ses yeux clairs allongeaient son regard.

— Je suis le colonel Weistort. Karl Weistort, ajouta-t-il.

Le libraire restait figé, incapable de répondre. Les deux autres SS s'étaient éloignés du comptoir et furetaient dans les rayonnages.

— Je… Enchanté… J'allais fermer, balbutia-t-il.

Le colonel prit un air contrarié.

— Vous pourriez faire une petite entorse ? Je suis venu de Munich pour vous rencontrer. Regardez ce que je vous apporte, dit-il en posant sur le comptoir un livre jauni. La couverture usée était illustrée d'une statue d'un homme barbu assis sur un trône.

Neumann ajusta ses lunettes et reconnut tout de suite sa biographie sur l'empereur Frédéric Barberousse.

— Une œuvre magnifique, continua le SS. J'ai découvert ce livre jeune à la faculté de Cologne et il trône dans ma bibliothèque, à côté de celui sur les symboles sacrés. Quelle érudition !

— Merci, répondit le libraire, gêné.

— Non, c'est mérité. Vous devez sûrement savoir que le Führer nourrit une passion immodérée pour cet empereur hors du commun.

— Je l'ignorais…

— En revanche, je suis en désaccord avec vous sur la légende de Barberousse. Vous savez, celle qui dit que l'empereur n'est pas mort et gît, endormi dans les entrailles d'une montagne magique. Et quand il se réveillera, le Reich sera rétabli pour l'éternité.

Le libraire fronça les sourcils en signe de perplexité. Le SS tapota de son index la couverture du livre.

— Vous n'y voyez qu'un conte pour enfants, alors qu'il s'agit d'un mythe d'une puissance considérable, propre à faire vibrer le cœur de tout Allemand. L'imaginaire, professeur ! La véritable source du pouvoir sur les hommes. Celui qui contrôle l'imaginaire d'un peuple, celui-là détient plus de puissance que dix armées réunies. Mais vous avez trop de sang juif dans les veines, ça ne peut pas vous parler... Ce n'est pas de votre faute.

Le pouls du libraire s'accéléra. Le colonel posa ses mains bien à plat sur le comptoir.

— Car, si l'on y songe, Adolf Hitler n'est-il pas la réincarnation du vieil empereur endormi ? Il a réveillé le peuple et va établir un nouveau Reich pour mille ans. Il est l'envoyé de la providence. Ça, vous devriez le comprendre. Les juifs n'attendent-ils pas leur messie depuis des millénaires ? Eh bien, nous les Allemands, on a trouvé le nôtre avant vous.

— Oui… Probablement.

Les yeux du colonel SS brillaient d'excitation.

— Et du coup, nous accédons au statut de nouveau peuple élu. Quelle immense responsabilité !

— Vous m'en voyez ravi… Que voulez-vous exactement, colonel ? demanda Neumann d'une voix qu'il essaya de rendre neutre.

— Pardon, je m'emballe. Je suis parfois un incorrigible romantique… Déjà, une dédicace me ferait très plaisir, répliqua le SS soudain étrangement jovial.

Le libraire aperçut ses deux collègues qui ouvraient l'un des cartons destinés à être expédiés à Genève.

— Ceux-là ne sont pas à vendre, dit Neumann.

Le colonel tapa contre le comptoir avec le livre.

— Laissez, professeur, mes adjoints sont d'un naturel curieux. C'est signe de perspicacité. Au travail, prenez un stylo !

Neumann lui jeta un regard agacé. Il fallait qu'il se débarrasse de ses visiteurs avant l'arrivée de son ami. S'il débarquait dans la boutique à cette heure avancée de la soirée, il se ferait immédiatement embarquer et lui avec.

— Je vais prendre de quoi écrire.

— Ne vous dérangez pas, fit Weistort en tendant un gros stylo plume noir et argent, orné de l'insigne des SS. Cadeau du Reichsführer Himmler en personne.

Le libraire prit le stylo comme s'il s'agissait d'un serpent venimeux.

— Pour Karl avec un petit mot gentil, reprit le colonel d'un air débonnaire. Ça suffira amplement. Puis il se tourna vers ses adjoints. Si le Reichsführer apprenait qu'un demi-juif utilise son stylo, il en ferait une syncope sur-le-champ.

Les deux autres SS éclatèrent de rire.

Neumann ne releva pas et s'exécuta.

— Voilà, je peux faire autre chose ?

L'un des deux nazis arriva avec les bras chargés de livres aux reliures soignées et les posa sur le comptoir.

— Regardez ces trésors cachés, dit le grand blond en détaillant les couvertures étalées devant lui. Stupéfiant ! J'ai trouvé une *Stéganographie* de l'abbé Trithème, la version originale, sans compter le *Mutus Liber* préfacé par Paracelse.

— Et moi j'ai découvert deux pépites, lança le deuxième SS, les mains plongées dans le carton. Une édition princeps du *Malleus Maleficarum* ! Je croyais qu'elles avaient toutes disparu dans l'autodafé de 1635 à Hambourg. Et aussi un exemplaire du *Codex Demonicus* du Grand Inquisiteur de Bavière.

Neumann n'en revenait pas. Ces hommes avaient parfaitement identifié les ouvrages. D'où sortaient ces brutes lettrées, à la fois férues de symbolisme et érudites ? En général, ces individus se cantonnaient aux besognes de basse police et de protection des dignitaires du régime.

Le colonel intercepta son regard étonné et prit son ouvrage dédicacé.

— Suis-je sot, j'ai oublié de vous parler de nos attributions. Nous travaillons à l'Institut pour la race et l'héritage des ancêtres, l'Ahnenerbe. Et j'en suis le directeur général. Ne faites pas attention à nos uniformes de SS, nous sommes tout comme vous des universitaires, des intellectuels, mais tous de sang pur.

Neumann fronça les sourcils. Intellectuel et nazi... Quel sinistre oxymore, songea-t-il.

— Vraiment... Et de quelles universités ? s'enquit-il prudemment.

Le colonel inclina la tête.

— Moi celle de Cologne, avec un doctorat en ethnologie. Mes deux adjoints, eux, viennent de Dresde. Le capitaine est titulaire de la chaire d'anthropologie à l'université de Munich, le lieutenant, lui, a quitté son poste de maître de conférences en littérature du Moyen Âge pour prendre de nouvelles fonctions à l'Ahnenerbe. Nous croulons sous le travail en ce moment, on embauche à tour de bras. Figurez-vous qu'Himmler m'a demandé de créer plus de cinquante sections de recherche ! Je suis un peu débordé...

L'un des SS empilait les livres soigneusement les uns sur les autres.

— Ces ouvrages auraient une place de choix dans la bibliothèque de notre Institut. Hélas, notre budget est bien maigre en ce moment. Peut-être que notre ami le professeur pourrait faire un geste commercial ?

Neumann les observait en silence. Même avec leurs diplômes, ces trois-là ne valaient pas mieux que les autres nazis. Eux aussi profitaient du règne de la terreur pour spolier les juifs. Son esprit fonctionnait à toute vitesse : refuser c'était s'exposer à des ennuis, accepter c'était perdre des trésors. Il trancha. L'heure n'était plus à tergiverser.

— Puisque ces livres vous plaisent, je les cède bien volontiers à votre Institut.

Le colonel hocha la tête, satisfait.

— Vous êtes vraiment aimable. D'ailleurs, je me permets d'abuser de votre générosité : je cherche un ouvrage précis, le *Thule Borealis Kulten*, il date du Moyen Âge.

Le libraire plissa les yeux. Son cœur s'emballa.

— Ça ne me dit rien. Je vais consulter mon registre. Vous dites…

— *Thule Borealis*, répondit Weistort en articulant chaque syllabe.

Neumann feuilletait son catalogue d'une main nerveuse.

— Non vraiment, je ne vois rien. Il serait plus judicieux de consulter mes collègues spécialisés…

Le colonel prit une expression attristée.

— Allons Neumann, vous êtes sûr ? Il y est question d'un enseignement ésotérique purement aryen. Un enseignement prodigieux…

— Vraiment… Ça doit être fort intéressant, mentit prudemment le libraire.

Le colonel se tourna vers ses adjoints.

— Comment s'appelait le juif que nous avons interrogé hier ?

— Le rabbin Ransonovitch, un homme charmant, un peu bourru, répondit le lieutenant. Hélas il n'a pas résisté à l'interrogatoire.

Le sang du libraire se glaça.

— C'est cela, Ransonovitch. Il m'a pourtant dit que vous en possédiez un exemplaire.

— Je ne connais pas ce rabbin, désolé, murmura-t-il. Si cela ne vous dérange pas, je vais fermer.

Le colonel haussa les épaules et sortit deux billets de son portefeuille.

— Dommage. J'étais si curieux de découvrir ce livre, dit-il en posant les deux cents reichsmarks sur le comptoir.

Le libraire ouvrit de grands yeux.

— Vous me donnez trop d'argent, je vous ai dit que je vous les offrais.

L'homme à la balafre leva la main.

— Vous m'avez mal compris. Cette somme correspond au rachat de votre librairie. Et encore je suis très généreux.

— Je.... Je ne vends pas. C'est ridicule.

— Ah professeur, tout aurait été plus simple si vous m'aviez fourni le *Thule Borealis* de votre propre chef. Compte tenu de l'admiration que je vous porte – et c'est rare de ma part pour un juif – nous nous serions quittés bons amis. Et vous auriez échappé à la purge.

— La purge ?

Le colonel jeta un coup d'œil à ses deux acolytes et prit le libraire par l'épaule.

— Vous comprendrez dans très peu de temps. En attendant nous allons monter dans votre bureau. Votre ami le rabbin m'a susurré à l'oreille, avant d'expirer, que le livre était caché dans votre coffre-fort.

— La clef du coffre est dans le tiroir-caisse, murmura le libraire.

Il se pencha sous le comptoir, passa sa main dans un panier et trouva ce qu'il cherchait.

— Dépêchez-vous, le temps tourne, dit le colonel placidement. Et pas en votre faveur. Je crois que…

Il ne finit pas sa phrase, Neumann s'était relevé et braquait un pistolet Mauser sur lui.

— Sortez de ma librairie. Vous la souillez.

Weistort ne cilla pas, alors que ses deux adjoints reculaient.

— Allons, professeur… Menacer un SS avec une arme à feu est passible de la peine de mort. Savez-vous seulement vous en servir ?

Neumann sourit pour la première fois depuis l'entrée des intrus dans la librairie.

— J'ai fait la Grande Guerre. Croix de fer sur la Somme, dit-il. J'ai sûrement tué plus d'hommes que vous, à mon grand déplaisir, mais dans votre cas je ferai une exception.

Le nazi recula et, sur son visage, pour la première fois, apparut de la crainte. Neumann sentit une onde de bonheur l'envahir. Effrayer un SS, voilà un plaisir rare dont il se souviendrait toute sa vie. Mais il savait qu'en neutralisant ces intellectuels à tête de mort il ne s'accordait qu'un court répit, car ils reviendraient en meute. Au moins il aurait le temps de fuir et de cacher le livre.

Soudain le plus jeune des SS dégaina un pistolet, le libraire eut juste le temps de réagir et de tirer. Touché à la tête, le nazi bascula en arrière en hurlant. Neumann n'eut pas le temps de cibler le colonel. Plus rapide, celui-ci avait déjà dégainé un Luger de l'étui de sa ceinture et riposta. La balle traversa le haut de la poitrine du libraire, jaillit par le dos en pulvérisant la clavicule. Neumann s'effondra, la chemise baignée de sang.

— Imbécile ! soupira Weistort. Emmenons-le là-haut.

— Et Viktor ? dit le capitaine en désignant son collègue couché à terre.

— Au Walhalla des guerriers. Ce soir, il soupe au banquet d'Odin.

Les deux SS prirent l'escalier en soutenant Neumann. Alors qu'ils montaient, du sang éclaboussa les marches. Ils arrivèrent dans le bureau et le déposèrent sur son fauteuil face à la fenêtre.

Weistort aperçut un rouleau de cordelettes d'emballage de carton qui traînait à terre.

— Prends les cordes et attache-le au fauteuil.

Pendant que le capitaine SS ligotait Neumann, Weistort fouillait dans le coffre ouvert.

— Où avez-vous mis le livre ! lança le colonel qui jetait à terre les liasses de billets que contenait le coffre.

— Allez au diable ! répondit le blessé dont le cerveau s'embrumait.

Soudain Weistort vit la sacoche sur la table. Il l'ouvrit et brandit le mince ouvrage de cuir rouge.

— Le *Thule Borealis* !

Il s'assit sur le divan et l'ouvrit délicatement. Au fur et à mesure qu'il tournait des pages, une lueur d'émerveillement s'allumait dans ses yeux.

— Magnifique... Absolument magnifique.

— Vous n'avez pas le droit...

Le colonel tendit le doigt en direction des fenêtres.

— Ce soir, l'aryen a tous les droits, le juif aucun. Regardez !

Le ciel venait de s'enflammer. Des lueurs jaunes et rouges montaient de toute la ville.

— Que se passe-t-il ? balbutia Neumann.

On aurait dit qu'un incendie embrasait le quartier.

Weistort posa le livre, ouvrit ses bras et leva ses paumes comme un prêtre dans son église.

— La purge, mon ami. La purge. Vous auriez dû écouter la radio et entendre ce bon docteur Goebbels. Il a appelé le peuple allemand à descendre dans les rues pour manifester sa juste colère contre les juifs à la suite du lâche assassinat commis à Paris[1].

Il ouvrit les vitres en grand. Des hurlements fusaient. On entendait des bruits de vitres fracassées.

Weistort croisa les bras derrière lui, des flammes jaillissaient du toit de la synagogue plus au sud.

— Mais... La police...

1. Le 7 novembre 1938, à Paris, Ernst vom Rath, troisième secrétaire à l'ambassade d'Allemagne, est assassiné par un jeune juif allemand, Herschel Grynszpan.

— Interdiction de sortir des commissariats. Pareil pour les pompiers dans leurs casernes. Les Allemands peuvent entrer dans les maisons et les commerces, chasser leurs occupants, les rosser, les humilier, les voler, voire les tuer. La purge… Toute cette puissance dévastatrice se répand en ce moment comme un torrent impérieux. Berlin, Munich, Cologne, Hambourg, partout le sang va couler. L'impur, celui des juifs. Et quiconque leur portera secours sera considéré comme un ennemi du peuple. Une seule loi s'appliquera cette nuit : celle du sang pur.

— Vous êtes le Mal, le Mal…

Weistort tapota le blessé sur son épaule fracassée.

— Tout dépend de quel côté vous vous trouvez. Pour nous, nationaux-socialistes, vous les juifs êtes le virus étranger qui a infecté le corps allemand. Vous avez empoisonné notre pays et notre sang comme une maladie. Vous êtes le Mal. En vous éliminant nous sommes dans le camp du Bien. Celui du peuple.

— Vous êtes fous.

— C'est pourtant simple à comprendre. Le Bien c'est la majorité, le Mal la minorité.

— Le Bien… c'est la majorité ! Absurde... Les gens se révolteront.

— J'en doute. Tous ces braves Allemands, qui participent à cette nuit de purification, vous croyez qu'ils vont culpabiliser ? Pas du tout. Demain ils se sentiront un peu honteux, comme après une fête de la bière un peu trop arrosée. Mais au final, ils garderont le souvenir d'une ivresse salvatrice.

Weistort remit le livre dans la sacoche et ouvrit les autres fenêtres. Les cris s'étaient transformés en hurlements, des rires gras et des chants patriotiques fusaient de partout. Il se pencha pour regarder en bas de la rue. Devant une boutique de vêtements aux vitres fracassées, trois hommes en casquette et chemise brune s'esclaffaient en traînant une vieille femme en chemise de nuit par les pieds. Un vieillard en sang gisait sur le perron de la porte.

— Ces SA, quels imbéciles…, dit Weistort en soupirant, puis il se retourna vers le libraire. Si ça peut vous consoler, sachez que je réprouve le sadisme.

— Votre maudite croix gammée vous a empoisonné l'âme.

— Non, elle nous a révélés à nous-mêmes. Telle est sa puissance. Sa magie. Ah professeur, je regrette tant que vous soyez un Mischling. J'aurais pu vous offrir un poste à l'Ahnenerbe, et pourquoi pas, nous aurions pu devenir amis…

Le libraire tenta de relever la tête, mais la douleur embrasait sa nuque.

— Le diable vous… emporte.

Le colonel éclata de rire.

— Navré, je crois à la magie des forces païennes, pas à celle du démon. Satan n'est qu'une invention judéo-chrétienne pour esprits faibles.

Ses forces abandonnaient Neumann. La voix du SS arrivait comme en écho dans son cerveau. Il pleurait. Pas de douleur, non. De colère. Contre lui-même.

Il aurait dû mettre ce maudit livre en sécurité.

Weistort se leva.

— Que fait-on de lui ? dit le capitaine en regardant le libraire qui achevait de se vider de son sang.

— Laissons-le mourir tranquillement en contemplant cette nuit merveilleuse.

— Et la librairie ? On la brûle ?

— Non. Demain matin, envoyez un camion pour récupérer les ouvrages. Ils compléteront la bibliothèque du Reichsführer au château de Wewelsburg. Qu'ils enlèvent aussi le corps de notre camarade tombé dans l'exercice périlleux de sa mission, lâchement assassiné par un juif. Il aura une croix de fer posthume.

Le colonel balafré se pencha vers Neumann.

— Adieu, professeur. Grâce à vous, grâce à ce livre, le Bien va enfin triompher.

Les deux SS sortirent, abandonnant le libraire. Derrière les fenêtres, de lourds nuages reflétaient le rouge de la rue. Comme s'il s'apprêtait à pleuvoir du sang.

Prostré sur son fauteuil, Otto Neumann s'enfonçait dans les ténèbres. Devant lui, la synagogue s'était transformée en torchère. Maintenant il savait que l'incendie qu'il avait sous les yeux n'était qu'un prélude.

Cette nuit l'Allemagne s'embrasait. Demain ce serait le monde.

À cause d'un livre.

Un livre maudit.

PREMIÈRE PARTIE

« Toutes les sources de pouvoir
intellectuelles, naturelles et surnaturelles
– de la technologie moderne
à la magie noire médiévale,
des enseignements de Pythagore
aux incantations faustiennes
du pentagramme – devaient être exploitées
en vue de la victoire finale. »

Wilhelm Wulff, astrologue personnel d'Himmler.
Zodiac and Swastika. Éditions Coward, McCann
& Geoghegan, 1973.

1

Tibet
Vallée du Yarlung
Janvier 1939

L'orage perdait de sa puissance. Les grondements du tonnerre se répercutaient en lointains échos au-dessus des cimes et les éclairs poursuivaient leur ballet argenté vers le nord, en direction du col du Yarlung.

Protégé du vent glacé qui balayait la vallée depuis trois jours, debout à l'abri devant l'entrée de la caverne, l'homme en combinaison blanche fixait avec attention les dernières striures de lumière qui illuminaient les sommets himalayens. Manfred ne craignait pas la foudre, bien au contraire. Il l'avait apprivoisée avec son père, un alpiniste chevronné, pendant leurs varappes sur les parois escarpées des Alpes bavaroises. Ses paroles affleuraient à sa mémoire chaque fois que l'orage se déchaînait.

Aime la foudre, elle purifie l'air et forge le cœur du fort.

Pourtant ici, dans ce coin perdu du Tibet, au cœur de cette vallée encaissée, il régnait quelque chose de vicié que même la foudre n'arrivait pas à purifier. La météo ressemblait à une boussole déréglée. Il n'était pas tombé un seul flocon alors que les montagnes environnantes croulaient sous un épais manteau de neige fraîche. Comme si une force invisible et insidieuse avait imposé sa loi aux éléments naturels les plus puissants de la création.

L'Hauptmannführer SS Manfred Dalberg balaya les contreforts de la vallée d'un regard hostile. Il était bien loin de la beauté des montagnes bavaroises de son enfance. L'absence totale de végétation, le sol gris et stérile, la démesure des parois rocheuses piquetées d'arêtes acérées comme des couteaux... Ce paysage était façonné dans l'unique but d'annihiler toute présence humaine ou animale. Il le sentait au plus profond de lui.

La terre des crânes qui hurlent.

Tel était le nom donné par les Tibétains à cet endroit étrange oublié des dieux et des hommes. À défaut de crânes vociférants, c'était surtout le hurlement du vent qui mettait ses nerfs à vif. Il ne rêvait qu'à son retour en Allemagne et de rejoindre sa division de combat.

Manfred remonta le col de sa combinaison standard des troupes alpines de la SS quand il entendit un bruit familier sur sa droite. Il prit ses jumelles pour observer en contrebas. Un camion bâché d'une toile sale s'avançait à toute allure sur la piste défoncée qui faisait office de route. De la poussière jaillissait des roues et formait une traînée cendrée.

Schäfer arrive.

Une onde de soulagement envahit le SS. Son chef avait tenu parole, il allait prendre la situation en main.

Manfred releva son capuchon et descendit quatre à quatre le long escalier de pierre qui serpentait sur la colline désolée et reliait l'entrée de la grotte aux bornages de la piste.

Fuir ce trou maudit...

Cela faisait presque deux semaines qu'il avait quitté Lhassa et le gros de l'expédition Schäfer avec un petit détachement scientifique composé de deux archéologues, un linguiste qui faisait office de traducteur, une demi-douzaine de porteurs tibétains et trois moines bouddhistes. Au début tout s'était bien passé. Il avait suivi les instructions à la lettre et établi son camp. À l'endroit exact décrit dans les rouleaux sacrés, une caverne était accrochée à une colline au bord de la piste du Sanshaï et délimitée par deux Tulpas écarlates, les petites tours tibétaines traditionnelles en forme de cônes où l'on trouvait des moulins à prière. À ceci près qu'ici il n'y avait aucun moulin, seulement des sculptures de démons cornus menaçants.

Tout était conforme aux dessins reproduits dans les rouleaux du *Kanjur*, le livre sacré des Tibétains.

La porte d'entrée du royaume des crânes.

Mais à peine le camp de base installé, deux porteurs étaient tombés malades de façon inexplicable et s'étaient vidés de leur sang. Peu de temps après, l'atmosphère s'était subitement tendue entre les Allemands et les « moines puants » comme les appelait son adjoint. Les bonzes avaient ordonné aux porteurs de bloquer l'accès à la nécropole. Il était désormais impossible d'aller plus loin à l'intérieur de la caverne. S'il n'avait tenu qu'à lui il les aurait exécutés d'une balle distraite, mais Manfred ne voulait pas mettre en péril les relations diplomatiques avec son pays. Après tout le Tibet était devenu le grand ami du Troisième Reich et avait sollicité son aide militaire face aux Chinois.

Il avait envoyé un messager pour réclamer du secours à son chef, le Hauptsturmführer[1] Ernst Schäfer. Le commandant de la mission « Tibet terre aryenne » n'était-il pas devenu le confident de l'homme fort de Lhassa, le cinquième Rimpoché[2] ? Au point de convaincre ce dernier d'offrir aux Allemands les cent huit rouleaux du *Kanjur* sacré.

Manfred arriva devant la piste au moment où le camion recouvert de poussière couleur lune freinait devant lui. Juste devant les Tulpas, un porteur était en train de nettoyer un harnachement de mulet crotté. Manfred jeta un regard mauvais sur le petit homme au visage ridé comme une pomme brûlée. Il ne comprenait toujours pas pourquoi Schäfer clamait à tout-va que ces sous-hommes appartenaient à la race aryenne.

Quand les deux hommes en veste blanche sortirent du véhicule, Manfred se planta comme un piquet, le bras droit réglementaire levé dans leur direction.

— Heil Hitler !

Les deux hommes lui rendirent son salut. Le plus massif, taillé comme un boxeur, la barbe blonde et

1. Grade de capitaine.
2. Haut dignitaire tibétain.

le visage rieur, empoigna sa main avec une vigueur débordante.

— Manfred, quel bonheur, lança Schäfer d'une voix exaltée.

Puis il tendit la main en direction de son compagnon de route qui se tenait un peu en retrait.

— Je te présente le colonel Karl Weistort, directeur de l'Ahnenerbe et membre de l'état-major personnel du Reichsführer. Il arrive de Berlin.

Le SS s'avança vers Manfred. Une fine cicatrice descendait de la tempe jusqu'à la joue. Manfred avait déjà observé ce type de balafres chez les escrimeurs des confréries étudiantes prussiennes. En dépit de cette cicatrice il émanait de cet homme une sorte de bienveillance qu'il avait rarement vue chez un officier supérieur de la SS.

L'officier supérieur lui serra la main et lui sourit chaleureusement.

— Félicitations, Hauptmannführer Dalberg. Si les informations sont exactes, nous sommes à l'aube d'une découverte merveilleuse. Votre avenir au sein de la SS est assuré, mon jeune ami.

Le lieutenant fronça les sourcils, c'était comme si personne n'avait lu sa lettre.

— J'en suis flatté, Herr colonel, mais j'ai mentionné certaines difficultés.

L'officier le prit par l'épaule.

— Racontez-moi ça.

Le lieutenant jeta un coup d'œil méprisant vers l'intérieur de la grotte.

— Dans la caverne il y a une porte gigantesque sans serrure et qui mène au sanctuaire où se trouve... l'objet. Mais les moines sont furieux, ils disent qu'il s'agissait seulement de nous faire visiter la caverne, pas de rentrer dans la nécropole. Ils ne veulent pas que des étrangers profanent ce sanctuaire.

Weistort éclata de rire. Un rire franc et joyeux.

— Étrangers ? Bien sûr que non. Nous portons le même sang même si ça ne se remarque pas au premier coup d'œil, dit-il en observant le porteur qui fumait une longue pipe. Allons résoudre ce problème avec nos « cousins ».

Les trois hommes grimpèrent l'escalier qui menait à la grotte.

— Comment se passe le séjour à Lhassa ? demanda Manfred.

— Excellent. J'ai fini de tourner mon futur documentaire et nous avons récolté une moisson de données scientifiques de premier plan. Je regrette que nous devions bientôt repartir à Berlin. Ce pays est merveilleux et les Tibétains des personnes remarquables.

— Je ne partage pas votre avis, Karl, répliqua le jeune lieutenant.

Weistort qui semblait d'excellente humeur bondissait sur les marches.

— Allons, allons, lieutenant. Un peu d'optimisme que diable. Vous êtes un SS. Comment les Tibétains appellent-ils cette terre déjà ?

Le trio n'était plus qu'à une trentaine de mètres de l'entrée de la caverne qui formait une sorte de demi-coupole creusée dans la roche de la colline pelée.

— La terre des crânes qui hurlent, répondit Manfred. Pour les moines, certains morts continuent de vivre et ne peuvent pas se réincarner. Ils rôdent dans les entrailles de la terre et murmurent leur désespoir, incapables de trouver de nouveaux corps à habiter. Si on ouvre la porte, l'enfer va se déchaîner sur terre. Et comme il faut au moins une dizaine d'hommes pour l'arracher de ses gonds…

Le colonel Weistort souriait.

— Des morts qui errent dans l'attente d'une résurrection. Magnifique ! N'est-ce pas une parabole sur notre peuple ? Des Allemands désespérés par la défaite et la trahison et qui attendaient leur sauveur Adolf Hitler ? Le Führer a donné un nouveau corps à l'Allemagne. Plus fort, plus vigoureux. J'aime ces traditions ancestrales. Elles nous permettent de comprendre le sens caché de l'univers.

Le pied du colonel buta contre une grosse boîte de conserve éventrée qui gisait sur une marche. Elle avait roulé d'un monticule de déchets déposé devant une grosse pierre sur le côté. Weistort s'arrêta net et ramassa la conserve qu'il renvoya sur le tas d'immondices.

— Lieutenant, vous allez me faire le plaisir d'enterrer ces ordures immédiatement.

Le jeune lieutenant ouvrit de grands yeux étonnés. Weistort le contempla en secouant la tête d'un air navré.

— Souiller la nature est un crime, lieutenant. La terre nous offre tant de merveilles en abondance, la moindre des choses est de la respecter. On ne vous a pas appris ça dans vos cours d'écologie à l'Institut de la SS ?

— Non, mon colonel, j'ai intégré l'Ordre l'année dernière.

— Eh bien c'est un tort. Apprenez que l'écologie est un mot inventé par un bon Allemand, le biologiste Ernst Haeckel, et qui dérive du grec *Oikos*, habitat, et *Logos*, science.

Schäfer ajouta d'une voix enthousiaste :

— Un grand précurseur ce Haeckel, il croyait à l'inégalité des hommes et mettait les Blancs au sommet de l'évolution. Il a été un membre fondateur de la Société allemande pour l'hygiène de la race au début du XXe siècle alors que le national-socialisme n'était pas encore né.

— Absolument, il faut lire et relire son œuvre *Die Lebenswunder*[1], ajouta Weistort. Je vous en passerai un exemplaire.

Satisfait de son petit discours, le colonel SS se remit à gravir les marches. Il s'écoula quelques minutes avant que les trois hommes ne pénètrent dans la grotte. L'intérieur, vaste comme une brasserie munichoise, était éclairé par des flambeaux disposés le long des parois aussi grises que le paysage de la vallée. Au fond de la caverne, un groupe d'hommes était couché devant un feu qui dégageait une fumée rance. Une odeur de graisse cuite flottait dans l'air froid. Un homme blond, de haute taille, se précipita à leur rencontre, les traits tendus. Il ne prit même pas la peine de saluer les nouveaux venus.

1. « Les Merveilles de la vie. »

— Lieutenant, un des porteurs ne va pas bien du tout, il vomit et crache du sang.

Weistort et Schäfer échangèrent un bref regard inquiet.

— C'est le troisième..., ajouta le jeune Allemand. Ils l'ont mis dans l'autre salle.

— Faites-moi voir ça, voulez-vous, dit le colonel d'une voix douce.

Ils bifurquèrent sur la droite de la caverne en direction d'un renfoncement d'où sortaient de faibles lueurs. Un petit groupe était assis devant une sorte d'autel en pierre sur lequel brûlait un feu de braises. Trois moines en robe safran, assis en position de lotus, entouraient un homme à terre et qui se tordait de douleur sur une couverture élimée. Son visage ruisselait de sueur, du sang coulait par la commissure de ses lèvres.

Weistort s'approcha des moines et inclina le buste pour les saluer.

— Traduisez et dites-leur que je suis envoyé par Adolf Hitler, le grand lama de l'Allemagne.

Le traducteur s'exécuta, les moines étaient impassibles. Weistort s'accroupit et passa sa main sur le front du malade.

— De quoi souffre-t-il ?

L'un des moines leva les yeux vers l'officier et son regard était dur. Un flot de paroles jaillit, hachées et tranchantes. Le traducteur écouta attentivement, puis balbutia d'une voix molle :

— Ce porteur a été puni, comme les autres, pour avoir pénétré dans le sanctuaire. Il mourra cette nuit et rejoindra les morts qui frappent derrière la porte. Si nous ne partons pas, le même sort nous sera réservé.

Le colonel Weistort hocha la tête d'un air entendu.

— Traduisez ce que je vais lui dire. Je suis très déçu. Nous voulions juste rendre hommage à ses ancêtres. Dites-lui que je suis très respectueux de sa terre aryenne et de ses coutumes. En Allemagne, nous rétablissons les anciennes pratiques ancestrales méprisées par le christianisme. Pourrions-nous faire une offrande, un sacrifice, en signe de respect pour les morts ?

Le traducteur prit à nouveau la parole. Au fur et à mesure le moine se fermait. Il glapit quelques mots et cracha par terre.

Le traducteur ouvrit de grands yeux et hocha la tête.

— Il faut égorger une chèvre bénie par le lama supérieur de Lhassa. Hélas, nous n'avons pas de chèvre.

L'officier allemand sourit. Puis, sans un mot, sortit un couteau accroché à son ceinturon. Il le brandit à la faible lueur du feu, ses yeux bleus semblaient refléter l'éclat métallique de l'acier. Sa voix se répercuta sur les parois des murs.

— Dites-lui que j'appartiens moi aussi à un ordre spirituel, la SS, et ce poignard m'a été remis par mon chef, Heinrich Himmler. Sur la lame il y a une devise gravée : « Mon honneur est ma fidélité. »

Il plongea le couteau dans les braises. L'acier se mit à rougir.

— Je ne sais pas si le mot honneur représente quelque chose au Tibet, mais dans mon pays, il recouvre trois qualités : la fierté, le courage et la loyauté.

Le colonel s'approcha d'un des moines en souriant, le couteau maintenant incandescent à la main. La voix de Weistort devint plus apaisante, plus douce. Il s'accroupit à côté du bonze le plus âgé qui n'avait rien dit jusqu'à présent.

— Mes amis, je n'ai pas l'impression que vous fassiez preuve de beaucoup de loyauté à notre égard.

À peine avait-il prononcé le dernier mot qu'il poignarda le vieil homme à la gorge. La lame fit craquer la glotte et glissa dans la chair. Un jet de sang clair jaillit et éclaboussa la combinaison immaculée du colonel. Le moine tomba à la renverse, à côté du malade, les yeux écarquillés en se tordant comme un ver. Une odeur de viande grillée se répandit autour d'eux.

Les deux autres moines n'avaient pas bronché. Leurs visages demeuraient impassibles.

Schäfer s'approcha.

— Vous êtes fou, colonel ! Ils ne sont pas responsables de la maladie de cet homme.

Weistort essuya sa lame sur la robe du moine et répondit avec condescendance :

— Cette naïveté vous rend sympathique, mon cher Ernst. Mais laissez-moi vous expliquer. Regardez le liseré rouge qui marque le bas de la robe de ces moines, il indique qu'ils appartiennent au Ganpitra, un ordre intérieur dans le clergé tibétain qui a pour mission de protéger la communauté. À n'importe quel prix. Ils ont l'autorisation de transgresser leurs lois et de tuer quand cela est nécessaire. Des loups déguisés en agneau. Qui se méfierait de gentils moines bouddhistes… Très pratique, vous ne trouvez pas ?

— Je ne vois pas le rapport, répliqua Schäfer qui n'osait pas regarder le vieil homme inerte.

— Le Ganpitra n'utilise jamais d'armes blanches, trop vulgaires, mais du poison. Une grande spécialité de leur ordre. Avant de venir, j'ai lu les mémoires d'un missionnaire italien qui avait été admis au Potala[1] il y a plus de trente ans. Je pense qu'ils ont empoisonné les porteurs pour faire croire à l'existence d'une malédiction et nous faire déguerpir.

L'un des moines prit la parole.

— Il dit que les disciples du Bouddha n'ont peur ni de vous ni de la mort. Vous pouvez les assassiner, ça ne changera rien. Les porteurs, eux non plus, ne vous serviront à rien, ils préféreront se faire tuer plutôt que d'affronter les morts qui hurlent.

Le colonel balafré hocha la tête et reprit son couteau. Il se pencha sur le cadavre du moine et découpa un rond de chair, de la circonférence d'une pièce de monnaie, sous le front du malheureux. Juste au-dessus de la racine du nez.

Il brandit son trophée, puis le jeta dans le brasier.

— Traduisez de nouveau je vous prie. Je pratique moi aussi leur magie, j'ai pris le troisième œil de leur collègue et l'ai brûlé. Son âme m'appartient désormais et je vais m'amuser à lui faire subir mille tourments. Jamais il n'atteindra le Nirvana.

1. Résidence du dalaï-lama à Lhassa.

Les visages des moines se métamorphosèrent subitement. Ils échangèrent des regards apeurés.

La voix de Weistort résonna à nouveau :

— Ils sont parfaitement au courant de cette sorcellerie puisqu'ils l'utilisent de temps à autre pour terroriser les ennemis du Rimpoché. Je n'ai fait que lire soigneusement le livre du prêtre envoyé par le Vatican et qui a assisté à leurs tours de passe-passe. Maintenant vous allez leur dire de stimuler comme il se doit les porteurs pour nous ouvrir la porte du sanctuaire. Sinon je me verrais au regret de m'occuper de leurs âmes.

Les deux moines n'avaient pas entendu la fin de la traduction et s'étaient levés à la vitesse de l'éclair. Ils coururent vers la salle en lançant des ordres aux porteurs couchés à terre.

Weistort rangea son couteau d'un air calme.

— Et si nous allions ouvrir cette fameuse porte ?

Deux heures plus tard, l'entrée du sanctuaire avait été dégagée. Les lourds battants de bronze, qui devaient peser une demi-tonne, gisaient à terre de chaque côté d'une ouverture béante d'où s'échappait une odeur à la fois âcre et sucrée.

— Le doux parfum de la mort, murmura Weistort qui s'engagea dans un large couloir, une torche à la main, suivi de Schäfer le doigt sur la détente de sa mitraillette.

Les autres Allemands étaient restés postés devant l'entrée, ils n'eurent pas besoin d'éloigner les porteurs. Ils s'étaient tous enfuis de la caverne, apeurés, en hurlant des prières. Les deux bonzes, désormais silencieux, restaient assis devant le feu.

Les deux officiers progressaient à pas lents sur un sol humide, le flambeau lançait des lueurs vacillantes sur des parois presque bleutées, veinées d'une myriade d'éclats métalliques.

— Ça doit être une ancienne mine d'argent, murmura Schäfer, le Tibet regorge de minerais précieux.

— Ce que nous cherchons ici a infiniment plus de valeur que l'argent ou l'or, répliqua Weistort. D'ailleurs, je ne vous ai pas félicité pour votre initiative. C'est une idée brillante d'avoir lié des liens d'amitié avec le dignitaire tibétain et d'avoir commencé la traduction de leur livre sacré.

Le couloir s'était élargi, comme une sorte d'avenue souterraine plongée dans les ténèbres. Schäfer tendit l'oreille, de curieux bruits sourds se manifestaient autour d'eux, comme des grattements.

— Vous croyez vraiment à cette légende, mon colonel ? glissa le chef de l'expédition d'une voix peu assurée.

— Les morts vivants ? Je n'y crois pas une seule seconde. Ceux qui ont caché l'objet ici voulaient faire peur à la population superstitieuse. En revanche des rats qui…

Weistort s'arrêta net et ralentit le pas.

— Bon sang !

Il brandit le flambeau.

Devant eux se dressait une stèle noire et rectangulaire. Haute et massive, elle ressemblait aux gigantesques dalles des monuments aux morts des cimetières militaires en Prusse orientale. Mais il y avait quelque chose à mi-hauteur de la dalle qui la différenciait des pierres funéraires allemandes.

Une statue.

Le buste d'un homme dont le visage déformé exprimait une souffrance profonde. La moitié inférieure du corps de l'être de pierre paraissait avoir été emmurée dans la stèle. Ses bras étaient tendus vers l'avant, ses mains portaient une vasque de métal.

À ses pieds, disposé en cercle, un amoncellement de squelettes.

Les deux Allemands s'approchèrent, les ossements craquaient sous leurs bottes. Ils étaient comme hypnotisés par ce qu'ils découvraient. Le visage de Weistort s'illumina.

Il sortit de sa veste un livre à la reliure rouge orné d'un titre en lettres gothiques : *Thule Borealis Kulten.*

— Quel troublant jeu de piste à travers les continents et les siècles, dit Weistort, songez que tout a commencé dans ce livre écrit au Moyen Âge, en Allemagne, et propriété d'un demi-juif… J'y ai découvert un passage qui faisait allusion à des rouleaux sacrés en Orient et à l'existence de…

Il ouvrit une page marquée par un signet. Une gravure apparut.

— La même statue !

Ils s'approchèrent de l'étrange sculpture. Dans la vasque était posé un objet de couleur rubis qui reflétait les lueurs chatoyantes de la lumière du flambeau. Il était taillé en forme de symbole. Un symbole qui émerveilla les deux SS.

Une swastika.

Le colonel Weistort tendit la torche à son adjoint et prit la croix gammée entre ses mains. Sa voix résonna comme un grondement de tonnerre.

— L'an I du Troisième Reich commence aujourd'hui.

2

Catalogne
Janvier 1939

— ¡ *No pasarán !*

Le long de la route défoncée qui filait vers le front, un groupe de soldats salua le passage du camion en hurlant le cri de guerre des républicains. Nonchalamment installé à l'arrière du Ford, Tristan leur répondit d'un poing levé tout en faisant jouer un cigare entre ses doigts. Il n'avait pas encore eu le temps de l'allumer. Un cigare, ça prend du temps. Comme un bon cognac, il faut d'abord en humer le parfum, caresser du regard sa robe fauve… Un coup de frein du camion le fit jaillir de sa dégustation imaginaire. Une rivière en crue recouvrait la route d'un flot noir de boue.

— Tout le monde descend !

La voix rauque de Jaime retentit comme un coup de poing. Petit, râblé, la moustache en bataille d'un conquistador enfiévré, le chef de groupe avait sauté du camion, le fusil à la main. Il adressa un regard furibond à Tristan qui rangeait avec précaution son cigare dans une poche intérieure.

— Toi, *El Francés*, bouge un peu ton cul. Il faut qu'on soit arrivé avant la tombée du jour.

Autour de Jaime, une douzaine de soldats prenaient position comme pour une inspection. L'un remontait son col élimé, l'autre renouait la corde qui lui servait de ceinture. Leur uniforme était à l'image de la République, en lambeaux. Seul Tristan arborait une superbe veste dont les boutons d'argent étincelaient sous le soleil d'hiver. Il l'avait récupérée sur un cadavre, comme le cigare d'ailleurs.

— Tu vas nous faire tirer comme des lapins avec ces boutons de malheur, grommela Jaime. Au premier rayon de lune, ils vont briller pareils à des cierges de Pâques.

En souriant, le Français sortit une boîte ronde d'une de ses poches.

— Tout est prévu, un coup de cirage et on n'y verra plus rien.

Jaime tira un coup sec sur sa moustache. Il détestait ce Français que rien ne semblait désarçonner. Ni la faim au ventre, ni les balles des franquistes. Un trompe-la-mort, voilà ce que c'était. Et toujours une réponse à tout et avec le sourire en plus. De quoi vous ruiner la discipline ! D'ailleurs si ça n'avait été que lui, jamais il ne se serait encombré d'un type pareil. On le lui avait imposé. Pour cette mission vitale, il était indispensable. Et indispensable à quoi, on ne le lui avait pas dit.

— Garde à vous !

Le claquement sec des paumes sur les crosses retentit dans l'air glacé. Jaime aimait ce bruit.

— Vérifiez armes !

La culasse des fusils, parfaitement graissée, coulissa en silence. L'efficacité allemande, songea Tristan, qui avait reconnu un Mauser. La pénurie des armes et des munitions était telle, dans le camp républicain, que l'on n'hésitait plus à dépouiller les morts ennemis sur le champ de bataille. Toutefois, les Mauser ainsi récupérés étaient prioritairement affectés à des troupes d'élite.

— Quelque chose me dit que notre mission ne va pas être de tout repos, commenta le voisin de Tristan, un Irlandais aux cheveux roux qui avait rejoint les Brigades internationales au printemps.

Jaime le fusilla du regard. Il supportait mal ces volontaires, venus de toute l'Europe pour défendre la République espagnole. Ils se prenaient pour des héros et méprisaient toute discipline.

— Demi-tour gauche !

Face à eux, se tenait une montagne aux formes fantastiques. Des centaines de pitons gris se découpaient en désordre sur l'horizon comme si un vent de pierre, après les avoir flagellés, les avait figés pour l'éternité. Dans une échancrure se dressait la silhouette sombre d'un clocher semblable à la lame effilée d'une épée. Jaime tendit nerveusement la main.

— Notre objectif. Le monastère de Montserrat.

Ils avaient attendu la nuit pour se glisser parmi les premières montagnes. Un sentier de muletiers serpentait entre les masses de granit. Prudent, Jaime leur avait demandé d'abandonner leurs casques juste avant la montée. Un seul choc métallique sur une pierre et c'était toute la montagne qui résonnait comme un carillon. *El Jefe*, comme l'appelaient ses hommes, avait bien préparé sa mission. Ou plutôt, on l'avait bien préparée pour lui, songeait Tristan.

— Il paraît que le monastère a été évacué, souffla l'Irlandais. J'ai même entendu dire que la plupart des moines avaient été tués. Je me demande bien ce que l'on va chercher là-haut. À part des ruines et des corbeaux, il ne reste rien.

— Peut-être que l'on va à la chasse aux fantômes, une nouvelle arme secrète pour gagner enfin la guerre…

Le rouquin fit un signe de croix malgré lui.

— Tais-toi ! Chez moi, en Irlande, on ne plaisante pas avec les revenants. Regarde ces maudites pierres levées, on dirait des guerriers pétrifiés par un démon. Parfois, j'ai l'impression qu'ils vont se réveiller…

— Halte ! intima Jaime.

Ils venaient d'atteindre une terrasse surplombée par une falaise. Sous cet auvent de pierre, la lune faisait miroiter l'eau vive d'une source qui s'écoulait dans un bassin de pierre. Les hommes posèrent leurs armes pour se désaltérer. La montée avait été rude. Jaime craqua une allumette qui lui illumina le visage. Sous la lueur vacillante, il paraissait plus pâle que d'habitude.

— Lumière !

Un des soldats se précipita. Il tenait à la main une lanterne qu'*El Jefe* alluma. L'éclat, plus intense, dévoila un pan de mur adossé à la falaise. Au-dessus de la porte en accolade, une statue de saint, surmontée d'une étoile, donnait sa bénédiction. Jaime cracha par terre. Plus que tout, il détestait les prêtres. Si l'Espagne était plongée dans la guerre civile, c'était à cause d'eux. Des siècles durant, ils avaient maintenu le peuple dans l'ignorance et la peur. Ignorance de la liberté, peur de l'enfer. Mais un vent nouveau avait soufflé, allumant les braises de la révolte et désormais l'Espagne était un brasier.

— L'Irlandais, siffla Jaime. Tu es né catholique ?

Fataliste, le rouquin hocha la tête.

— Alors tu es capable de te repérer dans un monastère ?

El Jefe venait de sortir un plan qu'il éclaira en levant la lanterne. Un point rouge se trouvait à l'angle de jonction de l'église et du cloître.

— Nous devons aller là.

Après l'avoir suivi du doigt, l'Irlandais commenta le tracé des bâtiments.

— Il faut d'abord franchir la porterie, puis traverser la place centrale pour atteindre l'église. À chaque fois, nous sommes à découvert. S'il n'y a personne, c'est bon, sinon…

— Le monastère a été vidé il y a plusieurs mois, mais deux personnes ont été autorisées à rester. Le père supérieur et un gardien. Deux prêtres.

Tristan qui venait d'allumer son cigare se mêla à la conversation.

— Je doute qu'ils nous laissent piller tranquillement l'abbaye…

Furieux, Jaime sursauta.

— Qui te dit que l'on est venu pour piller ?

— Le point rouge ; il est situé juste à l'endroit où, dans un monastère, se situe le scriptorium. Au Moyen Âge, c'est là où l'on recopiait les manuscrits des textes anciens. Sauf que depuis l'invention du père Gutenberg, les copistes se sont retrouvés au chômage…

— Va au but.

El Jefe détestait le ton désinvolte employé par le Français. Cette habitude de se moquer de tout, sans en avoir l'air, lui donnait des envies de meurtre.

— Depuis au moins quatre siècles, c'est dans l'ancien scriptorium que l'on range les richesses monastiques : objets du culte en métal précieux, œuvres d'art… Bref, le *trésor* de l'abbaye. Voilà pourquoi je doute que nos hôtes nous accueillent à bras ouverts…

Tout autour, les soldats écoutaient le Français avec attention. Depuis qu'on les avait affectés à cette mission spéciale, les interrogations allaient bon train. Tous connaissaient le monastère de Montserrat qui, depuis des siècles, était un lieu de pèlerinage vénéré dans toute l'Espagne. De Séville à Burgos, en passant par Barcelone, on se pressait pour venir honorer la Vierge miraculeuse de l'abbaye. Sur cette montagne, battait le cœur spirituel de tout un pays. D'ailleurs, cette aura mystérieuse réveillait des peurs superstitieuses. Certains soldats jetaient déjà des coups d'œil angoissés vers le plateau où se dressait le monastère. Jaime sentit vite que, s'il ne leur redonnait pas courage, ses hommes risquaient de flancher. Tout ça à cause de ce maudit Français.

— Soldats ! La République vous a choisis pour votre courage et votre valeur. Notre mission est capitale pour vaincre nos ennemis ! Cette nuit, l'avenir de notre République est entre vos mains ! Alors en marche !

Ressoudée, la troupe reprit le chemin. Seul Tristan restait à contempler le fronton de la chapelle. La lune nappait d'une lumière scintillante le saint qui semblait jaillir de la pierre. Juste au-dessus de sa tête, l'étoile, frappée d'un rayon, brillait d'un éclat intense comme un diamant taillé.

— Toi, *El Francés,* si tu continues à parler à tort et à travers, tu vas mal finir, parole d'*El Jefe*.

Tristan ne répondit pas. Il saisit son fusil, vérifia le chargeur et s'avança en souriant. Il savait qu'au dernier moment Jaime aurait besoin de lui.

La masse sombre de l'abbaye reposait entre deux parois rocheuses comme une bête endormie, mais on ne savait si c'était dans un rêve ou un cauchemar. Pour plus de sécurité, Jaime avait réparti ses hommes en deux sections, chacune se dirigeant vers l'entrée en protégeant l'autre. On ne savait jamais. Mais quand les deux groupes firent leur jonction devant la grille d'entrée, ils la trouvèrent grande ouverte comme si un moine distrait avait oublié de la fermer. Cette facilité imprévue les troubla d'autant plus qu'ils se trouvaient face à l'immense place centrale où, avant-guerre, des milliers de fidèles se pressaient pour les fêtes religieuses. Désormais, elle était déserte, mais pas silencieuse. Un vent froid faisait bruisser des feuilles mortes qui chutaient de grands arbres plus sombres que la nuit. Aucun des soldats n'osait s'avancer. Ce froissement ininterrompu leur mettait les nerfs à vif. Même *El Jefe* restait immobile. Sans oser se l'avouer, il savait qu'une fois cette place sacrée franchie, ils ne pourraient plus revenir en arrière. Un seuil invisible – peut-être la peur obscure du sacrilège – le retenait malgré lui en lisière. Il se tourna vers ses hommes. Tous semblaient se fondre dans l'obscurité.

— Un volontaire pour aller à l'église !

Ni un pas, ni un mot ne se fit entendre.

— Il faut trouver le gardien et l'abbé, c'est un ordre !

— Si ce n'est que ça…

La voix ironique de Tristan précéda son geste. Il fit glisser le Mauser de son épaule, visa un point invisible et tira. En un instant, la lourde cloche de l'abbaye résonna comme un coup de canon, amplifié par l'écho de la montagne

— Maintenant ils vont sortir.

Les poings serrés de colère, Jaime se retint pour ne pas briser la mâchoire de ce Français de malheur, mais il fallait réagir et vite :

— Toi, l'Irlandais tu t'embusques près de la porte. Les autres, prenez position en arc de cercle autour de l'église. Quant à toi, *El Francés*, tu ne perds rien pour attendre.

Une porte grinça. Précédée d'une lumière vacillante, une ombre fit son apparition. Le rouquin n'hésita pas. Il jaillit du porche et braqua son arme sur l'homme en soutane. Une croix d'argent brillait sur sa poitrine. Jaime se précipita.

— Où est le gardien ? Parle ou tu es mort !

Le prêtre n'eut pas à répondre. Derrière lui, un corps suppliant venait de tomber à genoux.

— Jésus, Marie, protège-nous des démons ! Jésus, Marie...

La prière du gardien n'arriva jamais au ciel. Un coup de crosse lui fendit les lèvres.

Les républicains avaient traîné les deux prêtres dans l'église. Parqués contre un confessionnal, ils regardaient, horrifiés, les soldats s'attaquer à la porte du scriptorium. Après l'angoisse de la montée nocturne vers l'abbaye, les hommes de Jaime se déchaînaient comme pour exorciser leur peur. Dans ce combat contre la superstition, c'était à celui qui commettrait le plus de sacrilèges. Déjà des bénitiers gisaient au sol mêlant leurs fragments de marbre à la pluie de vitraux brisés qui s'écrasaient sur le dallage. Armé d'une baïonnette, un soldat mutilait les statues de saints, coupant les nez et tranchant les oreilles. Jaime laissait faire. Une fois la soif de destruction passée, il savait que la discipline se rétablirait d'elle-même. Et de l'ordre, il en avait besoin, car la mission touchait à son but.

La porte de vieux chêne craqua dans un bruit infernal. L'Irlandais fut le premier à entrer dans l'ancien scriptorium. C'était une longue salle en pierre sombre, voûtée en croisée d'ogives. Les seules ouvertures étaient d'étroites meurtrières d'où sifflait un souffle glacé. Si ce n'était la vaste cheminée près de l'entrée, cette salle ressemblait à une tombe oubliée des vivants. Pour autant, elle n'était pas vide. Contre les murs, de longues toiles écrues recouvraient des objets dont on ne devinait que les angles. Tristan eut l'impression de pénétrer dans un château où, l'été passé, les domestiques recouvraient les meubles de draps pour les protéger des assauts humides de l'hiver. Méfiants, les soldats se tenaient à distance de ces toiles grises qui ressemblaient à des linceuls.

— Faites venir l'abbé.

Quand le père supérieur entra, Jaime claqua des talons, déplia une feuille officielle, bardée de tampons, qu'il tendit d'un geste sec.

— Au nom de la République, j'ai ordre de réquisitionner tous les biens de valeur que recèle le monastère. Voici l'ordre signé des autorités légales.

— Quelles autorités légales ? s'écria le prêtre qui serrait fébrilement sa croix d'argent. Je n'en connais qu'une et c'est Dieu !

Jaime se tourna vers l'Irlandais.

— Fais-moi sauter ces toiles, qu'on voie ce qu'il y a dessous.

Le rouquin s'exécuta. En un instant, un amoncellement d'or et d'argent apparut. Ciboires étincelants, croix ciselées, reliquaires sertis de perles, tableaux précieux… L'amas de richesse était tel que Jaime s'affola.

— On ne pourra jamais tout emporter !

— C'est pourquoi je suis là, affirma Tristan, pour distinguer le vrai du faux, le bon grain de l'ivraie, comme il est dit dans les Évangiles…

Jaime le regardait ébahi.

— Prenez par exemple ce porte-cierge…

Tristan venait de saisir un candélabre qui jetait des reflets d'argent.

— ... Ça fait son effet, brillant, étincelant et pourtant... c'est fait d'un alliage sans valeur. Du vermeil. Du toc.

Il le fracassa sur le sol.

— En revanche, cette beauté...

Délicatement, il tendit ses doigts vers un vase d'un bleu pâle au long col de cygne.

— ... C'est un lacrymatoire. Il y a des siècles, il a recueilli des larmes de saint. Dans une vente aux enchères, il vaut une fortune. De quoi acheter des armes pour la République.

Aussitôt les soldats se précipitèrent vers les œuvres d'art, apportant leurs prises à Tristan comme un trophée à un général vainqueur. D'un geste de la main, il indiquait celles qui devaient être emportées, les autres roulaient au sol dans un fracas de fin du monde. Le père abbé était tombé à genoux, priant en silence tandis que le gardien, malgré sa bouche en sang, poussait des gémissements de bête que l'on égorge. Seul Jaime ne participait pas au pillage, il fixait d'un regard froid les mains avides qui remplissaient les sacs emportés pour la mission. À la suite de Tristan, l'Irlandais notait sur un calepin chaque prise de guerre.

— Un ciboire en argent... Un reliquaire incrusté de gemmes et de turquoises...

Le Français s'arrêta devant une suite de petits tableaux poussiéreux. Des paysages noircis faisant office de chemin de croix. Il en retira un au cadre branlant. On y voyait, sous un vernis fendillé, une haute montagne, couronnée d'un édifice, au-dessus de laquelle brillait une étoile. Tristan la fit glisser dans son sac.

— Ça vaut quelque chose ? l'interrogea Jaime en se rapprochant.

Le Français éclata de rire.

— Pas un clou, mais ça me fera un souvenir ! Comme ça, chaque fois que je verrai cette croûte, je penserai à vous.

El Jefe l'attrapa brusquement par le bras.

— Tu es qui, Français de malheur ? Tu fais quoi, ici ?

Tristan se dégagea avec autorité.

— Je suis un chasseur d'œuvres d'art ! Je piste, je traque et quand je trouve… Regarde !

Un des soldats venait de tirer au sol une toile découvrant une haute croix portant un Christ à taille humaine. À son tour le Français saisit le bras de Jaime.

— Christ baroque du XVIe siècle. La croix est en ébène, le Christ en ivoire. Une pièce unique.

El Jefe s'approcha, son visage arrivait juste au niveau des pieds percés de clous bombés.

— Décrochez-moi ce crucifié…

Le gardien poussa un hurlement. D'un coup de baïonnette, un des soldats fit sauter les clous un par un. La statue d'ivoire glissa à terre soutenue par l'Irlandais et Tristan. Jaime fixa le corps du Christ gisant sur le dallage.

— Il est trop lourd à transporter. Décapitez-le, arrachez les bras, les jambes, puis brisez le reste du corps. On vendra l'ivoire au poids.

Tristan s'interposa entre la statue et Jaime.

— C'est un crime…

Il n'eut pas le temps de finir sa phrase. Le gardien venait de bondir, un chandelier à la main.

— Sois maudit, démon !

Il hurla avant d'agir. Une erreur. Jaime se retourna et esquiva le coup. Emporté par son élan, le gardien roula au sol. *El Jefe* éclata d'un rire diabolique.

— Tu voulais sauver ton crucifié ? Eh bien, tu finiras comme lui, clouez-le sur la croix !

Un an et demi plus tard...

En cette fin d'été 1940, les feux de la démocratie se sont éteints un à un en Europe.

En cette fin d'été, Adolf Hitler a réussi son pari insensé. L'Allemagne nazie règne en maître sur le vieux continent.

À l'Est, elle occupe la Tchécoslovaquie et la Pologne. Au Nord, elle a conquis la Norvège et le Danemark. À l'Ouest, au terme d'une stratégie aussi audacieuse que fulgurante, les Pays-Bas et la Belgique ont été balayés. Et à la stupéfaction du monde entier, la France, réputée invincible depuis la Première Guerre mondiale, a été écrasée sous les chenilles des Panzerdivisionen. La campagne a été si rapide que les Allemands eux-mêmes sont ébahis par leurs triomphes miraculeux. Au point que dans le peuple on murmure que le Führer est l'élu de Dieu.

Au Sud, l'Italie fasciste de Mussolini verrouille les portes de la Méditerranée et s'apprête à envahir la Grèce.

Quant aux autres États européens, ils se divisent en deux camps : les tremblants et les bienveillants. Les premiers, telle la Suède, se sont recroquevillés dans une peureuse neutralité. Les seconds, pour la plupart des dictatures, comme dans les Balkans ou la pénin-

sule Ibérique, manifestent une admiration contagieuse pour le Troisième Reich.

En cette fin d'été, chose inouïe, les rouges se sont alliés aux noirs. Staline, le tsar communiste, a conclu un pacte de non-agression avec Hitler, son ennemi juré, le laissant dépecer à sa guise les terres de l'Est.

L'été s'achève.

Et le maître de la swastika savoure son triomphe.

Il ne reste qu'une seule nation à lui tenir tête.

Une seule : l'Angleterre.

Une nation affaiblie et humiliée. Jour et nuit, les bombardiers de la Luftwaffe[1] *ravagent l'île meurtrie et l'invasion par la mer doit être déclenchée d'un jour à l'autre.*

L'été s'achève.

Il s'est déroulé bien des faits étranges et cruels pendant ces derniers mois de feu et d'acier, pourtant ce n'est rien à côté de ce que prépare le conquérant à la croix gammée. Au nom du Bien qu'il rêve pour son peuple, il va répandre le Mal. Un Mal tel que l'humanité n'en a jamais connu jusqu'alors.

L'été s'achève.

---

1. Armée de l'air allemande.

3

Berlin, chancellerie
Conseil de défense restreint
Fin septembre 1940

Le maître du Reich tapa du poing sur la table.

— Ces Anglais bornés ! Pourquoi rejettent-ils mes offres de paix ? Ils s'entêtent à nous défier. Tant pis pour eux.

Tout le monde se taisait autour de la table ovale, en marbre clair, ornée d'une gigantesque swastika rouge. Les sept hommes les plus puissants de la nouvelle Allemagne avaient l'habitude des éruptions soudaines de leur chef. Mais le volcan ne crachait pas sa lave longtemps. Chacun attendait quelques minutes le temps que la coulée refroidisse.

Adolf Hitler ouvrit avec nervosité une chemise grise posée devant lui, chaussa des lunettes loupe et reprit la parole :

— Messieurs, j'espère que vous avez lu attentivement le rapport sur l'opération *Seelöwe*[1].

1. « Lion de mer » en allemand.

Il s'arrêta, retira ses lunettes et scruta un par un les membres du conseil.

— L'invasion de l'Angleterre par la mer.

Les sept hiérarques avaient tous lu le dossier. À côté du Führer, de gauche à droite étaient assis le maréchal de l'air Hermann Goering, Joseph Goebbels, ministre de l'Éducation du peuple et de la Propagande, le Reichsführer de la SS, Heinrich Himmler, l'architecte Albert Speer, le général Wilhelm Keitel, chef d'état-major des armées. En bout de table, on trouvait Rudolf Hess, le chef du parti, et Alfred Rosenberg, idéologue officiel du régime et responsable du pillage des œuvres d'art dans les pays occupés.

Ces hommes aussi impitoyables qu'efficaces avaient tous, chacun à sa façon, aidé Hitler dans son ascension jusqu'à la prise du pouvoir en 1933. C'était sa garde rapprochée, son *cercle de fer*, pour reprendre les mots du Führer. Unis dans leur admiration inconditionnelle pour leur chef, ils se côtoyaient depuis tellement d'années qu'ils pouvaient se permettre de se détester plus ou moins cordialement.

Au fond, contre le mur, le seul représentant du sexe féminin, la secrétaire personnelle d'Hitler, tapait sur sa machine à écrire Torpedo avec application. Le Reich sublimait la femme en tant que mère, amante et reproductrice, mais la cantonnait dans des emplois subalternes dans la sphère professionnelle.

Une voix tonitruante retentit dans la pièce.

— À la bonne heure ! gronda Hermann Goering. Il n'est plus temps de temporiser. Mes bombardiers Heinkel pilonnent les villes et les centres de production industriels. L'Angleterre va tomber comme un fruit trop mûr. Il faut lancer l'opération d'invasion maintenant !

L'imposant maréchal de l'air était aussi ministre de la Prusse et numéro deux officiel du régime. Si Hitler venait à mourir, c'est lui qui prendrait sa place. Friand de distinctions, ce grand ami de la nature détenait par ailleurs le titre de grand veneur du Reich et de maître des forêts. Il arborait un sourire large et avide sur un visage joufflu. Il convoyait un ventre si imposant que son tailleur personnel devait importer des États-Unis un tissu extensible pour lui confectionner ses tenues extravagantes.

Il était surnommé l'Ogre, pour son appétit insatiable et sa voracité légendaire en matière d'œuvres d'art. Depuis l'accession au pouvoir de son maître, sa somptueuse maison de campagne dans le Brandebourg s'était transformée en un incroyable musée privé rempli de tableaux et de sculptures volés ou rachetés à vil prix aux familles juives allemandes persécutées.

— J'appuie de toutes mes forces la proposition du maréchal de l'air. Les Anglais sont épuisés, ils ne résisteront pas à nos troupes quand elles auront débarqué sur leurs côtes. Quelles belles images nous pourrons tourner à Londres !

L'homme qui venait de prendre la parole était assis à droite de l'Ogre. Aussi frêle et efflanqué que son voisin était massif, Joseph Goebbels, le très influent ministre de l'Éducation du peuple et de la Propagande, croisait les bras d'un air hautain. Le regard, du même noir que ses cheveux gominés et plaqués en arrière, surmontait une bouche en forme de faucille inversée. Il était l'ensorceleur, celui qui régentait les gigantesques parades du régime et régnait d'une main de fer sur le monde des arts et de la culture. Rien ne lui plaisait tant que de rédiger de longs discours pour lui-même ou pour son maître. C'était un homme de son temps, il était fasciné par les nouvelles technologies de communication, comme la radio, le cinéma et depuis peu la télévision. Il portait des vestes aux épaulettes trop larges pour lui et le dernier tailleur qui avait osé émettre la suggestion d'en réduire la carrure avait été envoyé en camp de concentration. Ses adversaires, nombreux et puissants au sein du parti, et de l'armée, le surnommaient derrière son dos le Nabot.

— Je vous imagine, mon Führer, sur le balcon de Buckingham Palace, reprit Goebbels sur un ton exalté, debout à côté du roi d'Angleterre en train de passer nos troupes en revue. Vous seriez filmé par Leni Riefenstahl[1]. Le défilé se terminerait par un cortège de prisonniers, les mains enchaînées derrière le dos, avec à sa tête ce brigand de franc-maçon Winston Churchill. Les Américains y réfléchiront à deux fois avant de nous déclarer la guerre.

Le visage d'Hitler se crispa, il n'était pas d'humeur à écouter les délires cinématographiques de son ministre. Il se tourna vers le seul militaire de carrière assis à la table, le chef d'état-major de l'OKW[2].

1. Femme cinéaste encensée par le régime nazi, rendue célèbre pour avoir filmé les Jeux olympiques de Berlin en 1936.

2. État-major combiné des trois armées, terre, air et marine.

— Votre avis, Feld-maréchal ?

Le soldat se redressa, un air de suffisance masquait son absence totale de volonté. Il avait été choisi par Hitler pour sa propension remarquable à la soumission et faire passer les ordres à la troupe. Les chefs nazis, et même certains officiers supérieurs se gaussaient de lui en l'affublant de l'agréable surnom de « Laquais[1] ».

— J'ai lu attentivement les détails du plan d'invasion, tout semble parfait. Mais j'ai un doute sérieux : la marine britannique. Leur flotte est la meilleure du monde. Il faudrait peut-être différer l'attaque.

Albert Speer leva un doigt pour intervenir. Il attendit qu'Hitler hoche la tête.

— Je ne suis pas certain que la logistique suive. Nous devons impérativement reconstituer nos stocks de munitions et de carburant consommés pendant la campagne de Belgique et de France. Il faut remettre ce projet à plus tard.

Speer avait gagné ses galons en séduisant Hitler avec ses projets colossaux d'architecture aryenne. Ses maquettes de la future capitale du Reich, Germania, trônaient dans le bureau du Führer. Opportuniste et dépourvu d'idéologie, Speer consacrait une bonne partie de son temps à ne pas se laisser entraîner dans le jeu des alliances et des coteries. Et pour cause, en privé il comparait le Conseil de défense restreint à une fosse aux serpents. Mais en plus dangereux.

Speer croisa le regard du maréchal Keitel. Ce dernier reprit la parole d'une voix plus assurée :

1. *Lakéitel*. Jeu de mots : en allemand *laquais* se traduit par *Lakai*.

— J'ajouterai aussi que nos hommes ont besoin de repos et…

L'Ogre frappa du poing sur la table.

— Du repos ? Toujours la même rengaine de la Wehrmacht ! Si on vous avait écouté, jamais nous n'aurions envahi la France.

Le visage de Keitel s'empourpra.

— Je ne vous permets pas !

Hitler tapota le verre d'eau avec sa branche de lunettes.

— Du calme. Je n'ai pas encore eu l'avis du Reichsführer.

L'homme aux fines lunettes cerclées d'acier, sanglé dans sa veste noire de la SS, griffée d'un jeune couturier prometteur nommé Hugo Boss, inclina la tête. De tous les serpents réunis autour de la table, il était le plus venimeux. Le plus mortel. Heinrich Himmler cumulait deux postes qui le rendaient infiniment dangereux. Il était le chef de la SS, l'organisation la plus élitiste du pays qui, au fil des ans, s'était détachée du parti nazi pour devenir un État dans l'État avec sa police, son armée, la Waffen, et son économie parallèle. Il détenait aussi le poste redouté de ministre responsable de la sécurité intérieure et de la Gestapo. Il possédait des dossiers sur tous les membres assis autour de la table et se délectait des déviances des uns et des autres. Technocrate de la terreur, Himmler se considérait néanmoins comme un moine-soldat. Pour lui, sa SS était le nouvel ordre de chevalerie de l'Allemagne moderne. Ordre dont la religion se résumait à un credo : l'adoration de la pureté du sang aryen.

Le visage glacial, les tempes rasées à trois centimètres au-dessus des oreilles. Celui que l'on surnommait le Mage, mais que Goering s'amusait à appeler Poulet froid – le Reichsführer avait été éleveur de volaille dans ses jeunes années –, plissa les yeux puis retira ses lunettes. Comme à son habitude, il parlait avec une lenteur calculée.

— Je vais vous choquer, mais voyez-vous… J'aime les Anglais.

Le visage du gros Goering s'empourpra tandis que celui de Goebbels se durcissait. Himmler continua, toujours aussi calme :

— Les Anglais sont nos cousins aryens, je serais mortifié de répandre leur sang alors que des dizaines de millions de juifs et de sous-hommes infestent encore l'Europe. Pourquoi se presser ?

La voix était douce, presque chaleureuse. Il marqua un temps d'arrêt, afficha un pâle sourire qui se voulait conciliant.

Rudolf Hess applaudit, il partageait la même vision.

— Bravo ! Je suis entièrement d'accord avec le Reichsführer. J'ai de nombreux amis anglais très haut placés. Ils se désespèrent de la stratégie insensée de Churchill.

Hess semblait exalté. Avec ses sourcils en broussaille, son front qui tombait comme un pont-levis sur ses yeux, son sourire lui donnait un air inhumain. Derrière son dos, on disait qu'il ressemblait à Quasimodo. Compagnon de la première heure d'Hitler, il était surnommé en privé le Dingue en raison d'un séjour en asile psychiatrique avant-guerre.

— N'importe quoi, grommela Goering, les Anglais sont à notre merci.

Le Mage acquiesça et reprit :

— Je suis bien d'accord, mon cher Hermann. Churchill n'est qu'un bulldog apeuré et affamé, sans dents ni griffes. Son armée de terre est quasiment anéantie depuis la retraite de Dunkerque. Mais d'un autre côté, nos services de renseignement disent que les Anglais rapatrient leur flotte de l'Atlantique vers leurs ports. On ne peut pas négliger leur puissance navale. Je propose donc de différer l'excellent plan d'invasion le temps d'ouvrir un nouveau front pour affaiblir la défense d'Albion.

Les autres membres du Conseil le dévisagèrent avec surprise. Goebbels décroisa ses bras maigres qui flottaient dans sa veste trop large et se pencha sur la table.

— Vous ne voulez quand même pas attaquer les Soviétiques ? On a passé un accord avec Staline.

Himmler sourit.

— Qui vous a parlé de la Russie, Joseph ? Je songeais à l'Espagne.

Goering éclata d'un rire tonitruant et écarta ses bras comme s'il adressait une prière au ciel.

— L'Espagne ! Vraiment ? N'y aurait-il pas une autre raison que nous cache ce cher Heinrich... Nous savons tous que le Reichsführer envoie des expéditions un peu partout dans le monde pour prouver ses théories ésotériques. Aurait-il donc en tête de prouver que la corrida est d'origine aryenne ? Que le flamenco a été inventé par les Vikings ?

Le gros maréchal détestait la SS, trop puissante à son goût. En outre, il ne manquait jamais une occasion de railler les doctrines *spirituelles* du Mage.

Le Reichsführer glissa un œil en direction de Rudolf Hess et d'Alfred Rosenberg, les deux seuls membres du Conseil qui n'avaient pas souri à la tirade de Goering. Ses deux alliés officieux. Eux aussi partageaient sa vision mystique du Reich.

Alfred Rosenberg vint à sa rescousse. Il exécrait l'Ogre qui donnait dans le cambriolage d'œuvres d'art à grande échelle.

— Je pense que le maréchal n'a pas saisi la subtilité des propos du Reichsführer qui mise sur l'entrée en guerre du général Franco contre l'Angleterre.

Himmler inclina la tête pour le remercier.

— Tout à fait. Le Caudillo doit régler ses dettes. Après tout nous l'avons soutenu dans son soulèvement avec armes et soldats à profusion. Sans notre légion aérienne Condor, il n'aurait jamais gagné sa guerre civile.

— Que proposez-vous exactement ? demanda Hitler à Himmler.

— Sollicitez officiellement une rencontre avec le général Franco, répondit le chef de la SS. Et de préférence chez lui. Poussez-le à déclarer la guerre aux Anglais. Il ne pourra rien vous refuser.

— Et sous quel prétexte fumeux les Espagnols, exsangues après quatre années de guerre civile, vont-ils se lancer dans cette opération ? s'enquit Goebbels d'une voix mielleuse.

Himmler répondit de bonne grâce, il mettait un point d'honneur à intérioriser son mépris :

— Gibraltar, voyons, Joseph. Le territoire de Gibraltar appartient aux Anglais depuis plus de deux cents ans, c'est une verrue intolérable pour les Espagnols. Il est situé tout au sud de la péninsule, à la pointe de l'Andalousie. La danseuse de flamenco ne peut pas chausser un escarpin british. Si l'Espagne entre en guerre, Churchill sera obligé de renvoyer une partie de sa flotte là-bas pour protéger sa base et il dégarnira ses côtes. Du moins tant qu'il croira que nous avons abandonné notre projet d'invasion.

Hitler ferma les yeux quelques secondes, puis les rouvrit dans un sourire radieux.

— Excellent, mon cher Heinrich. D'autres commentaires ?

Personne ne prit la parole. Goering et Goebbels savaient très bien que le Mage avait encore ensorcelé le Führer.

— Bien ! Vous avez raison, Heinrich. Je décale l'opération *Seelöwe*, mais que Londres soit bombardée de plus belle. Demain, j'enverrai une demande à Franco, et en mon absence le maréchal Goering dirigera le pays. La séance est close.

Himmler rechaussa ses lunettes et ajouta d'une voix mielleuse :

— Mon Führer, je serais plus rassuré si je vous accompagnais en Espagne, j'irais inspecter personnellement leurs armées pour vérifier si elles sont à la hauteur. Je m'en voudrais de vous avoir mal conseillé.

Hitler s'était déjà levé. Il agita sa main négligemment.

— Avec plaisir. Bonne nuit à tous. J'ai sommeil, c'est bon signe.

Les sept hommes se levèrent à leur tour et saluèrent leur chef avec déférence, le regardant s'éloigner.

Himmler récupéra son dossier et salua poliment ses homologues du Conseil. Son regard s'attarda sur l'Ogre et le Nabot.

— J'espère que ma suggestion ne vous a pas trop déçus. Ce n'est que partie remise pour l'invasion de l'Angleterre, vous le savez. Nous ne sommes plus à un ou deux mois près.

Goering répliqua, goguenard :

— Pas le moins du monde, Heinrich. Vous nous trouverez la bonne date avec vos experts en runes[1] de la SS.

Sans attendre de réponse, il se tourna vers Hess.

— Quant à vous Rudolf, n'hésitez pas à tirer les cartes de tarot histoire de savoir si Franco va envoyer sa terrifiante armada espagnole contre l'Angleterre.

L'Ogre partit d'un rire bien gras en observant la réaction des deux hommes qu'il avait provoqués. Hess haussa les épaules et sortit sans le saluer, flanqué de Rosenberg et d'Himmler qui avait remis sa casquette.

En les voyant s'éloigner, Goebbels murmura à l'oreille de l'Ogre :

---

1. Ancien alphabet nordique, considéré comme sacré par les nazis. Ainsi les deux initiales des SS en forme d'éclair sont inspirées de la rune Sig.

— Pourquoi accompagne-t-il notre Führer bien-aimé en Espagne ? Il a sûrement autre chose en tête.

L'Ogre fit une grimace comme s'il avait avalé une saucisse avariée.

— Je ne sais pas ce qu'il mijote. Ce qui est sûr en revanche c'est que le Führer vient de commettre une erreur capitale en n'autorisant pas l'invasion de l'Angleterre.

Goering se leva de son siège avec plus de souplesse que l'on aurait pu attendre d'un homme qui devait peser cent trente kilos. Il réajusta le baudrier qui cerclait son ventre dans sa veste d'un blanc immaculé et ajouta d'une voix tendue :

— On ne regagnera plus jamais une occasion pareille. Et les Anglais nous le feront payer un jour. Au prix fort.

4

Catalogne
Castello d'Empuries
Octobre 1940

Dans un coin du musée désert, la radio crachotait les nouvelles du jour. D'un coup, la voix du présentateur, grésillante et rauque, s'envola, sur fond de musique militaire. Tristan tendit l'oreille. Une nouvelle d'importance était en train de tomber : à la fin du mois, le général Franco allait rencontrer Adolf Hitler. La voix, dans le poste de radio, s'emballait. Les deux chefs d'État étaient sur le point d'entamer des négociations politiques et diplomatiques essentielles pour l'avenir de l'Europe. À écouter la propagande de Madrid, l'homme qui avait sauvé l'Espagne du communisme et de l'anarchie allait traiter d'égal à égal avec le nouveau maître de l'Europe !

Tristan eut un sourire amer. À la vérité, le Caudillo, après des centaines de milliers de morts, avait besoin de redorer le prestige tombé en berne de l'Espagne et surtout de donner l'impression à une population épuisée qu'elle redevenait enfin une grande nation. L'hymne espagnol éclata. Tristan coupa le son. L'entrevue entre le Caudillo et le Führer devait avoir lieu à Hendaye en territoire français. Ce choix humiliant lui serra le cœur. Depuis le mois de juin, de Dunkerque au Limousin, de Paris aux Pyrénées, la moitié du pays était occupée, et cette rencontre dans une ville sous la botte nazie était le symbole terrible de l'effondrement de la France.

Pour échapper à sa tristesse, Tristan regarda par la fenêtre. La place qui donnait sur la cathédrale était déserte, elle ne se remplirait que de quelques rares femmes en noir à l'heure de la messe. La moitié de la population de Castello, celle qui avait choisi le camp de la République, vivait dans la terreur des descentes de police, des arrestations arbitraires et des exécutions sommaires au coin des rues. Chaque semaine, des franquistes exaltés défilaient en ville, bombant leur torse de vainqueur, sous les acclamations de l'autre moitié de la ville.

Curieusement, ils n'étaient jamais venus dans le musée. L'histoire ne les intéressait pas. En passant, ils jetaient un regard dédaigneux sur la mosaïque romaine exposée en devanture, faisaient claquer leurs bottes sur le pavé et entonnaient *Cara al sol*, l'hymne de leur parti.

Cette indifférence arrangeait Tristan.

En ville, tout le monde le connaissait sous le nom de Juan Labio. Un jeune conservateur de musée de Barcelone que les vicissitudes de la guerre civile avaient jeté sur le pavé de Castello. Certes, il avait parfois un léger accent, mais qui disparaissait dès qu'il parlait peinture ou sculpture, avec verve et séduction. Affable, dévoué, compétent, il s'était installé dans le musée, déserté par ses gardiens, pour protéger les collections du pillage, avant d'entamer leur classement bénévole, ce que personne n'avait jamais jugé utile d'entreprendre. Quand les nouvelles autorités avaient repris la ville en main, c'est tout naturellement qu'ils avaient confirmé Juan à son poste, lui avaient octroyé un salaire de misère, avant de l'oublier dans son musée.

Le véritable Juan, lui, aurait été bien surpris de sa nouvelle vie, mais comme il pourrissait en silence sous un immeuble effondré de Barcelone, cela n'avait guère d'importance. Tout ce qui comptait, c'est que ses papiers d'identité se soient opportunément retrouvés entre les mains de Tristan. Certes, la photo s'était un peu écaillée au niveau des yeux et des lèvres, mais on reconnaissait, sans l'ombre d'un doute, le front haut sous la chevelure sombre, les pommettes saillantes et le menton volontaire. Bref, depuis plus d'un an, Tristan était Juan Labio à la satisfaction générale et surtout celle de Lucia.

Chaque dimanche, avant la messe, Lucia remontait la rue qui menait à la place de la cathédrale et elle avait fini par remarquer ce jeune homme au regard ironique qui fumait discrètement une cigarette, sans doute de contrebande, à la fenêtre de son bureau. En quelques semaines, en tendant l'oreille aux bavardages des commères sur le marché, elle avait vite appris tout ce que la rumeur publique racontait sur ce nouveau venu.

L'opinion lui était favorable, Lucia aussi. Restait à trouver un moyen d'entrer en contact avec lui. Quand elle apprit que le nouveau conservateur entreprenait un classement des collections, elle se souvint que son grand-père avait fait don de tableaux religieux au musée. Elle fouilla discrètement les vieux papiers familiaux, retrouva quelques lettres échangées avec le conservateur de l'époque et, armée de ces preuves irréfutables, franchit la porte du musée. Tristan n'avait pas l'habitude des visites, encore moins féminines. Il fut ébahi quand il aperçut cette jeune femme, à la robe virevoltante, déposer sur son bureau des papiers jaunis. Il la remercia vivement, demanda quelques jours pour examiner cette correspondance et suggéra à cette charmante inconnue de revenir le voir. Lucia ne se fit pas prier et refit une apparition la semaine suivante, dans une robe tout aussi étourdissante avant de réclamer une visite commentée des lieux.

Le musée occupait une ancienne maison médiévale dont le rez-de-chaussée et l'étage avaient été transformés en salles d'exposition. Le premier niveau abritait les vestiges historiques de la région. Des générations d'archéologues amateurs y avaient entassé pierres taillées, pointes de flèches et ossements en vrac sans se soucier de chronologie ou de pédagogie. Lucia, qui n'avait jamais visité le musée auparavant, eut l'impression de pénétrer dans un magasin où on pouvait acheter des silex à la douzaine en attendant les soldes pour les poteries. Imaginer Tristan en quincaillier la fit éclater de rire, mais elle se reprit, en montant l'escalier pour découvrir la salle des peintures. Là, ce n'était plus une quincaillerie, mais une véritable brocante. Accrochés de travers aux murs ou abandonnés à la poussière, des dizaines de tableaux attendaient des jours meilleurs. Tristan avait néanmoins réussi à mettre en valeur quelques œuvres religieuses exposées dans une vitrine. Lucia fut ravie de voir qu'une des peintures données par sa famille figurait dans cet espace protégé. Elle gratifia le Français d'un fin sourire et lui annonça que, s'il le désirait, elle pouvait, une fois par semaine, venir l'aider dans son travail.

C'est ainsi que Tristan, à la fenêtre, attendait la venue hebdomadaire de Lucia.

En théorie, la jeune femme l'aidait à classer les nombreuses pièces de collection recueillies dans le musée. Ils avaient débuté au printemps en classant les vestiges romains entassés dans la réserve. Si Lucia s'était rapidement intéressée aux figures d'animaux – chouettes, taureaux – représentés sur les fragments de mosaïque, Tristan, lui, s'était vite passionné pour les robes de sa nouvelle collaboratrice. Elle les portait avec beaucoup d'élégance et surtout une pointe de malice au niveau du genou. Parfois le liseré de dentelle grimpait de quelques centimètres, si le ciel était clair et le soleil bienveillant, parfois le tissu retombait au niveau des chevilles, quand un nuage pointait à l'horizon. Ce jeu taquin et candide enchantait Tristan. D'un coup, les secrets du passé et les incertitudes de l'avenir qui le taraudaient parfois s'enfuyaient comme le vent.

Au début de l'été, ils s'étaient attaqués aux collections médiévales, étiquetant des casques bosselés et des épées rouillées. Parfois, leurs mains s'effleuraient au-dessus d'un bouclier blasonné. Et ce n'était pas toujours Lucia qui rougissait en premier. Quand la chaleur devint accablante, la jeune femme ne vint plus qu'avec un mince chemisier dont l'échancrure se prolongeait jusqu'à la naissance de ses seins. Elle portait ses cheveux en tresse pour rafraîchir son front et sa nuque, ce qui n'empêchait pas des gouttes de sueur de perler sur sa poitrine. Un après-midi où ils classaient des documents anciens, le regard de Tristan tomba sur ces gouttelettes qui traçaient un lent sillon sur la peau dorée de Lucia. Fasciné, il contemplait cette source délicate qui brillait comme un miroir. Il avança ses lèvres et déposa un baiser dans l'encoche du chemisier. Les seins de Lucia ondulèrent d'un coup. Tristan avait un goût extasié de sel sur les lèvres. Pour ne pas briser un tel moment de grâce, le Français s'écarta lentement et se replongea dans la lecture d'un document, mais les lettres dansaient sous son regard. Il se demandait quel visage faisait Lucia, mais n'osait lever le sien. Il pensait à Montserrat, la montée dans la nuit, la prise de l'abbaye... À nul moment le courage ne lui avait manqué mais là, il était juste incapable de la regarder dans les yeux. Elle toussota légèrement et tendit la main pour prendre le document. Il n'avait qu'une envie, c'était de saisir cette paume et la poser sur son cœur pour qu'elle voie combien il battait pour elle.

— Lucia...

Elle posa son doigt sur sa bouche. Elle non plus ne voulait pas rompre le charme. Tristan eut un sursaut de bonheur. En un instant, ses épaules lui paraissaient légères, comme si un joug venait de lui être ôté. Sa vie passée, ses erreurs, ses errances, tout semblait envolé, effacé. Il sourit. Désormais, il le savait, il serait heureux chaque jour. Chaque jour où il verrait Lucia.

Accoudé à la fenêtre, il fixait le coin de la rue où elle allait apparaître. Un chant martial le fit sursauter. À l'angle de la place, un groupe d'hommes en chemise bleue venait de surgir. Bottes lustrées, culottes de cheval, les phalangistes[1] tentaient de ressembler à des chemises noires[2] italiennes, mais n'en étaient que la caricature. Visiblement abreuvés, ils beuglaient des slogans exaltés à la gloire de l'Espagne éternelle et de son chef, le Caudillo. Tristan jeta un regard agité dans la rue où les talons de Lucia résonnaient déjà sur le pavé. Aussitôt, il traversa la pièce, bondit sur le palier et dévala l'escalier. La porte du musée était ouverte. Un premier sifflement rebondit sur les façades, suivi d'éclats de rires. Un des franquistes mimait des hanches un acte sans ambiguïté. Une nouvelle salve de rires gras explosa. Lucia avait ralenti, mais déjà le groupe vociférant l'avait rattrapée.

— Alors, *pequeña*, tu te promènes seule dans la rue ?

— On t'a pas appris que la place d'une femme, c'est à la maison ?

---

1. Phalangistes : groupe politique nationaliste extrémiste, soutien de Franco.

2. Chemises noires : militants fascistes dont la violence a permis à Mussolini d'accéder au pouvoir.

— Tu cherches quelqu'un ?

— Regardez sa robe, elle nous provoque !

Un des hommes la saisit par le bras.

— Nous les *putas* comme toi, on sait s'en occuper.

— Et des hommes comment tu t'en occupes ? l'interpella Tristan.

Surpris le milicien se retourna. Il eut un sourire de mépris en découvrant son adversaire.

— *Un intelectual !* Et qui cherche la bagarre en plus. Tu as besoin d'une bonne leçon !

Il leva sa main gantée de noir, mais déjà le poing de Tristan le frappait en plein visage. Un craquement sinistre lui déchira le menton, hurla sous son crâne, avant qu'il oublie jusqu'à son nom. Jetée contre un mur, Lucia poussa un hurlement juste avant que la meute ne se jette sur son amant. Tétanisée, elle regarda les coups pleuvoir comme la grêle.

— *Hijo de puta*, on va te crever !

— Tuez-moi ce sale traître !

Tristan reculait entraînant la horde loin de Lucia. Déjà, son visage ruisselait de sang. D'un geste vif, il lui fit signe de fuir. Le regard affolé, elle hésita, puis se mit à courir. Pour la dernière fois, il vit sa robe virevolter sur ses chevilles. Un moment, il crut entendre ses talons résonner sur le pavé, mais un coup de matraque lui terrassa la nuque.

Et ce fut la nuit.

5

Catalogne,
25 octobre 1940

Le convoi officiel arriva à toute allure devant l'entrée du bourg à moitié en ruine. La Mercedes blindée, noire et luisante comme un scarabée, était précédée à l'avant par une escouade de motocyclistes de l'armée espagnole. Sur le devant du capot, deux fanions siglés d'une croix gammée noire sur fond blanc claquaient dans un vent poussiéreux.

L'un des motards de tête intima au conducteur de la berline de ralentir. Le convoi décéléra pour s'engager sur la place de la mairie ornée de platanes mutilés et de maisons amputées. Une foule composée de phalangistes levaient des bras tendus d'enthousiasme. Derrière eux, une trentaine d'habitants, amaigris et pauvrement vêtus, agitaient des fanions allemands.

Assis à l'arrière de la voiture, le Reichsführer baissa la vitre pour contempler le visage du sauveur de l'Espagne catholique plaqué sur la façade d'un édifice de pierre grise. Bien que gigantesque, le portrait ne réussissait pas à dissimuler la vérole des impacts de balles sur les murs balafrés. Le général Franco arborait son visage mat et poupin aux sourcils soupçonneux.

Himmler poussa un soupir en prenant le mouchoir que lui tendait son traducteur, un capitaine blond jusqu'à l'os, assis devant lui.

— Pas très aryen ce Caudillo... Il aurait des ancêtres juifs que cela ne m'étonnerait pas.

Le Reichsführer se moucha et reprit, dubitatif :

— C'est très sympathique de la part du gouverneur de Catalogne d'avoir prévenu tous les villages que nous traversons. Mais ce sont les véritables habitants qui nous saluent ou des acteurs payés pour apporter une touche conviviale ?

Le jeune capitaine secoua la tête.

— La nouvelle Espagne s'est purifiée de ses éléments pathogènes communistes et maçonniques. Vous avez devant vous des Espagnols fiers et ardents.

Himmler grimaça.

— Et malins… Ils ont expulsé leurs juifs dans toute l'Europe en 1492. Et aujourd'hui, c'est à nous de régler ce « problème »… Et sur ce plan, je n'ai aucune confiance en Franco, il paraît qu'il n'est même pas antisémite.

— En tout cas, il est farouchement anticommuniste et anti-maçon. Vous pouvez en être sûr.

Le capitaine de la Wehrmacht détaché de l'ambassade de Madrid pour servir de traducteur à Himmler avait passé trois ans en tant qu'officier de liaison avec les nationalistes pendant la guerre civile. Il avait appris à aimer cette nation et ses habitants, du moins ceux qui avaient choisi le camp du Caudillo.

Il continua sur le même ton :

— J'ai combattu aux côtés des troupes de Franco contre les rouges. Et je peux vous assurer que cet homme est un grand ami de l'Allemagne.

Himmler renifla bruyamment.

— J'ai eu le Führer au téléphone depuis Hendaye, juste avant notre départ de Barcelone. Il venait de passer deux heures en négociation avec votre « grand ami ».

— Ils vont signer l'accord ? L'Espagne entre-t-elle en guerre contre l'Angleterre ?

La voiture avait quitté la place et roulait avec une lenteur désespérante dans une rue défoncée.

Himmler secoua la tête et regarda le capitaine avec commisération.

— Pas vraiment… Voici ce qu'il m'a dit à propos du Caudillo : « Je préférerais me faire arracher trois dents plutôt que de négocier à nouveau avec ce type. » Votre galonné ibère a présenté toute une série d'exigences démesurées. Le Führer était en rage. Autant dire que Churchill peut dormir en paix, Gibraltar ne sera jamais envahi par « vos amis » espagnols.

Le convoi accéléra en sortant de la ville et s'engagea dans une route en lacet qui serpentait le long d'un massif montagneux.

— C'est incompréhensible, répondit le capitaine. L'Allemagne a écrasé tous ses ennemis, elle représente l'avenir de l'Europe.

Les lèvres d'Himmler esquissèrent un mince sourire.

— Cela fait quatre jours que je visite ce pays ravagé par quatre années de guerre civile. Franco nous a exécuté son petit numéro de danseur de claquettes. Il a fait défiler ses troupes les mieux équipées à Madrid, nous a offert une visite du musée du Prado et présentés à l'aristocratie et à l'élite nationaliste lors de soirées somptueuses. La façade de la nouvelle Espagne est peut-être rutilante, mais la réalité ressemble plus aux villages dévastés que nous traversons. Cette nation est en ruine, la population éreintée et l'armée épuisée. Franco le sait. Et en plus, ce bigot fanatique veut instaurer un national-catholicisme puant, je n'ai jamais vu autant de curés et d'évêques grouiller dans tous les recoins. Tout ce que je déteste.

La voiture suivait la route qui grimpait le long des champs. Le capitaine revint à la charge :

— Mais n'avez-vous pas été impressionné par la façon dont il nettoie son pays ? Les prisons sont pleines à craquer, les subversifs rescapés de la guerre sont traqués, rééduqués ou exécutés. Il y en aurait plus de cent mille dans les camps de détention en attente de jugement. Du moins pour ceux qui ne crèveront pas de faim ou de chaud.

La voiture passa devant un troupeau de vaches efflanquées qui broutaient avec langueur sur le bord de la route.

Le Reichsführer se tourna vers son adjoint.

— Des barbares ! Comment peut-on infliger de telles souffrances et y prendre autant de plaisir.

Le capitaine ouvrit de grands yeux. Himmler avait légalisé personnellement l'usage de la torture par la

Gestapo et entassé par dizaines de milliers les opposants allemands dans des camps.

— Je ne vous suis pas.

Himmler observait les vaches, le regard peiné.

— La corrida, voyons ! Quel spectacle immonde.

L'avant-veille, à Madrid, ils avaient été conviés dans les arènes de Las Ventas. Pour célébrer « l'amitié éternelle germano-espagnole ». Pendant deux longues heures, à l'abri du soleil, mais sous une chaleur de plomb, Himmler avait tenu son rang, en sueur et écœuré. Quand le maire lui avait fait visiter l'intérieur des arènes pour rencontrer les toreros, il avait failli tourner de l'œil devant les cadavres encore chauds des taureaux. L'air des caves exhalait une odeur infecte et poisseuse de chair torturée et de mort. Comme son Führer, le chef de la SS aimait les animaux et ne supportait pas qu'on leur fasse du mal.

La Mercedes oscillait le long d'une succession de tournants qui n'en finissaient pas. Le soleil entamait sa descente au-dessus des massifs montagneux. De lourds nuages se teintaient d'orange.

Himmler tapa la vitre arrière de sa chevalière siglée des deux runes de la SS.

— Le peuple ibère vibre de cruauté. Trop de sang maure dans ses veines.

— Vous croyez ? s'étonna le capitaine.

Le maître des SS se tourna vers son subordonné avec une expression agacée.

— J'ai l'impression que vous ne partagez pas mon avis. Peut-être faudrait-il que vous quittiez ce pays et que je vous trouve une affectation en accord avec votre individualité. On manque d'officiers d'encadrement au camp de Dachau…

Le capitaine sentit un picotement dans sa nuque. Son cœur accéléra d'un coup.

— Vous avez raison, ce spectacle était ignoble.

Himmler le scruta quelques secondes, puis partit dans ce qui s'apparentait à un éclat de rire, en fait une succession de spasmes acides et irritants pour l'oreille.

— Je plaisante, mon petit Wilfred. Rassurez-vous, je tolère chez mes subordonnés une marge d'indépendance d'esprit. Libre à vous d'aimer la corrida, du moment que votre loyauté m'est acquise jusqu'au… sang.

Le convoi ralentit alors qu'il venait de passer un large virage à flanc de ravin.

Une montagne en dents de scie apparut à leurs yeux fatigués. Un bloc de bâtiments rectangulaires était niché à mi-hauteur de parois abruptes en forme de doigts allongés.

— Enfin, murmura Himmler, le monastère de Montserrat.

— L'ambassadeur m'a dit que vous aviez prolongé votre voyage d'une journée pour venir exprès ici afin de chercher le… Graal. Est-ce vrai ?

Himmler eut une expression étrange. Ses yeux s'étaient rétrécis en deux minces fentes derrière les petites lunettes d'acier.

— L'ambassadeur ne sait pas tenir sa langue, mais peu importe. Connaissez-vous le *Parsifal* de Wagner ? Avez-vous lu le roman du Graal de Wolfram von Eschenbach ?

Le capitaine se retint de répondre qu'il n'avait pas eu le loisir d'aller à l'opéra ou de lire pendant les années de guerre civile.

— Oui, mais cela remonte à quelques années.

Le convoi s'approchait à vive allure. Deux camionnettes automitrailleuses avaient été disposées de chaque côté d'une route élargie qui marquait l'entrée du monastère. La pierre renvoyait une lumière douce, presque rose, dans le couchant.

Himmler enfila ses gants noirs d'apparat.

— La coupe sacrée du Graal était gardée dans un château niché à flanc de montagne. Ce lieu mythique s'appelait Montsalvaje et selon les indications d'Eschenbach il était situé dans les Pyrénées. Ce pourrait être ce Montserrat dont l'étymologie se rapproche.

Le capitaine écoutait avec attention.

— Le Graal… Il m'a toujours été destiné !

D'un coup, le visage du Reichsführer s'illumina. La transe le gagnait. Ses mains devenaient fébriles comme s'il était sur le point de saisir le vase sacré.

— Mais le Graal n'est-il pas une légende ?

— Vous ne voyez que l'écorce des choses, pas la sève ardente. Le véritable Graal est tout autre. Il est le soleil noir des aryens.

Le capitaine demeura impassible, mais stupéfait par les étranges paroles de l'homme le plus puissant d'Allemagne après le Führer. Un soleil noir ? Le maître des SS perdait la tête.

Il jugea néanmoins plus prudent de se taire.

Le convoi s'engouffra dans une allée bordée de pins et de tilleuls qui se terminait sur un parvis de taille impressionnante où se massait un groupe compact en uniformes. Un détachement de soldats de la Légion espagnole, un général ventripotent flanqué d'une demi-douzaine d'officiers, des religieux en soutane noire, le tout sous deux immenses drapeaux espagnols et allemands accrochés aux murs. Sur le côté, adossé à la croix d'un calvaire de granit, se tenait un homme grand et mince au costume aussi clair que son teint. Il portait un panama incliné légèrement sur le côté.

Himmler se redressa sur son siège. Son expression hallucinée s'était évaporée.

— Et dire que j'avais demandé qu'il n'y ait aucun comité d'accueil. Heureusement que ce cher Oberführer Weistort nous attend. Un grand voyageur, il a parcouru de nombreux pays exotiques et il a accompagné l'expédition Schäfer au Tibet, celle dont on a parlé dans le *Völkischer Beobachter*.

Il pointa de l'index le civil qui venait d'écraser sa cigarette et regardait dans leur direction. L'homme à la cicatrice leur fit un petit signe de tête.

— Vous avez entendu parler de lui ? questionna Himmler.

— Oui, bien sûr, répondit le capitaine d'une voix neutre pour masquer sa surprise car le service de renseignement de l'ambassade ne l'avait pas prévenu de la présence du hiérarque SS.

Il avait entendu parler de Weistort par son jeune frère qui était entré dans la SS trois ans plus tôt. L'Oberführer était l'un des proches d'Himmler et tenait d'une main de fer les formations dispensées dans les écoles d'officiers de l'Ordre noir. On murmurait aussi qu'il organisait d'étranges cérémonies et que sa haine du christianisme l'avait conduit à gifler l'évêque de Cologne quand celui-ci avait émis des protestations sur les persécutions contre les juifs. Son influence sur Himmler était telle qu'il s'était fait de nombreux ennemis au sein de son état-major.

— Pourquoi ne porte-t-il pas la tenue réglementaire SS ? demanda le capitaine.

— Les règlements ne sont pas faits pour un homme comme lui, dit Himmler en ajustant sa casquette noire sur son front en sueur.

Le convoi stoppa net devant le comité d'accueil qui s'était mis au garde-à-vous comme un seul homme. Un sous-officier de la Légion se précipita pour ouvrir la porte de la Mercedes. Himmler sortit de la berline, suivi du capitaine, et répondit mécaniquement aux saluts fascistes des Espagnols. Il écouta poliment les manifestations de gratitude du général, dont il ne comprenait pas un traître mot puis se tourna vers les religieux qui s'inclinaient respectueusement. L'un des moines bredouilla quelques mots que traduisait le capitaine.

— Le père Andreu est ravi de vous accueillir, dit l'Allemand. Il présente les excuses de l'abbé, père supérieur, qui se trouve à Gérone en ce moment. Il a été prévenu trop tard de votre arrivée.

Himmler agita sa main d'un air las et se pencha pour chuchoter à l'oreille du capitaine :

— Dites-leur que je ne veux pas être dérangé dans le monastère.

— Ce n'est pas la peine.

Les deux hommes se retournèrent. L'homme à la cicatrice était devant eux et leva le bras face à Himmler.

— Heil Hitler. J'ai convaincu le général Ariagas de nous laisser visiter seuls. Je lui ai dit que vous vouliez prier la Vierge noire avant votre départ pour l'Allemagne.

Himmler eut une moue faussement désapprobatrice.

— Moi... Prier la Vierge... Quel humour, Karl.

L'Oberführer Weistort lui renvoya un large sourire.

— Comme je suis heureux de vous voir, continua Himmler. Ne me faites pas languir ! Avez-vous trouvé la deuxième swastika comme indiqué dans le *Thule Borealis Kulten* ?

L'Oberführer garda son sourire intact.

— Dans le livre, il est indiqué qu'elle se trouve dans un lieu nommé Montseg qui pourrait être la graphie ancienne de Montserrat.

— Vous avez pu explorer les lieux ?

— Non, Reichsführer, je suis arrivé il y a une heure à peine. Mon avion est tombé en panne à l'escale de Toulouse et j'ai poursuivi le voyage en voiture dans la nuit. Dire que j'ai traversé la moitié de l'Inde et une partie du Tibet et je n'ai jamais eu de soucis de transport... Mais pour répondre à votre question, un moine nous attend dans sa cellule. Il nous faut juste votre traducteur.

Weistort jeta un œil par-dessus l'épaule d'Himmler et aperçut l'aide de camp qui discutait avec le général.

— C'est lui ?

— Oui, le premier m'a fait faux bond dès le premier jour, une intoxication alimentaire ou quelque chose du même genre. Celui-ci est plus vif d'esprit quoiqu'un peu trop hispanophile à mon goût.

— Il appartient à la Wehrmacht…

— Je sais, mais les SS qui parlent espagnol ne sont pas légion…

Himmler fit un signe à son aide de camp qui grimpa les marches pour le rejoindre. Celui-ci salua de manière impeccable Weistort qui le dévisageait avec insistance.

— Nous allons avoir besoin de vos talents, capitaine.

— À vos ordres, répliqua le jeune officier, mal à l'aise sous le regard fixe du nouveau venu.

Quand les trois Allemands entrèrent dans le bâtiment principal, une douce senteur de fleurs d'oranger nappait le hall sombre et frais. Ils traversèrent un long corridor aux murs nus et blancs. Himmler marchait d'un pas vif, escorté de Weistort, le capitaine les suivait à distance respectueuse.

Himmler parlait à voix basse.

— Et dire que le but principal de mon voyage en Espagne dépend d'un petit moinillon.

Ils traversèrent une bibliothèque somptueuse, longèrent l'entrée d'une chapelle pour se retrouver devant les portes d'une volée de cellules. L'une d'entre elles était grande ouverte. La chambre voisine laissait filtrer un rai de lumière, une ombre fugitive y apparut et disparut aussi soudainement.

Himmler resta sur le pas de la porte tandis qu'entraient les deux autres Allemands. À l'intérieur, un homme tonsuré et au visage creusé de multiples rides fines et noires était assis sur une chaise droite. Il marmonnait des prières en triturant un chapelet de perles de bois grosses comme des olives. Il portait une robe de bure sale qui empestait le moisi.

Weistort ne put s'empêcher de poser un regard méprisant sur le crucifix plaqué au mur derrière le moine et qui supportait un Christ livide et décharné. Le sang coulait avec générosité de ses pieds et de son front.

Le moine inclina la tête à leur arrivée, mais sans marquer de déférence particulière. Son regard semblait absent.

Weistort posa sa main sur l'épaule du capitaine.

— Demandez-lui s'il a entendu parler d'un petit tableau sur lequel est peint un château avec une étoile au-dessus.

Le capitaine haussa un sourcil surpris.

— Je croyais que le Reichsführer s'intéressait au Graal.

— Ne discutez pas, traduisez ! gronda l'Oberführer.

Le capitaine s'exécuta tandis que le moine secouait la tête.

— Il dit que les républicains ont pillé le monastère il y a presque deux ans. Mais il se souvient du tableau qui était caché dans le scriptorium.

Weistort ne manifesta aucune émotion, mais sa réponse siffla.

— A-t-il en mémoire un détail ? Un nom ?

Le moine l'observa de son regard vide en parlant dans l'oreille du traducteur. Celui-ci hocha la tête.

— Il dit que c'étaient tous des rouges, des brutes, des fils du démon. Ils ont crucifié l'un des moines. Il y avait le chef, Jaime, et un autre, un Français. C'est lui qui aurait volé et emporté le tableau. Il ne sait rien de plus.

Weistort frappa du poing sur le mur. Son visage semblait creusé dans un bloc de granit. Himmler, qui avait tout entendu, ne prenait pas la peine de masquer sa déception.

— Deux ans... Bon sang. Ils ont dû se faire tuer ou s'enfuir en France. Je crains que cette visite n'ait servi à rien. Et dire que j'ai convaincu le Führer de rencontrer cet âne de Franco pour venir ici.

Ils sortirent de la cellule d'un pas lent.

— Je n'ai plus rien à faire dans ce pays, grimaça Himmler. Quant à vous, Weistort, vous reprenez la piste. Immédiatement. Il nous faut ce tableau à n'importe quel prix.

Weistort claqua des talons.

— À vos ordres !

Soudain, un curé en soutane surgit de la cellule voisine. Un géant, massif, le front large.

— Reichsführer, c'est un honneur de vous rencontrer, s'exclama-t-il dans un allemand parfait.

Il tendit sa main à Himmler qui recula instinctivement. Il ne touchait jamais celles de ses interlocuteurs. Question d'hygiène.

Weistort s'interposa.

— Qui êtes-vous ?

L'homme avait un large sourire.

— Je suis le père Matteus, aumônier en chef de la garnison de Barcelone. Je viens souvent ici pour me ressourcer.

— Vous parlez bien notre langue, remarqua Weistort.

L'homme passa sa main large comme une poêle sur son menton mal rasé.

— C'est que j'ai passé six mois à Munich pendant la guerre civile. Je faisais partie d'une délégation de l'Église espagnole. Je suis un très grand admirateur de votre Führer, même si l'on m'a dit qu'il n'allait pas aussi souvent à la messe que notre Caudillo.

Il jeta un œil en coin à la cellule d'où ils étaient sortis.

— Je me suis permis d'écouter votre conversation. Veuillez me pardonner…

Il hésita quelques secondes, puis reprit :

— Il se trouve que de par mes fonctions, je suis souvent appelé dans les camps de rééducation nationale pour guider les âmes perdues et, parfois, leur donner les sacrements avant les exécutions.

Himmler le détaillait avec curiosité.

— J'ai lié connaissance avec certains, continua le curé. Et parfois nous discutons dans leurs cellules. J'essaye de sauver ceux qui le méritent. Le pape Pie XII est d'ailleurs le premier à reconnaître que…

L'Oberführer leva la main pour le couper.

— Notre temps est précieux, mon père. Allez droit au but.

Le géant se frotta à nouveau le menton.

— Oui, bien sûr… Pardonnez-moi. J'ai rencontré, il y a deux semaines, un certain Tristan. Un prénom peu commun par chez nous. Tristan. Je ne me rappelle plus son nom, mais je me souviens très bien de lui. Un Français. L'homme était d'une grande culture et connaissait ses Évangiles à la perfection. Ce qui est plutôt rare chez les rouges. Il appartenait à ces maudites Brigades internationales qui nous ont fait bien du tort… Peut-être que…

Le visage de Weistort s'illumina.

— Enfin une piste ! Vous savez dans quelle prison il se trouve ?

— Non, il faisait partie d'un détachement en attente d'un centre de détention. Il y a eu beaucoup de prisonniers après la victoire. J'ai cru comprendre que la nouvelle administration n'avait pas prévu assez de prisons. D'où les exécutions massives…

Le curé semblait réellement attristé en prononçant le dernier mot.

— Rien d'autre ?

— Non, j'espère que cela vous a aidés. J'aurais une petite demande si ce n'était pas trop abuser.

Une expression de méfiance se dessina sur le visage de Weistort, mais il inclina attentivement la tête. Le curé reprit d'une voix presque plaintive :

— À Munich, je n'ai eu qu'un seul péché… La bière de Tannenberg. Une splendeur. Je sais que votre ambassadeur en reçoit pour ses réceptions. Serait-il possible d'en avoir une caisse ou deux ?

L'allemand sourit.

— Avec grand plaisir, curé. Même dix, je m'en charge personnellement.

Les trois hommes s'éloignèrent dans le couloir, laissant le géant en soutane transi de bonheur. Himmler semblait plus détendu.

— Si j'étais encore catholique, je dirais que ce brave homme est un signe de la Providence. Il ne vous reste plus qu'à trouver ce Tristan, en espérant que les franquistes ne l'aient pas déjà fusillé. Voulez-vous garder mon traducteur ?

Weistort toucha machinalement sa fine cicatrice et jeta un regard sur le capitaine qui les suivait comme un chien docile.

— Donnez-moi quelques minutes et jetez un œil au retable dans la chapelle. J'ai besoin de lui parler.

Himmler haussa les épaules et s'éloigna pour entrer dans la chapelle tandis que Weistort hélait le capitaine.

— Suivez-moi, je voudrais vous montrer quelque chose.

Les deux hommes entrèrent dans une salle capitulaire qui se terminait sur un large balcon. Weistort traversa la salle d'un pas vif et sortit à l'air libre. Face à lui se dressaient les parois de la montagne de Montserrat, en dessous il y avait un à-pic vertigineux.

Il monta sur le parapet du balcon d'une largeur juste suffisante pour ses chaussures et contempla le panorama d'un air conquérant.

— Rejoignez-moi, capitaine.

Le traducteur obéit à contrecœur, il souffrait depuis son enfance de vertige, mais ne voulait pas exhiber cette faiblesse devant son supérieur. Il grimpa à son tour et se mit à côté de lui. Il n'osait regarder en bas. Sa tête commençait à tourner, mais il n'en montrait rien.

Weistort contemplait la montagne et ouvrit ses bras comme pour la saluer.

— J'aime la montagne, on ne triche jamais avec elle. N'est-ce pas la vraie place d'un SS ? Se placer au-dessus de l'humanité ?

— Oui... Oberführer, mais je ne suis pas un SS.

Le jeune officier sentait ses jambes flageoler et luttait de toutes ses forces pour rester ferme. Au-dessous de lui, il devait y avoir trois cents mètres de dénivelé.

Weistort reprit d'une voix douce :

— Le Reichsführer m'a proposé vos services, mais j'ai besoin de savoir si je peux avoir confiance. Vous comprenez ?

— Bien sûr. Je serais ravi de travailler à vos côtés.

Weistort posa son bras sur son épaule.

— Bien... Détendez-vous et profitez de la vue. Admirez ces splendides montagnes autour de vous. La nature est un temple sacré et il faut la préserver.

— Oui...

— Admirable ! La montagne... La plus belle incarnation de la beauté et de l'harmonie. Comme notre œuvre nationale-socialiste. Le Führer a lui-même installé son quartier général au Berghof. Un endroit magnifique et inspiré. La légende dit que l'empereur Frédéric Barberousse y est enterré dans l'attente de son réveil.

L'Oberführer baissa les yeux vers le précipice.

— J'aime à dire que la dernière chose que l'on doit voir avant de mourir est quelque chose de beau.

D'un geste vif, il poussa le capitaine dans le vide. Une fraction de seconde le malheureux battit des bras tel un oiseau maladroit, puis chuta dans le ravin escarpé en poussant un long hurlement. Son corps rebondit plusieurs fois sur les rocs comme une poupée de chiffon.

Weistort attendit le dernier rebond puis, satisfait, redescendit sur le balcon. Il ne lui fallut qu'une poignée de minutes pour rejoindre Himmler qui l'attendait devant l'entrée de la chapelle.

— Où est le capitaine ?

— Il a fait une chute malencontreuse. Quel malheur, tout ce bon sang allemand perdu.

— Que s'est-il passé ?

L'expression de l'Oberführer se durcit.

— Je n'avais rien contre lui, mais il ne faut laisser aucun témoin : notre quête est trop importante.

— Oui, mais vous aurez besoin d'un traducteur pour retrouver la trace du Français.

Weistort secoua la tête.

— *No es un problema. Me gusta hablar en espanol aunque no es un idioma aria*[1].

Himmler sourit.

— J'avais oublié votre don pour les langues, mon cher Karl. Pour ma part, je préférerais que l'humanité ne parle qu'une seule langue. L'allemand.

---

1. « Ce n'est pas un problème. J'aime parler espagnol bien que ce ne soit pas une langue aryenne. »

6

Six mois plus tard
Prison de Montjuic
Barcelone
Mai 1941

Le printemps prenait possession de Barcelone. Malgré le début de la saison, le soleil devenait implacable au-dessus de la ville. Dans les ruelles enchevêtrées qui enlaçaient les ramblas, l'ombre même se faisait rare. Aussi rare que les habitants. Entre les immeubles encore en ruine, éventrés par les obus, les façades mitraillées et les gravats grimpant jusqu'aux fenêtres, la vieille ville comptait bien plus de rats que d'humains. Pourtant les derniers survivants dans ces décombres, s'ils désespéraient, avaient une ultime consolation. Non pas dans Dieu qui les avait abandonnés, mais dans une ombre. Une ombre maléfique, celle de la prison de Montjuic qui surplombait Barcelone.

Il suffisait à une mère dont l'enfant manquait de lait, de regarder la masse abrupte de la forteresse pour aussitôt remercier le destin de crever de faim plutôt que d'être enfermée entre ces murs de la mort.

Là-haut, assoiffés par l'ardeur du soleil, flagellés par le vent sec venu de l'intérieur des terres, s'entassaient des milliers de détenus républicains, dans un pourrissoir à ciel ouvert.

Là-haut, au fond d'une geôle souterraine croupissaient l'Irlandais, Jaime et Tristan.

Chaque matin, le juge Tieros, empaqueté dans un costume noir malgré la chaleur, attendait le car au pied de la colline de Montjuic. Depuis la chute de la ville aux mains des franquistes, il avait repris du service. On lui avait confié l'instruction des dossiers sensibles : débusquer les communistes endurcis et les anarchistes fanatiques parmi la multitude des soldats prisonniers. Depuis plus d'un an, il faisait défiler dans son bureau tous les détenus, un par un, pour les interroger en profondeur. Et à chaque fin de semaine, il voyait fleurir plusieurs renflements de terre fraîchement remuée en contrebas de sa fenêtre, preuve que son travail était efficace.

Toutefois après plusieurs pelotons d'exécution hebdomadaires, les communistes devenaient une denrée rare, quant aux anarchistes, on n'en trouvait plus sur le marché. On lui avait donc confié une nouvelle mission.

En descendant du car, pour franchir le pont qui surplombait les douves de la prison, le juge Tieros se frottait les mains. Son nouveau dossier était exaltant : cette fois il ne s'agissait pas d'enterrer des ennemis politiques, mais de débusquer une bande de pillards. Quelques mois avant la chute de Barcelone, un commando républicain s'était emparé du monastère de Montserrat avant de le vider de ses richesses. Mais ces impies ne s'étaient pas arrêtés là : avant de fuir, ils avaient osé s'en prendre à un prêtre, le clouant sur la croix. Le malheureux, d'ailleurs, n'avait pas survécu à son supplice. Le front du juge se contracta sous la colère. Comment pouvait-on oser s'attaquer aux biens sacrés de l'Église ? Et pire, à un homme de Dieu ? On avait bien fait de lui confier cette instruction. Il allait se montrer impitoyable.

Arrivé dans son bureau, son greffier lui tendit le dossier. Le juge ne l'ouvrit pas. Comme d'habitude, il préféra interroger son bras droit.

— Comment a-t-on identifié ces hommes ?

Le greffier était un fonctionnaire méticuleux. Pas une affaire en cours qu'il ne connaisse jusque dans le moindre détail.

— Le groupe armé qui a attaqué le monastère était composé de quatorze hommes. Douze Espagnols et deux volontaires étrangers. Pour les retrouver, nous avons croisé les témoignages du père supérieur de l'abbaye et les archives des républicains qui conservaient une liste des membres du commando. La plupart n'ont pas survécu aux combats qui ont suivi. Nous sommes certains de la mort de neuf d'entre eux. Deux sont portés disparus. À moins qu'ils ne soient de l'autre côté des Pyrénées.

Le visage du juge Tieros se figea dans une grimace de dégoût. Plus d'un demi-million de républicains s'étaient réfugiés en France. Des lâches, des traîtres ! Après avoir respectueusement attendu que s'écoule la minute d'indignation silencieuse du juge, le greffier reprit :

— Les trois survivants sont détenus ici. Jaime Etcheverria, un Basque capturé les armes à la main près de Gérone. Colman Flanders, un Irlandais, il a été arrêté alors qu'il tentait de vendre un calice en argent pour passer en France.

— Étranger, voleur et receleur..., murmura Tieros d'un air entendu.

— Et puis, un Français...

— Et vous l'avez cueilli où, celui-là ?

— Dans un musée municipal, à Castello d'Empuries.

— Il faisait du tourisme culturel ? ironisa le juge.

— Non, il se faisait passer pour le gardien. Dans la débâcle, personne n'a fait attention à lui. Il parlait parfaitement espagnol, connaissait à fond les collections... Et comme le maire, le conseil municipal, les fonctionnaires avaient tous fui, sauf lui, il a été décoré pour l'exemple.

— Vous plaisantez ? s'écria Tieros.

— Jamais, monsieur le juge. Il s'est fait prendre dans une bagarre avec des membres du parti. Entretemps, il avait promené tout le monde avec de fausses identités. Un véritable caméléon.

— Comptez sur moi pour lui faire passer le goût de la métamorphose. Mais une dernière question : le butin, qu'est-il devenu ?

Le greffier leva les bras au-dessus de son crâne chauve.

— Nul ne le sait. D'après les interrogatoires, les pillards l'ont bien remis aux autorités républicaines, ensuite….

— Ensuite, ces chiens avides se sont servis, vous pouvez en être sûr ! À l'un un reliquaire en or, à l'autre un chandelier en argent et tout ça a fini dans une fonderie clandestine. Nous ne retrouverons jamais rien, quoique... L'Irlandais, vous m'avez bien dit qu'il avait tenté de revendre un ciboire ?

— Absolument, monsieur le juge.

— Encore un qui a la main leste… Faites-le donc interroger par la Guardia Civil. Et qu'ils me l'amènent demain matin. Enfin, s'il est toujours vivant…

— Et pour les deux autres ?

Le juge regardait par la fenêtre qui donnait sur d'anciens jardins. Quatre nouveaux renflements étaient apparus. Ses collègues ne chômaient pas. Ils prenaient même de l'avance. Pas question de se faire distancer.

— Pour le Basque… Meurtre d'un prêtre, actes de sadisme, sacrilèges… Il faut faire un exemple. C'est bien à onze heures, ce matin, que les nouveaux prisonniers vont arriver ? Et ils passent toujours par la terrasse supérieure, c'est ça ?

— Oui, monsieur le juge. Deux cents détenus qui viennent de toute l'Espagne. De fortes têtes.

— Alors nous allons les mater ! Quand ces misérables seront sur la terrasse, juste au-dessus de nous, que les gardiens les mettent en rang, je vais leur offrir un spectacle d'exception, croyez-moi.

Malgré lui, le greffier frissonna.

— Oui, monsieur le juge.

Tieros se frotta les mains. La matinée commençait bien.

— Et maintenant, envoyez-moi ce Français...

Quand Tristan pénétra dans le bureau, le juge fixa immédiatement un point précis de son visage juste au-dessus des sourcils. Tieros avait remarqué que ce regard insistant déstabilisait les détenus, ils s'imaginaient que le juge regardait derrière eux. Ils se retournaient souvent, s'interrogeaient, s'inquiétaient et perdaient pied face au feu roulant des questions. À la vérité, ils se battaient contre deux adversaires : le juge et leur imagination, et ils perdaient toujours. Tristan, lui, souriait. Il venait d'apercevoir son reflet dans une glace. Malgré sa barbe d'ermite et ses cheveux en broussaille, il se ressemblait encore. Beaucoup de détenus, amaigris par les privations répétées, abattus par les conditions sordides de détention, avaient perdu jusqu'à la lumière de leur regard. Pas Tristan. Le juge aperçut son coup d'œil dans le miroir.

— Alors Juan, vous vous voyez en épouvantail ou en fantôme ?

— En fantôme, répondit Tristan. Ils ont le don de traverser les murs et les portes. En prison, ça peut être utile.

Le juge ne répliqua pas à la provocation. Nul ne s'échappait de Montjuic. Ni les vivants, ni les morts.

— Les fantômes ont un autre don. Ils se rappellent parfaitement leur passé. En revanche, vous pas. D'ailleurs on vous a arrêté sous le nom de Juan Labio, un nom bien espagnol pour quelqu'un qui est français.

Tristan ne broncha pas et laissa le juge continuer.

— Mais nous vous avons retrouvé sous une autre identité. Tristan Destrée. Si tant est que ce ne soit pas une fausse identité de plus. Nous avons aussi mis la main sur un rapport vous concernant dans les archives administratives de feu l'armée républicaine, poursuivait Tieros avec un bref sourire d'angle, dévoilant son incisive.

Il avait toujours ce réflexe carnassier quand il marquait un point.

— Je vois que vous auriez fait des études à Paris, en histoire de l'art... puis que vous avez travaillé pour la famille... Bloch... Des financiers internationaux qui se sont découvert une passion pour la peinture...

— Ils souhaitaient créer une collection d'œuvres d'art, je les conseillais pour leurs acquisitions.

— Des voyages à Londres, Milan... Vous êtes à Madrid, juste avant la guerre civile. Vous faisiez quoi ?

— J'évaluais une collection privée dont mon employeur souhaitait acquérir certaines pièces.

— Oui, la collection du marquis de Valdemossa. Un aristocrate aux convictions républicaines. Ça ne lui a pas porté chance. Il est mort et ses tableaux sont désormais propriété de l'État.

— Il avait de magnifiques Vélasquez, commenta sobrement le Français.

— On vous retrouve à Barcelone à l'automne 1939. Drôle d'endroit pour un amateur d'art. Une ville livrée à l'anarchie...

— Le marquis de Valdemossa avait une propriété en périphérie qui contenait une partie de sa collection. Il m'avait demandé d'en assurer le transfert en France.

Le juge leva un regard ironique sur Tristan.

— Une assurance-vie en quelque sorte… En revanche, vous, vous en auriez bien besoin d'une. Que faisiez-vous dans la nuit du 12 janvier 1939 ?

Tristan tourna sa tête vers la fenêtre. Un parfum étrange montait de l'extérieur. Ou plutôt deux. D'abord une odeur de terre remuée, presque suave, puis une autre, plus entêtante, qu'il ne parvenait pas à identifier. Il ferma les yeux pour mieux les humer.

— Vous cherchez dans vos souvenirs ? Alors je vais vous rafraîchir la mémoire. Durant cette nuit, vous avez, avec treize autres pillards, attaqué et dépouillé le monastère de Montserrat. Ah, j'oubliais, vous avez aussi tué un homme.

Par habitude, Tieros savait que quand on accusait un suspect de meurtre, il protestait aussitôt, mais le Français ne réagit pas, comme s'il était indifférent à ce qu'il pouvait se passer.

— Très exactement, vous l'avez crucifié et il n'a pas survécu. Donc, viol d'un lieu saint, vol d'objets sacrés, meurtre d'un prêtre…

Le juge laissa sa phrase en suspens. Le verdict était évident, mais il laissait planer le doute. Un homme qui croit qu'il va mourir devient souvent bavard.

— On dirait du réséda, prononça lentement Tristan. L'odeur qui monte par la fenêtre.

Tieros plissa les lèvres de colère. Lui qui aimait jouer au jeu cruel du chat et de la souris lors des interrogatoires détestait qu'on lui gâte son plaisir. Il adorait inspirer la peur, il adorait la voir se graver sur les visages jusqu'à en déformer les traits, il adorait l'entendre dans les paroles de trahison, d'humiliation… Et ce Français croyait l'en priver ? Pauvre imbécile !

— Greffier, quelle heure est-il ?

— Presque onze heures, monsieur.

— Vous avez transmis mes consignes ?

— Oui, monsieur le juge. Le Basque est déjà en bas.

Tieros se leva. Il vérifia si le Français était bien menotté. Il ne manquerait plus qu'il saute par la fenêtre.

— Suivez-moi.

Tristan s'exécuta. Dans le jardin, titubant entre deux gardes civils, se tenait Jaime. Ses jambes n'étaient plus que des plaies vives.

— La Guardia Civil a ses propres méthodes d'interrogatoire. Verser du sel sur des blessures en fait partie. On dit que la douleur est insupportable. Je veux bien le croire, car votre ami *El Jefe* a beaucoup parlé. Il dit que c'est vous qui avez cloué le prêtre sur la croix.

Tristan ne répondit pas.

— Remarquez, je ne le crois pas. Le père abbé de Montserrat, dans son témoignage, est formel : c'est bien Jaime Etcheverria qui a commis l'irréparable. Et c'est pour ça qu'il va payer

Tieros abaissa la tête deux fois. L'un des gardiens d'*El Jefe* se pencha vers le sol et tira une bâche que Tristan n'avait pas remarquée.

La terre noire d'une fosse apparut.

— Creusée de frais, précisa le juge.

Juste au-dessus d'eux un piétinement se fit entendre.

— Ce sont les nouveaux prisonniers qui viennent d'arriver. Ils vont pouvoir profiter du spectacle. D'habitude, nous fusillons les condamnés en ville, pour l'exemple, puis nous les enterrons ici. Mais pour votre ami Jaime, j'ai prévu un traitement spécial.

Sous la fenêtre, les gardiens vérifiaient les liens de leur prisonnier. Un garrot autour du cou, un nœud coulant enserrant les mains et une chaîne à rivets pour les chevilles.

— Jetez-le.

Le corps hurlant de Jaime roula dans la fosse, le visage contre le sol.

— Retournez-le, ordonna Tieros, je veux qu'il se voie mourir, puis se tournant vers Tristan, vous vous demandiez quelle odeur montait du jardin ?

Une première pelletée de terre tomba dans la fosse.

— Le parfum d'une exécution n'est jamais le même. Un corps criblé de balles a une odeur âcre, repoussante, mais qui ne dure pas. Les pendus, eux, sentent les excréments dont ils se sont souillés…

Déjà les jambes de Jaime étaient noires d'humus. Il avait cessé de hurler. Ses yeux dilatés étaient rivés sur le ciel bleu comme une énigme insoutenable.

— Les enterrés vivants en revanche, ils sentent une odeur aigre, l'odeur de la peur… Vous commencez à la sentir ?

Seul le visage surnageait, cerné de terre sombre. Autour de lui, les deux gardiens, une pelle à la main, attendaient l'ordre du juge pour en finir. Tieros hocha la tête. Une pelletée tomba.

— Vous êtes-vous demandé quelle serait votre odeur lorsque nous vous tuerons ? interrogea le juge.

Une autre, plus lourde, suivit.

— Vous, Tristan Destrée, ou quel que soit votre vrai nom, vous mourrez dans le sang. Dans votre propre sang.

7

Prusse orientale
Forêt de Schorfheide
Mai 1941

Sa gorge brûlait, son sang affluait dans ses artères comme un torrent dévastateur. Jamais il n'aurait cru possible que son corps puisse le faire souffrir à ce point. Il ralentit sa course et s'affala contre un rocher recouvert de mousse.

Il essaya de reprendre son souffle, l'air glacé arrivait à peine à rentrer dans ses poumons. Il regarda en direction de la pente herbeuse qui s'étendait à partir de l'orée du bois et aperçut en contrebas les feux d'Heisenberg. La ville n'était plus qu'à deux ou trois kilomètres. Il pourrait y trouver refuge.

Merci, mon Dieu.

Un regain d'espoir le parcourut pendant qu'il massait ses cuisses endolories. Il fallait tenir bon, ne pas s'effondrer. Le père Breno n'avait jamais couru de la sorte dans sa vie. Sauf une fois, à Cologne, pour rattraper le voyou qui avait dérobé un crucifix en argent dans la chapelle du petit séminaire. C'était il y a plus de trente ans. Depuis qu'il exerçait son sacerdoce, ses jambes ne servaient qu'au strict minimum. Dire la messe, célébrer les mariages et les enterrements, se rendre au chevet des paroissiens, toutes ces activités n'entretenaient pas la forme physique.

Sa tête tournait, ses yeux piquaient. Le curé jeta un œil en arrière, mais les arbres sombres et massifs dansaient autour de lui. S'il n'avait pas été poursuivi, il se serait arrêté pour jouir du paysage magnifique qui s'offrait à ses yeux. Cette forêt était belle. Belle et cruelle. Elle faisait corps avec ses poursuivants. Il le sentait au plus profond de lui. Dans ces bois sombres, Dieu n'était pas le bienvenu et son serviteur encore moins. Peut-être n'était-il plus le bienvenu dans toute l'Allemagne. Ni en Europe.

Il essuya des larmes qui coulaient sur ses joues râpeuses.

Quand les trois agents de la Gestapo étaient venus le chercher trois jours plus tôt dans son presbytère, il n'avait pas été surpris. Les policiers avaient été courtois. Juste un petit entretien au commissariat central. Mais il n'était pas dupe, il savait pourquoi on l'emmenait. La semaine précédente, alors qu'il rentrait à vélo après avoir donné l'extrême onction à un paysan, il s'était arrêté à un passage à niveau. Un train de marchandises y était bloqué, la locomotive semblait en panne. Un autre train stationnait un peu plus haut sur la voie. Des soldats SS allaient et venaient entre les deux convois.

Il s'était caché dans un fourré de peur qu'on le prenne pour un espion. Et puis, il y avait eu des claquements métalliques, des cris et les portes des wagons s'étaient ouvertes pour déverser une cargaison d'êtres humains. Hommes, femmes et enfants. Les SS leur hurlaient dessus pour les emmener dans l'autre train. Pour la première fois, le Mal était apparu dans sa vie de prêtre. Bien sûr, comme beaucoup d'Allemands il savait qu'on déportait les juifs dans les « camps de travail », mais là, il découvrait une réalité qui dépassait son entendement.

Et il y eut les meurtres. Un couple de vieillards, tombé du wagon, peinait à se relever. Un officier s'était approché et leur avait tiré une balle dans la tête. Caché dans son fourré, le père Breno n'avait pu détacher son regard du visage du tueur, hypnotisé par son gros visage jovial. Deux soldats avaient ensuite jeté les cadavres sur le bas-côté, comme s'il s'agissait de sacs d'ordures.

Terrorisé, il était resté caché pendant plus d'une heure, le temps que le deuxième convoi infernal s'éloigne dans le couchant. Seul dans ce crépuscule glacé, il avait compris deux choses.

Satan existait. Et il était allemand.

Rentré dans son église, il s'était mis à genoux devant l'autel afin de prier pour ces pauvres gens. Mais cela n'avait pas suffi. Les remords le rongeaient, il était semblable à ceux qui avaient regardé le Christ monter son chemin de croix, sans rien faire. Il ne pouvait pas en rester là.

Trois jours plus tard, en chaire, il avait prononcé un sermon courroucé. Le plus beau qu'il ait jamais déclamé, et expliqué ce qu'il avait vu. Les visages de ses paroissiens s'étaient figés. Après la messe, ils s'étaient presque tous volatilisés, par peur. Puis la lâcheté s'était transformée en délation.

Les policiers ne l'avaient pas emmené au commissariat mais dans une sorte de refuge forestier, perdu dans les bois et enchâssé dans une immense propriété cernée de hauts murs de pierres. On l'avait insulté, qualifié de traître au Führer, mais curieusement il n'avait pas été battu. On l'avait nourri puis on lui avait donné de nouveaux vêtements. Deux autres prisonniers occupaient des cellules contiguës, mais ils avaient disparu l'un après l'autre. Un soir, l'un des gardiens, en tenue de chasseur, était entré dans sa cellule.

— Mon père, ils vont venir demain matin vous transférer au camp de Dachau. C'est là que l'on entasse les prêtres et les pasteurs déloyaux à la patrie[1]. C'est l'antichambre de l'enfer. Je vais laisser la porte ouverte.

— Pourquoi faites-vous ça ?

— Je suis nazi, mais bon catholique. Je ne peux pas laisser tuer un homme de Dieu. Partez tout de suite, je dirai que vous m'avez assommé.

Il lui avait expliqué le chemin à travers les bois pour rejoindre Heisenberg. Juste au moment de partir, le père Breno lui avait demandé où il se trouvait. Le chasseur avait répliqué d'un air énigmatique :

---

1. Presque trois mille prêtres catholiques, en majorité polonais, mais aussi allemands et français ont été détenus à Dachau. Ce camp est considéré comme le plus grand cimetière de prêtres catholiques d'Europe pendant la Seconde Guerre mondiale.

— Dans la tanière de l'Ogre, mon père. Il n'a aucune pitié pour le gibier. Courez. Courez comme si le diable était à vos trousses.

Une heure s'était écoulée depuis sa fuite. Il se força à inspirer plus lentement. Ralentir sa respiration, chasser la peur. Mais elle restait toujours là.

Un hurlement rauque retentit derrière les arbres. Puis un autre. Suivi d'un troisième.

Il se redressa d'un bond.

Ce n'étaient pas des hurlements, mais des aboiements de chiens. De dogues dressés pour chasser et déchirer la chair des gibiers qu'ils traquaient. Il les avait vus en train de déchiqueter des lapins vivants que les gardiens s'amusaient à leur balancer dans leurs cages. Pourtant leur férocité n'égalait en rien celle de leurs maîtres. C'étaient eux les véritables bêtes. Le sadisme en plus. On lui avait fait miroiter un espoir mensonger. Le gardien s'était moqué de lui.

Il n'était qu'un gibier à traquer et à abattre. Rien de plus.

Le bruit d'un cor résonna dans la forêt. Des éclats de lumières surgirent çà et là dans les bois.

La meute s'impatientait.

Le père Breno pressa de toutes ses forces le crucifix qu'on lui avait laissé autour du cou et commença à murmurer d'une voix blanche.

Des cris se faisaient entendre. Il distinguait des hennissements et le bruit compact de galops de chevaux sur la terre mouillée.

La meute était joyeuse.

Il sut qu'il n'atteindrait jamais Heisenberg à temps. Le Christ avait choisi cette nuit éclatante pour qu'il le rejoigne.

Il leva ses yeux rougis vers le ciel éclairci par le scintillement de la lune.

La peur s'évanouissait.

Il affronterait ses bourreaux, comme le Christ l'avait fait deux mille ans plus tôt. Tout devenait plus clair désormais.

Sa mort était un cadeau. Un cadeau de son créateur pour qu'il rachète des années d'aveuglement, de soumission et d'égoïsme.

Il ramassa une branche morte et la rompit en deux sur son genou. Puis, il retira la chaîne de son crucifix et noua les deux branches entre elles. La croix avait une allure bancale avec ses branches horizontales qui se tordaient aux extrémités. Mais c'était la plus belle croix qu'il eût jamais vue.

Il la glissa dans l'anfractuosité du rocher et s'agenouilla devant l'autel de fortune.

Notre père qui êtes aux cieux, que votre nom soit sanctifié, que votre règne arrive...

Il n'eut pas le temps de finir, les aboiements s'étaient transformés en grondements. Des grondements tout proches.

Il se retourna lentement. Cinq dogues se dressaient devant lui. Corps ramassé, yeux mi-clos, babines retroussées, dents étincelantes comme des lames sous l'action des rayons de lune.

La meute exigeait son dû.

Les monstres étaient dressés à la perfection, jamais ils n'attaqueraient sans le signal de leur maître.

L'Ogre.

Tout d'un coup il comprit. Les chiens, le refuge dans la propriété, ces hommes habillés en chasseurs. Il était sur les terres du grand veneur du Reich et maître des forêts.

Le maréchal Hermann Goering.

Derrière les chiens, des faisceaux de lumière déchiraient l'obscurité. Il pouvait entendre distinctement les clameurs excitées des chasseurs.

Le père Breno se redressa et croisa les bras en signe de fermeté. Il leur offrirait son pardon, mais pas sa peur.

Deux silhouettes à cheval apparurent dans la trouée des arbres.

Le cavalier semblait disproportionné pour sa monture qui paraissait toute petite, sa masse débordait de la selle. Il tenait un fusil et le mettait en joue.

L'Ogre à cheval.

Le père Breno sourit. Une image ridicule vint à son esprit. Sancho Pança, le gras compagnon de Don Quichotte perché sur son âne.

À côté du maréchal, l'autre cavalier, plus mince, était proportionné à son cheval d'une blancheur presque fantomatique. Il tenait une longue arbalète de sa main droite.

Le moment était venu.

Le père Breno leva son bras pour bénir ses bourreaux.

Pardonnez-leur, car ils ne savent pas ce...

Il ne put terminer sa phrase, un coup de feu retentit. Sous l'impact, il fut projeté contre le rocher. Il s'affala lentement sur le sol, le dos glissant contre la pierre. Une douleur aiguë lui déchira le côté droit du ventre. Il posa sa main sur une auréole poisseuse qui s'épanouissait sur sa chemise.

Le grand veneur était-il un piètre chasseur ou voulait-il faire durer le plaisir ?

Angriff !

Le cri du maréchal résonna dans la nuit. La meute fonça sur le prêtre, le martèlement du galop des deux chevaux emplissait la nuit.

Le père Breno frémit de tous ses membres et ferma les yeux.

Mon Dieu, faites que ce soit rapide. Je... n'ai pas la force des martyrs.

Sa prière fut presque exaucée.

Un trait d'arbalète se ficha dans sa poitrine. Juste en dessous du cœur. Il sentit les premières morsures des deux chiens arrivés les premiers sur leur proie.

Leg dich schlafen !

La voix de l'Ogre au-dessus de lui. Comme par miracle, les dogues, la gueule en sang, avaient lâché ses jambes et s'étaient couchés à terre.

Il reconnut le gros Goering en colère contre le cavalier qui rangeait son arbalète dans l'étui de la selle.

— Frau von Essling, l'animal allait d'effroi[1]. Vous frustrez mes chiens d'une joie et me privez d'un spectacle de choix.

---

1. Se dit d'un gibier quand il est traqué et vient d'être surpris.

Le dernier visage que vit le père Breno fut celui d'une très jolie femme blonde aux yeux en amande. Elle se tenait comme une amazone sur son cheval et observait son agonie. Le regard clair et impassible.

Ce soir-là, il y avait foule au Carinhall, la somptueuse résidence de chasse du Reichsmarschall située à une heure de route de Berlin. Comme chaque année, le grand veneur organisait une fête magnifique pour la fermeture de la saison. L'impressionnante salle de réception, aux murs décorés de têtes de cerfs, de daims, d'ours, de sangliers, était pleine à craquer. Plus de deux cents privilégiés, des chasseurs et leurs épouses, devisaient joyeusement au rythme d'une valse jouée par un orchestre en tenue traditionnelle, culotte de peau et chapeau à houppette. L'euphorie régnait, la plupart des mâles réunis en ces lieux avaient participé aux campagnes militaires victorieuses du Reich.

À la différence des soirées officielles du régime, appartenir aux hautes sphères du parti ne suffisait pas pour se faire inviter. Ici se côtoyait un curieux mélange social : bourgeoisie, aristocratie, membres influents de l'administration du Reich, officiers de la Wehrmacht, mais aussi passionnés issus de la paysannerie, souvent les meilleurs fusils du pays. Dans le Troisième Reich, la chasse demeurait une véritable institution avec ses codes, ses règles, ses amicales disséminées sur tout le territoire. Un réseau puissant, plus ouvert que celui de la chasse à courre en Angleterre, mais tout aussi jaloux de son élitisme de la gâchette. Pour obtenir un poste ou un passe-droit, un solide carnet de gibier était un sésame aussi miraculeux qu'une carte d'adhérent historique au parti. En Allemagne, la vénerie exerçait son pouvoir, discret, bien avant qu'Hitler ne vienne au monde. Si le Führer abhorrait la chasse et la viande, le grand veneur et maître des forêts, lui, la pratiquait par passion et par intérêt. L'Ogre dirigeait cette fraternité carnassière d'un joyeux appétit et d'une poigne d'acier aussi solide que celui de ses Mauser de compétition. Il avait d'ailleurs inventé une devise qu'il avait fait afficher en lettres d'or dans son bureau à Berlin :

La chasse, c'est l'art de faire couler le sang entre gens de bonne compagnie.

Soudain *Le Beau Danube bleu* s'arrêta de couler dans la salle. Le chef d'orchestre venait de recevoir le signal de l'arrivée du maître des lieux. Sa baguette virevolta. Les premières mesures de *La Symphonie héroïque* jaillirent dans l'air enfumé, l'hôte de la soirée apparut en haut de l'escalier monumental de marbre clair.

Complet de soie grise, écharpe blanche ceinte autour du ventre, pantalon de cuir assorti à ses bottes montantes, l'Ogre n'avait pas son pareil pour arborer des tenues excentriques.

Un tonnerre d'applaudissements jaillit de la salle alors que le satrape rejoignait l'estrade pour parler au micro. Après Johann Strauss, Beethoven fut interrompu net. La voix tonitruante de Goering emplit le salon.

— Mesdames et messieurs. Je vous souhaite la bienvenue au Carinhall, temple de la chasse et des plaisirs qui en découlent. Cette année, le dîner sera composé de pièces de choix que j'ai abattues personnellement. Et vu votre nombre, je peux vous dire que vous m'avez donné beaucoup de travail. Ne le répétez pas au Führer, il va croire que j'ai déserté mon poste à la Luftwaffe et que les Anglais vont recevoir moins de bombes.

Les rires fusèrent sous le regard gourmand de l'Ogre. Il était le seul hiérarque nazi à se permettre de faire de l'humour en toutes circonstances.

— S'il y a des végétariens égarés dans cette salle, je vous suggère de vous faire inviter chez le Reichsführer Himmler. Il organise une soirée concombres et potirons aryens la semaine prochaine.

L'assistance était hilare, même la poignée d'officiers et chasseurs SS invités n'avait pu s'empêcher de s'esclaffer.

— Mes amis très chers, je déclare officiellement la fermeture de la chasse et l'ouverture des festivités.

Goering se fraya un chemin au milieu de ses invités qui se dirigeaient vers la salle des dîners, distribuant des poignées de main chaleureuses de ses doigts boudinés garnis de grosses bagues chatoyantes. Outre la chasse, l'opium, la mode et les tableaux, le maréchal avait la passion des bijoux, telle une cocotte du XIXe siècle.

Il repéra la jeune femme blonde, au teint hâlé et à l'allure de Diane chasseresse, qui l'avait frustré de sa proie humaine. Ce n'était pas difficile, Erika von Essling était la seule femme de la soirée à porter un pantalon et des bottes. Une provocation, mais il avait toujours apprécié l'audace et l'excentricité, ce qui le différenciait des autres pontes du régime. Goering la connaissait de longue date, il était ami avec feu son père, le comte von Essling. Déçu de ne pas avoir eu de garçon, l'aristocrate rhénan avait pris en main l'éducation de sa fille unique. Il lui avait appris ce qu'une femme n'apprenait jamais dans la haute société : la chasse, l'escrime et le tir. Dans la nouvelle Allemagne où la femme était célébrée soit pour sa beauté, soit pour ses compétences de reproductrice de la race aryenne, Erika détonnait. Mais elle pouvait se le permettre, sa famille possédait des aciéries et des usines d'armement qui tournaient à plein régime. Obus, blindage, bombes étaient devenus la spécialité familiale. La nature du pouvoir, au cours des siècles, avait changé, mais pas eux. À chaque coup de balai de l'histoire, ils étaient toujours du côté du manche. Comme beaucoup d'industriels, le père avait financé l'ascension d'Hitler quand celui-ci était apparu comme l'unique rempart contre la montée des communistes. Le comte von Essling n'avait pas pu voir l'accession au pouvoir de son poulain, il était mort dans un accident de chasse la veille de la prise de fonction du nouveau chancelier. Le groupe était désormais dirigé par la veuve depuis Berlin. La fille, elle, s'était prise de passion pour l'archéologie et jouissait d'une excellente réputation dans les milieux universitaires où elle surclassait ses confrères masculins.

L'Ogre s'approcha de la jeune femme qui se tenait debout dans une partie du salon peu fréquentée. Elle semblait fascinée par le gigantesque tableau qui représentait une femme assise sur un sofa, au visage doux et à l'élégance fanée.

— Une femme convenable dans le Troisième Reich se doit de porter la robe en soirée, dit Goering en observant l'amazone.

Erika ne quittait pas le tableau des yeux et répliqua sans se retourner :

— Je n'ai jamais été très convenable.

Goering s'approcha d'elle et contempla lui aussi la toile. Un voile de tristesse tomba sur son visage replet. Deux fines larmes perlèrent du coin des yeux.

— Vous l'avez reconnue… Carin, ma première épouse, morte en 1931. Le grand amour de ma vie, elle aussi détestait les conventions. Je lui dois tant… J'ai baptisé cette demeure Carinhall pour célébrer son souvenir. On ne le dirait pas, mais je suis un grand sentimental.

— Une femme magnifique. Et Emmy[1], comment va-t-elle ? répondit Erika.

— Bien, elle prend les eaux à Baden-Baden. Je n'aime pas l'avoir dans les pattes pendant mes chasses.

Il la prit par le bras.

— Frau von Essling, vous m'avez déçu. Bon sang, pourquoi avoir tué du premier coup le gibier ? Je vous avais fait l'honneur de vous inviter à ma dernière chasse privée de la saison. Participer à la traque d'un homme est un honneur offert à peu d'invités.

La jeune femme tourna calmement son visage vers lui.

1. Seconde épouse du maréchal.

— Vous ne m'aviez pas prévenue que nous chassions un être humain. Un peu surprenant pour un *grand sentimental.*

— Ça n'a rien à voir. Les hommes ne présentent pas tous la même valeur. Et puis, j'aime les surprises. Vous êtes l'une des rares femmes dans ce pays à pratiquer la chasse et à afficher un tableau que bien des mâles vous envieraient. Je pensais vous faire plaisir. Mais, vous n'avez pas répondu à ma question.

Elle fixa l'obèse.

— Mettez ça sur le compte d'un vieux fond d'éducation protestante. J'ai eu pitié de ce pauvre prêtre. Pourquoi l'avoir choisi ?

Goering s'esclaffa, ses joues ondulaient comme si de l'eau coulait sous sa peau graisseuse

— Je ne l'ai su qu'au dernier moment ! Chaque année, Poulet froid, pardon le Reichsführer Himmler, m'envoie une sélection de trois prisonniers pour la chasse. D'habitude ce sont des juifs ou des communistes, cette fois il m'a glissé un curé dans le lot. Ça doit être sa façon à lui de faire de l'humour.

La jeune femme lui renvoya un regard glacé.

— Je ne vois rien de comique à traquer de pauvres bougres dans une forêt et les assassiner.

Les yeux du gros maréchal se plissèrent.

— Allons, ma chère… À la façon dont vous avez abrégé les souffrances de notre gibier, ce n'est pas la première fois que vous tuez un être humain. Cela m'a même surpris. J'étais persuadé que vous alliez me laisser accomplir cette besogne. Vous seriez étonnée par le nombre d'invités qui se sont dégonflés au moment d'appuyer sur la détente.

Erika ne répondit pas, elle avait appris à masquer ses émotions dans le nouvel ordre nazi. Mais Goering était un spécimen déroutant. L'homme qu'elle avait en face d'elle pouvait écraser une larme, authentique, devant le portrait de sa femme et exécuter de pauvres types pendant des parodies de chasse à courre. En fait, il était aussi impitoyable que son père, le comte. Pas étonnant qu'ils soient devenus amis.

Goering prit une voix pateline et passa son bras sur ses épaules.

— Erika, si mes informations sont exactes, vous allez travailler pour l'Ahnenerbe, l'Institut d'Himmler ?

— Vous êtes mieux renseigné que moi. Tout ce que je sais, c'est qu'il m'a invitée dans son château de Wewelsburg dans les prochains jours.

Le grand veneur perdit sa bonhomie.

— Faites très attention où vous mettez vos belles bottes, Frau von Essling. Le national-socialisme est une œuvre extraordinaire qui a transformé l'Allemagne. Une révolution dans l'histoire de l'humanité et j'en suis l'un des piliers. Comme le Führer, je le vois comme un astre éclatant qui doit irradier le monde, quitte à calciner ceux qui ne sont pas dignes de recevoir sa lumière. Mais certains se sont tournés vers une dimension encore plus radicale. Himmler avec ses damnés SS, ses moines-soldats fanatiques, en est l'incarnation parfaite. Il professe des doctrines étranges et absurdes. Et malheureusement son empire ne cesse de s'étendre.

La jeune femme haussa un fin sourcil.

— Et donc ?

— Si la SS est une galaxie, l'Ahnenerbe en est son soleil noir.

8

Espagne
Prison de Montjuic
Mai 1941

Comme chaque matin à dix heures, un œil inquisiteur plongea dans la pénombre crasseuse de la cellule 108. Une geôle, située à la base des murs, à peine éclairée par une ancienne meurtrière.

— *Madre de Dios*, qu'est-ce que ça pue ! Tu ne crois pas qu'on devrait entrer. Il est peut-être en train de crever ?

Par un judas, un des gardiens observait le sol couvert de paille souillée où un corps, recroquevillé, ne donnait plus signe de mouvement.

— C'est un Français, il a tué un prêtre à ce qu'on dit… Tu veux vraiment t'occuper de cette charogne ?

— Le juge Tieros a dit qu'il lui préparait un châtiment exemplaire. J'ai pas envie qu'il nous claque entre les doigts avant.

— Trois semaines qu'il est là à croupir. Ton juge l'a déjà oublié. Avec toutes les fosses qu'il remplit chaque semaine… Tu sais quoi, on n'a qu'à l'oublier, nous aussi. Tu lui mets de l'eau, une écuelle avec une soupe et on repasse demain. Comme ça, s'il a pas touché à la nourriture...

— ... On est couvert.

— Et surtout on en est débarrassé ! Mais faudra nettoyer la cellule à fond. Pas possible de puer comme ça. On a l'impression que les asticots sont déjà en train de lui bouffer le ventre

Un claquement sec. Le judas venait d'être refermé. Les pas des gardiens s'éloignèrent dans le couloir. Dans la cellule 108, une main bougea, remonta le long du corps et plongea sous la poitrine. Une odeur insupportable envahit la pièce tandis que le cadavre d'un rat en pleine décomposition atterrit contre un mur.

Tristan l'avait tué, six jours avant.

Ce matin-là, il s'était assis dans l'angle le plus sombre de sa cellule, laissant au centre l'écuelle de soupe qu'on lui avait glissée sous la porte. Un premier rat sortit, émincé, battant le sol de sa queue. Un éclaireur. Sans s'approcher de la nourriture, il longea un mur, un autre, puis battit en retraite. Un autre lui succéda qui, à pas discrets, vint se poster à proximité de l'écuelle et se figea comme s'il avait été frappé de paralysie subite. *Le guetteur*, pensa Tristan, *il se fond dans son environnement et attend pour voir si un danger se déclare. Le tout est d'être plus patient que lui.* Au bout de longues minutes, la queue du guetteur frémit, puis serpenta sur le sol. Enfin, le rat bougea. Il s'approcha de la nourriture, mais ne la toucha pas. Quand son museau fut bien imprégné des odeurs qui croupissaient dans l'écuelle, il revint en arrière et disparut.

Sans se presser, comme s'il était en visite, un rat d'une taille surprenante surgit d'un trou dans la paille. *Le mâle dominant.* Il avait envoyé son serviteur soumis faire le travail d'approche. Maintenant, il pouvait se bâfrer en toute tranquillité. *Sauf que tu as oublié quelque chose...*

Le rongeur s'empiffrait d'une soupe épaisse. Trop épaisse d'ailleurs. D'habitude, c'était de l'eau trouble où trempait un quignon de pain avarié. Tandis que là, la soupe était inhabituellement dense... *Ce que tu as oublié, c'est un goûteur.*

Le bruit frénétique du mâle dominant, dévorant tout sur son passage, s'éteignit brusquement. Tristan se leva. Malgré la demi-pénombre, il parvenait à voir le regard du rongeur figé dans la stupeur. Son corps venait de le lâcher, lui qui rossait tous ses rivaux, mordait ses femelles jusqu'au sang, ne pourrait plus jamais tyranniser personne. Dans quelques secondes, ses yeux hébétés à leur tour allaient s'éteindre sans comprendre. Sans comprendre que le salpêtre, que Tristan avait râpé sur les murs humides et mélangé à la soupe, était définitif pour un rat. Même un mâle dominant.

Encore quelques minutes et son odeur de mort allait faire jaillir ses anciens soumis. Ils crevaient de faim et de haine. Et leur ancien chef allait finir dévoré, englouti... Sauf que Tristan avait d'autres projets pour lui.

En quelques jours, le cadavre du rongeur s'était décomposé en profondeur et une odeur pestilentielle avait envahi la cellule. Le Français en avait profité pour se recroqueviller dans le coin le plus sombre de sa geôle. Face à l'afflux quotidien des prisonniers, les gardiens menaient leur ronde au galop. Une odeur suspecte, un corps immobile. En bons fonctionnaires, ils appliquaient la règle universelle : *attendre*. Après leur passage du matin, Tristan savait qu'il avait vingt-quatre heures devant lui. Les matons ne rouvriraient pas le judas avant le lendemain. L'odeur de mort dont il avait imprégné la cellule assurait sa solitude et sa protection.

Durant sa détention, il avait mesuré de long en large sa cellule, étudié la construction de la voûte, estimé l'épaisseur des murs pour en conclure que ses chances d'évasion allaient vite se fracasser contre le savoir-faire des bâtisseurs du Moyen Âge.

Un détail pourtant le titillait. Chaque jour, pratiquement aux mêmes heures, il entendait une cataracte d'eau juste en bordure de la meurtrière. D'abord, il avait pensé à un tuyau, longeant la muraille, mais il n'y avait aucune trace d'humidité qui n'aurait pas manqué d'éclabousser la fine ouverture verticale. Il avait fini par en conclure que dans l'épaisseur même du mur devait se trouver un conduit datant de la construction du château. Sans doute la sortie d'une latrine[1]. Souvent ces conduits étaient assez larges, car on y jetait toutes sortes de déchets.

1. Les WC du Moyen Âge.

Aujourd'hui, cette sortie d'évacuation devait être employée par les cuisines de la prison, car il avait remarqué que les écoulements d'eau se situaient toujours après l'heure du déjeuner et du dîner. Autrement dit, la voie était libre durant toute la nuit.

Du talon, Tristan prit appui sur l'ébrasement inférieur de la meurtrière et tâta les pierres latérales. Dans la pénombre, il sentait sous sa paume une mousse spongieuse qui devait aussi avoir attaqué les joints. Il ressauta à terre, fouilla la paille et en sortit un morceau de métal incurvé.

On l'avait emprisonné avec ses godillots dont un bout était ferré en demi-lune. En s'écorchant les doigts, il avait réussi à décrocher le fer pour pouvoir maintenant l'utiliser comme un poinçon.

Le mortier, entre les pierres, était poreux. En deux heures, Tristan avait dégagé un bloc qu'il retirait désormais centimètre par centimètre. Enfin, la pierre se renversa. Le conduit était sans doute juste derrière, mais l'obscurité de la geôle ne permettait pas d'en être sûr. Malgré l'odeur infernale, il ramassa le rat par la queue et le jeta dans le trou noir que le bloc descellé avait révélé. Tristan sourit. Une série de chocs de plus en plus amortis résonnait dans l'ouverture du mur : c'était l'ex-mâle dominant qui achevait de s'éparpiller dans le conduit médiéval. Il ne s'était pas trompé. Cependant l'accès était encore trop étroit pour le passage d'un homme, il fallait ôter une seconde pierre.

En moins d'une heure, il avait retiré un nouveau bloc. Ainsi agrandie, l'ouverture devenait praticable.

Le conduit vertical se révéla plus large que prévu. Malgré l'obscurité ambiante, il distinguait, à intervalles réguliers, des rectangles lumineux qui s'élevaient en hauteur. Sans doute des orifices d'aération qui pourraient servir de points d'appui. Bien adossé contre un mur, Tristan pouvait espérer grimper au moins jusqu'à l'étage supérieur. Il se glissa dans l'accès, cala ses deux pieds et lança ses mains à la recherche aveugle d'un bloc en saillie. Ce qu'il trouva, ce fut un joint effrité qui lui servit à se hisser jusqu'à la première bouche d'aération. Il y ajusta son pied droit avant de recommencer à monter. Tristan avait l'impression de ramper à la verticale. Son souffle résonnait entre les murs. Il n'osait pas baisser les yeux de peur d'apercevoir l'œil avide d'un puits sans fond. Ce qui l'attendait en haut ne pouvait être pire que ce qu'il imaginait dessous. Cette frayeur au ventre le poussait à monter plus vite pour échapper à l'angoisse de la chute. Enfin, il sentit un rebord, sous ses doigts déjà en sang. Il se hissa pour tomber face à un mur percé de la sortie d'un simple tuyau. En tâtant les joints dont le ciment s'effritait, Tristan reconnut une paroi de briques. Une construction hâtive, sans doute récente. Il calma son souffle et resta de longues minutes aux aguets. Mais derrière la paroi, tout demeurait silencieux. Il n'y avait plus à hésiter. Malgré les crampes, il se haussa face au mur, et le frappa à plein talon. Une première brique vola de l'autre côté, suivie d'une autre. En quelques minutes, le centre du mur n'existait plus. Tristan s'y glissa, la poitrine lacérée par des débris de briques.

Il se retrouva dans une sorte de placard parcouru de tuyaux d'évacuation, mais fermé par une simple porte. Délicatement, il écarta le battant.

La cuisine était plongée dans l'obscurité. Tristan traversa la pièce sans bruit en direction d'une des fenêtres. La cuisine surplombait la cour centrale d'une dizaine de mètres. Dangereux et inutile. Mieux valait passer par la porte et tenter une sortie par l'intérieur. Deux blouses usées pendaient près de l'entrée. Tristan en saisit une, puis se pencha vers l'évier pour laver son visage. Il préférait ne pas se voir, mais dans cette prison où les gardiens étaient aussi pouilleux que les prisonniers, il avait une chance de passer inaperçu.

Pour éviter que les regards ne se posent sur son visage, Tristan boitait en faisant racler sa semelle sur le sol. Deux gardiens et une infirmière, qu'il croisa, n'avaient regardé que son pied avant d'accélérer le pas. Il était parvenu à parcourir un long couloir sans attirer l'attention. S'il ne se trompait pas, il se déplaçait en direction du mur d'enceinte, tournant le dos à la cour intérieure. Les portes d'accès étaient toutes gardées, mais il devait y avoir des entrées de service moins sensibles.

Et Tristan en cherchait une tout particulièrement.

C'est l'odeur qui le guida.

La mort a trois parfums.

Le premier a une senteur acide et volatile, mais qui imprègne tout sur son passage. C'est ce parfum de cadavres frais que suivait Tristan. Il l'avait repéré au bout du couloir, s'échappant d'un palier qui donnait sur une volée de marches.

Il n'y avait plus qu'à remonter à la source.

Au fur et à mesure qu'il descendait un escalier éclairé par une ampoule en fin de vie, l'odeur s'épaississait. Ce n'était plus la senteur acidulée du début, mais des relents âcres qui jaillissaient par bouffées tenaces.

Le parfum des corps qui perdent toute dignité.

La morgue était toute proche. L'odeur de mort prenait à la gorge et tournait au cauchemar. Le Français retint son souffle et poussa la porte.

L'espace de dépôt était divisé en deux : d'un côté, les fusillés, dont certains attendaient un trou depuis des jours, de l'autre, les détenus morts de faim ou de maladie, dont la peau translucide servait déjà de linceul au squelette. Tristan s'avança. Pour gagner de la place, certains cadavres étaient empilés les uns sur les autres fondant ensemble comme un sorbet oublié. L'odeur avait changé, elle ne sentait plus, elle évoquait : des chairs rongées et putrides, un vol noir de corbeaux… Tristan vacilla avant de se reprendre, au moins personne ne viendrait le chercher ici. Depuis son interrogatoire par le juge Tieros, il savait que les corps des fusillés étaient enterrés dans les douves de la prison, les autres cadavres, eux, devaient être jetés dans un charnier à l'extérieur. Ce que confirmait un alignement de sacs posés au sol face à une porte close.

Il y avait onze sacs. Tous semblables. Tous en toile cousue. De la toile de récupération assemblée à la hâte avec du gros fil. L'un des sacs portait encore le dessin imprimé de grains de café… La mort recyclait tout.

Tristan inspecta ces linceuls de fortune avec minutie. Le septième lui parut convenir : il ne sentait pas encore trop fort et rien ne filtrait à travers la toile. Il saisit le fil de couture et le retira avec précaution. Il en aurait besoin. Le corps était sur le dos, maigre et tuméfié. Tristan le saisit par les chevilles et le roula dans le tas gélatineux des fusillés.

Désormais, la place était libre.

Les pas résonnèrent peu avant midi. Des bottes lourdes qui frappaient le sol en cadence.

— On doit en emporter combien, cette fois ?

Un froissement de papier.

— Onze.

— À l'endroit habituel ?

— Non, le charnier est plein. L'autre jour, les habitants du coin ont vu sortir un bras du sol. Ça fait désordre. Faut trouver un autre endroit, pas loin et discret.

— Et où on va encore se briser les bras à creuser comme des damnés ? J'en ai vraiment marre ! Dis-moi, les macchabées, ils sont habillés ?

— T'as qu'à regarder.

Tristan entendit une déchirure.

— Nus comme le père Adam ! Tant mieux. Il en restera rien.

— Tu veux t'en débarrasser où ?

— Au Tibidabo.

— Dans les collines ?

— Oui, depuis le début de la guerre, il n'y a plus eu un seul chasseur là-haut. Ça grouille de gibier. Surtout des sangliers. Et ces bêtes-là, ça bouffe tout.

Le Français entendit une seconde déchirure. Un mort venait de se lever.

— Pas les sangliers, pas les sangliers !

— Appelle le juge, hurla un des gardiens, c'est un détenu. Il voulait foutre le camp.

Dans son linceul, Tristan comprit que c'était fini. Quand deux prisonniers ont la même idée d'évasion en même temps, ce sont les deux qui échouent.

— Ouvrez tous les sacs, siffla la voix du juge accouru aussitôt.

La lame du couteau, qui découpa la toile, entailla l'oreille du Français qui laissa échapper un cri.

— Et moi qui vous cherchais, jubila Tieros. J'avais justement une nouvelle pour vous.

Titubant, Tristan se leva. Le juge lui sourit.

— Vous mourrez aujourd'hui.

9

Londres
Quartier de Westminster
Mai 1941

Quand il sortit du bunker souterrain, un relent de cendres froides lui monta à la gorge. Infect, suffocant comme un gaz de combat. Il toussa dans son mouchoir en soie, frappé d'un C majuscule, et découvrit les squelettes de pierre qui se dressaient devant lui. Les arrogantes et majestueuses demeures victoriennes n'étaient plus que des façades éventrées et noircies. En arrière-plan, des ombres gigantesques dansaient dans le couchant. Elles dansaient et dévoraient la ville rougeoyante.

— Mon Dieu… L'apocalypse, c'est donc cela, murmura-t-il d'une voix craquelée.

Tout autour de lui, on entendait des explosions et des hurlements de sirène. Il leva la tête et aperçut de fins météores de métal qui tombaient du ciel dans des traînées de feu. Ce n'étaient pas des avions allemands. Il eut envie de hurler de rage, mais aucun son ne sortait de sa bouche sèche. Sous ses yeux, Londres n'était plus qu'un tas de ruines. De flammes. Et de morts.

Un bruit sourd retentit derrière l'abri de béton. Une nouvelle explosion. Des pierres surgirent de nulle part et atterrirent sur le bout de ses chaussures boueuses.

— Il faut rentrer, monsieur le Premier ministre ! cria l'homme à côté de lui, un colonel à l'uniforme sale et déchiré.

Winston Churchill se tourna vers le militaire, mais ne trouva pas la force de lui répondre. Sans qu'il puisse résister, il sentit deux gardes le tirer en arrière pour le ramener dans son trou.

Son cerveau n'obéissait presque plus, il n'était plus qu'un fardeau pour son corps. Les médicaments que son médecin personnel le forçait à prendre jour et nuit avaient annihilé sa volonté depuis des semaines.

Au bout de longues minutes de marche dans un tunnel poisseux il se retrouva dans une salle de conférences face à un groupe d'officiers aux visages exténués.

— Tout est perdu, monsieur le Premier ministre, lança l'un d'entre eux, un général à la moustache tombante. Les Allemands tiennent la City et au nord ils s'avancent sur Piccadilly Circus.

Churchill secoua la tête, incrédule.

— Où est Wessex ? Il doit faire mouvement avec ses blindés sur Hyde Park. Il va nous sauver !

Les officiers échangèrent des regards hésitants.

— Le général Wessex est mort et son unité est en déroute, répondit l'un des militaires. Il faut prendre vos dispositions, monsieur le Premier ministre. Vous mettre en lieu sûr. Avant que…

Le visage de Churchill s'assombrit, on aurait dit que sa bouche s'affaissait sur elle-même. Il agita une main tremblante en direction des officiers.

— Jamais ! Vous entendez ? gronda-t-il, jamais. Je préfère mourir ici plutôt que de m'enfuir comme un lâche. Et le roi Georges, où est-il ?

— À Cardiff avec la famille royale. Ils sont prêts à embarquer sur un cuirassé *dreadnought* en direction de l'Irlande. Les Allemands ont assuré qu'ils ne les feraient pas prisonniers.

Churchill jeta son cigare avec lassitude, son regard fixait le portrait du roi à la mine austère accroché au mur.

— Je serai donc le dernier à sauver l'honneur de l'empire.

Le colonel qui l'avait accompagné hors de l'abri le prit par les épaules.

— Alors partez en Écosse ! On a encore le temps. Un pont aérien tient encore sur le parc de Kensington. Un Lancaster n'attend que votre signal pour décoller et vous conduire à Édimbourg où...

Le Premier ministre frappa du poing sur le mur.

— Et si les Allemands m'interceptent ? Y avez-vous pensé ? Ils me traîneront dans les rues pour m'humilier ! Hitler me fera danser au bout d'une corde. Jamais je ne lui accorderai ce plaisir. De toute façon, j'ai pris mes dispositions.

Il fouilla dans la poche de son pantalon et en extirpa une petite boîte de métal noircie. Il l'ouvrit et prit une minuscule ampoule de verre remplie d'un liquide ambré.

— Du cyanure en guise d'ultime cocktail, je…

Au moment où il prononçait la fin de sa phrase une violente explosion retentit au-dessus d'eux. La violence fut telle qu'un des murs s'abattit sur les officiers. Un nuage de poussière envahit la salle.

Il s'écoula quelques secondes, puis Churchill se releva péniblement au milieu des gravats. Il toussait comme un damné.

Soudain, devant lui, apparurent des hommes en tenue de combat, tous avaient le visage recouvert d'un masque à gaz. Tous portaient un casque allemand.

Le Premier ministre recula pour se plaquer contre un mur de béton.

L'un des soldats s'avança de quelques pas et retira son masque. C'était un homme blond, avec un visage aux traits fins et réguliers. Presque doux comme celui d'un ange, mais ses yeux bleus étincelaient de colère. On aurait dit l'archange saint Georges.

Et lui, Winston, était le démon. Il tenta de se recroqueviller, mais il savait que ça ne servait à rien.

L'Allemand avança sa main au-dessus de lui et gronda :

— Je suis venu te chercher. L'Angleterre doit mourir. Toi le premier.

Churchill hurla.

Et se réveilla.

Son cœur battait à tout rompre.

Autour de lui tout était calme. Seul le ronronnement du générateur attenant meublait le silence dans lequel était plongée sa chambre. Il alluma la lampe de chevet et, instinctivement, prit le Browning 12 posé en bas de son lit. Au même moment, on frappa à la porte.

— Monsieur le Premier ministre ! Tout va bien ?

— Oui, c'est bon, Andrews, répondit Churchill de son grommellement habituel. J'ai... faim, apportez mon petit déjeuner.

Il jeta un œil sur l'horloge ronde plaquée au mur en face de lui. Il n'était que six heures. Trop tard pour se rendormir. Il s'assit sur son lit et alluma son premier cigare de la journée en contemplant la pièce dans laquelle il se trouvait.

Un plafond bas, des murs de béton recouverts de cartes de l'Europe constellées de fanions à croix gammée. Un drapeau anglais et un portrait de Sa Majesté le roi Georges V en guise de décoration. Au fond de la chambre, si on pouvait la qualifier de ce nom, une table de fer flanquée de quatre chaises assorties. Seuls éléments insolites, des lampes de style victorien avec abat-jour mauve et un tapis très chic de chez Woolgore and Brothers. Un poste de radio était branché, mais la prise ne fonctionnait que par intermittence.

Lugubre.

C'est le premier mot qui lui vint à l'esprit.

Il tapota le bout de son cigare au-dessus du cendrier et prit sa première décision censée de la journée. Ce soir il retournerait dormir chez lui, en surface, au 10 Downing Street. Il préférait mille fois prendre le risque de mourir d'une bombe de la Luftwaffe que de se terrer dans ce trou à rat. La *War Room* ne servirait que pour les réunions.

Un quart d'heure plus tard un homme au teint rouge brique entra dans la pièce avec un grand plateau entre les mains.

— Bonjour, monsieur le Premier ministre. Vous avez passé une bonne nuit ?

— Exécrable. J'ai fait un cauchemar horrible. Les Allemands avaient gagné la partie et ils venaient me chatouiller les orteils. Jamais plus je ne dormirai ici. Je vais crever de dépression.

Churchill se leva et s'installa devant le petit déjeuner pendant que son aide de camp dressait la table.

Café, œufs brouillés, marmelade au coing, pain frais, beurre et tranches de bacon accompagnées de haricots. Un vrai luxe dans l'Angleterre en proie au rationnement, mais il n'en manifestait aucune fausse honte. À grande responsabilité, petit déjeuner royal. C'était bien le seul luxe qu'il s'accordait avec les cigares et le whisky. L'aide de camp ouvrit les battants d'une penderie creusée dans le béton.

— Quel costume porterez-vous aujourd'hui ?

— Celui en tweed grisé, offert par ma femme pour me faire passer la pilule des accords de Munich. Au fait, prévenez-la que je rentrerai dormir ce soir.

Une femme brune d'une trentaine d'années passa la tête dans l'entrebâillement de la porte.

— Les dossiers pour le Conseil de guerre, monsieur.

— Merci Kate, déposez-les sur le bureau, répondit-il sans se retourner.

La secrétaire traversa la pièce d'un pas vif, elle portait une longue jupe stricte et grise, et posa une pile de dossiers sur le bout de table encore vide. Une liasse de fiches en carton était attachée par un gros élastique.

— La séance doit se tenir dans une heure et demie, monsieur le Premier ministre.

— Merci. Comment vont vos deux petites filles ?

— Elles ont été envoyées dans une ferme du Surrey avec toute leur classe.

— Bien, au moins elles ne recevront pas sur leur tête les déjections du gros Goering.

La jeune femme ne répondit pas, se contentant de lui sourire. Et ce sourire brisa le cœur du Premier ministre. C'était celui d'une mère séparée de ses enfants, mais qui ne voulait pas exposer sa douleur. Comme des dizaines de milliers d'autres Anglaises courageuses.

Il la regarda fermer la porte et se tourna vers son aide de camp pendant qu'il finissait sa tasse de café.

— Dans mon rêve, je voulais me suicider. Existe-t-il des capsules de cyanure au whisky ?

— Pas que je sache, je vais me renseigner. Dans l'affirmative, vous les voulez pur malt ou avec un soupçon de tourbe ?

Churchill lui renvoya un sourire complice, il appréciait aussi son aide de camp pour son humour impeccable. Il engloutit une grosse tartine dégoulinante de marmelade, puis se cala sur son siège et parcourut son agenda du jour d'un air maussade. Il en aurait jusqu'à dix heures du soir.

— Bon sang ! Je conduis une guerre, je dois prendre des décisions qui auront des conséquences incalculables sur notre pays et on m'a collé une entrevue avec le représentant des charcutiers du Yorkshire. C'est une blague ?

— Votre secrétaire veut sûrement regarnir les frigos de l'abri. C'est un rendez-vous hautement stratégique.

— Par pitié. Supprimez-moi des rendez-vous, Andrews. Ou raccourcissez-les. À moins que les Teutons ne débarquent à Douvres dans la journée, je veux rentrer chez moi ce soir.

L'aide de camp fronça les sourcils et fit virevolter son stylo autour de la feuille pendant de longues secondes. On entendait les craquements du pain dans la bouche de Churchill.

— On pourrait reporter l'entrevue de dix-sept heures avec les représentants des industries d'habillement. Vous les rencontrerez la semaine prochaine au siège du patronat. Vous pourriez recevoir le commander Malorley du SOE juste après votre petit déjeuner. Il avait rendez-vous en fin de matinée.

Le visage du Premier ministre s'éclaircit. Le SOE, *Special Operations Executive*[1], était le service de contre-espionnage qu'il avait lui-même créé en plein cœur de l'été 1940 juste après la défaite de la France. Son bébé. Une unité de renseignement indépendante des services traditionnels comme le MI6[2] et qui n'avait de comptes à rendre qu'à lui seul. Le SOE

1. Churchill mettait un point d'honneur à recevoir chaque semaine chaque responsable des différentes sections du *Special*.

2. Service de contre-espionnage britannique.

devait, selon son expression favorite, « porter le feu en Europe occupée ». Sabotages, assassinats, coups tordus et désinformation étaient les maîtres mots des « Irréguliers de Baker Street », comme les surnommaient avec dédain leurs homologues plus policés du MI6. Le Premier ministre se gratta la tête d'un air pensif.

— Malorley... Malorley... Ah oui, le responsable du service Propagande et guerre psychologique. Vous pourriez le prévenir rapidement ?

— Oui, il est venu inspecter le dispositif de protection de la *War Room* très tôt ce matin. Je pense qu'il doit se trouver dans l'aile ouest.

Il s'écoula un bon quart d'heure avant qu'un homme de haute stature en uniforme de commander ne pénètre dans la pièce. La quarantaine, il avait les tempes dégagées, la mâchoire volontaire et un regard qui ne vous lâchait pas.

— Mes respects, monsieur le Premier ministre.

Churchill lui serra vigoureusement la main.

— Malorley, quel plaisir. On s'était rencontré l'année dernière quand je suis venu inaugurer vos locaux. Études à Oxford et service dans le troisième régiment des Indes, non ?

Malorley inclina la tête.

— Pour vous servir.

Churchill lui indiqua la chaise en face de lui.

— Asseyez-vous et soyez bref, commander. La journée va être longue et je voudrais rentrer à Downing Street ce soir.

— Comme vous le voudrez, répondit Malorley en ouvrant sa sacoche qu'il posa sur la table à côté du petit déjeuner.

Il en sortit une liasse de feuillets qu'il glissa devant Churchill.

— Vous trouverez la synthèse que vous aviez demandée sur le moral de la population. Pas très brillant, je le crains. Mes collègues m'ont aussi donné une note détaillée sur les mouvements de troupes allemandes en Normandie. Elle a été transmise à l'état-major. Vous pourrez lire en outre un rapport sur les activités de sabotage allemandes dans nos usines d'armement de Coventry et de Birmingham. Nous avons mis la main sur trois espions nazis hier.

— Bravo Malorley, la première bonne nouvelle de la journée. Autre chose ?

Le commander sortit une chemise de couleur noire.

— Je voudrais que vous jetiez un coup d'œil sur ce dossier concernant le voyage en Espagne du Reichsführer Himmler à l'automne dernier.

Churchill s'essuya le bord des lèvres avec sa serviette.

— L'Espagne.... Saviez-vous que notre ambassadeur à Madrid a dansé la gigue l'année dernière quand il a appris qu'Hitler était reparti d'Hendaye la queue entre les jambes après son entrevue désastreuse avec Franco. J'espère que vous n'allez pas m'annoncer que le Caudillo a changé d'avis ?

— Non, rassurez-vous. Il se trouve que l'un de nos agents en poste en Espagne nous a fait remonter de curieuses informations.

— De quelle nature ? Vous m'intriguez.

— Sur des recherches archéologiques qui semblent très importantes pour Himmler. Pendant son déplacement en Catalogne, au monastère de Montserrat, accompagné d'un de ses proches, le colonel SS Karl Weistort. Or ce Weistort est revenu à Barcelone récemment.

Churchill fronça les sourcils.

— Rappelez-moi déjà de qui il s'agit.

— C'est le chef de l'Ahnenerbe. L'Institut qui a financé l'expédition SS au Tibet en 1938. J'avais fait une note à ce sujet.

— Jamais entendu parler.

— L'Ahnenerbe est un institut culturel annexé à la SS et qui s'occupe de recherches archéologiques et ésotériques. Je suis presque sûr que le chef de la SS a fait ce voyage en Espagne dans le seul but de se rendre dans ce monastère. C'est un homme féru de sciences occultes et comme vous le savez de nombreux dirigeants nazis sont fascinés par l'ésotérisme. Hitler lui-même dans sa jeunesse avait…

Churchill leva la main.

— Grand bien leur fasse. Qu'il invoque Satan et disparaisse de la surface de la terre. Écoutez, mon cher Malorley, ne le prenez pas mal, mais je n'ai pas le temps de m'intéresser aux excentricités des nazis. J'ai une guerre à mener et un Conseil de guerre dans un quart d'heure. Y a-t-il autre chose de plus important ?

Le visage du commander demeura de marbre. Il referma sa sacoche mais laissa la chemise noire sur la table.

— Non, c'est tout. Je vous laisse néanmoins le dossier. Si vous désirez prendre connaissance de...

Churchill se leva et prit l'homme du SOE par le bras.

— J'y jetterai un œil, mais entre nous, Malorley, ne perdez pas votre temps avec ces sornettes. Je me moque royalement des lubies d'Himmler. Nous ne sommes pas dans les aventures d'Allan Quatermain[1] et j'ai des centaines de dossiers autrement plus vitaux à ingurgiter. Concentrez-vous sur vos missions fondamentales.

Quand Malorley sortit du refuge du Premier ministre, sa voiture avec chauffeur l'attendait sur le parking attenant. Il s'engouffra dans le véhicule et ferma les yeux. Le chauffeur savait qu'il repartait au siège du SOE. La Hillman 14 démarra dans le brouillard matinal et s'éloigna des guérites de protection. On y voyait à peine à quelques mètres.

Le chef du département psy du SOE alluma une cigarette en observant les trottoirs éclairés par les lampadaires au sodium et bondés de passants qui avançaient comme des fantômes dans le brouillard. Depuis le début de la guerre, les horaires de travail avaient été avancés d'une heure. Malorley soufflait des bouffées de fumée blanche et leurs volutes s'enroulaient sur elles-mêmes comme si le brouillard extérieur s'était infiltré dans la voiture. Son esprit, lui, était clair, il n'avait pas convaincu le Premier ministre. Un ratage total.

1. Personnage de fiction très populaire au Royaume-Uni.

Il enrageait, mais il ne s'avouait pas vaincu, l'enjeu était bien trop important. Il en avait fait le serment deux ans auparavant. Cette nuit tragique à Berlin.

— Professeur !

Le libraire était assis sur son fauteuil, sa tête pendait sur le côté comme une poupée désarticulée. Son corps ne tenait droit que par la pression des cordes qui l'enserraient autour de la poitrine. Sa chemise était tachée d'un sang noirâtre.

— Ah mon... Ami anglais... Je vous attendais...

Il tentait de détacher les cordes, mais elles étaient serrées à l'extrême.

— Ils ont pris le... livre. Le nazi, le SS l'a volé, il s'appelle... Weistort.

— Je vais vous conduire à l'hôpital. Ma voiture est garée à deux pas.

Otto Neumann agonisait, les mots coulaient par spasme.

— Occupez-vous... Ma femme...

— Non ! criait l'Anglais.

— Mon bureau... J'ai... Laissé carnet... Borealis.

Malorley avait réussi à dénouer les cordes. Le libraire s'affaissa dans le fauteuil. Ses yeux fixaient la ville en feu. Sa ville.

— Otto, accrochez-vous !

— Non... Mon ami, je quitte l'enfer.

Malorley suivit à nouveau des yeux la foule de Londoniens qui se rendaient au travail. Un quart d'heure de retard.... Un petit quart d'heure qui aurait pu changer le cours des choses. Il aurait pu sauver Neumann et récupérer le *Thule Borealis Kulten*. L'ouvrage maudit. Combien de fois il avait repassé ces minutes tragiques dans sa tête. Il avait croisé deux SS sur le trottoir comme il s'approchait de la librairie. Ils marchaient tranquillement alors que le quartier était à feu et à sang. Il avait croisé le regard de l'un d'entre eux, celui avec une balafre. Il n'oublierait jamais son visage, celui du bourreau de son vieil ami allemand.

Malorley ouvrit la fenêtre de la Hillman pour faire entrer un peu d'air frais.

Il avait réussi à récupérer un carnet du libraire, consacré au *Borealis*. Des feuillets surchargés de notes où son ami avait soigneusement dessiné un château médiéval.

Il se massa les tempes et chassa de son esprit le visage du mort. Si Churchill était têtu, lui aussi ! Il lui restait une dernière carte à jouer. Son dernier atout maître. Cette carte, il n'allait pas la trouver dans un casino, mais dans une loge. Une loge maçonnique. La plus grande d'Angleterre.

10

Catalogne
Mai 1941

La chaleur le saisit dès que son aide de camp lui ouvrit la porte de la Mercedes. Un vent sec et brûlant descendait de la sierra vers la plaine. Dans son uniforme noir, Weistort contemplait les collines arides qui s'étageaient jusqu'aux Pyrénées avant de plonger en pente raide dans la mer. Des bois de chênes-lièges, des bosquets de pins parasols gémissaient sous le vent. Seuls les oliviers, protégés par des murets de pierre, demeuraient silencieux. À quelques pas du chef de l'Ahnenerbe, un colonel espagnol, en uniforme de parade, claqua des talons et salua.

— Vous avez fait bon voyage depuis Barcelone, Oberführer ?

Weistort hocha la tête et lui jeta un regard indifférent. Il n'aimait pas être dérangé dans sa méditation. Quinze siècles auparavant – à l'époque des invasions barbares – des tribus germaniques, les Vandales d'abord, les Wisigoths ensuite avaient conquis l'Espagne pour en faire leur royaume. Un royaume de grands guerriers, pâles et blonds. Rien à voir avec ce minuscule officier espagnol au teint d'olive et aux cheveux frisés. Weistort eut un sourire méprisant. L'armée allemande avait déjà conquis la Pologne, la France, le tour de l'Espagne viendrait bientôt. Un jour, toute l'Europe ne serait plus qu'une terre germanique.

— Permettez-moi de vous présenter don Montalban qui nous accueille aujourd'hui dans ses arènes, tenta le colonel d'une voix mal assurée.

À ce dernier mot, Weistort daigna se retourner. Après tout, la corrida était la seule chose de noble que les Espagnols avaient inventée. On pouvait y voir la valeur d'un homme et plus encore le courage d'un animal.

— Montrez-moi les taureaux.

— C'est-à-dire, Votre Excellence, que les autorités ont insisté pour qu'en votre honneur...

Don Montalban ne savait comment finir. Jamais en quarante ans de carrière, on n'avait exigé ça de lui. Le colonel Orsana vola à son secours.

— Oberführer, pour vous, nous avons *un peu* modifié le programme de la corrida... il n'y aura pas de taureaux.

Weistort se retint pour ne pas bondir. Ce nabot aux cheveux crépus savait-il seulement que la mise à mort d'un taureau venait de la plus haute antiquité ? Qu'on la pratiquait dans les légions romaines pour exalter les valeurs guerrières ? Que sous le nom de Mithra, le sacrifice du taureau était devenu une véritable religion qui avait concurrencé jusqu'au christianisme ?

— Pas de taureaux, dites-vous ?

— Et pas de torero, non plus, Oberführer, du moins pas comme d'habitude. Mais si vous voulez vous donner la peine de me suivre, les arènes sont juste à côté.

Malgré sa colère, Weistort emboîta le pas au colonel. Passé une haie au feuillage courbé par le vent, un long mur blanc apparut. Des cavaliers montés sur des chevaux luisants de sueur paradaient devant l'entrée. Chacun portait une longue lance qu'il faisait tournoyer dans sa main.

— Ce sont des picadors, expliqua don Montalban. Au début de chaque corrida, ils ont pour rôle d'exciter le taureau en lui tailladant l'échine.

L'intérieur de l'arène était d'une blancheur étincelante qui contrastait avec la teinte sombre du sable. Visiblement on venait de l'arroser. Un peu de fraîcheur montait vers les gradins où Weistort avait pris place.

— S'il n'y a ni taureaux, ni matador…

Une porte claqua et un des cavaliers surgit. Il avait changé de monture. À la place d'un étalon, souple et nerveux, il montait désormais un cheval à large encolure qui le faisait ressembler à un centaure. Il se plaça au centre de l'arène, salua avec morgue, puis, faisant claquer les sabots de sa monture, se tourna vers une porte en bois rouge.

— Le spectacle va commencer, annonça Orsana.

Le battant pivota lentement dévoilant un couloir sombre d'où émergea, à pas hésitants, un homme nu, le corps osseux et le regard halluciné.

— Victor Abril, un anarchiste, condamné à mort pour avoir violé des religieuses dans un couvent de Gérone.

Dans le dos du détenu, un coup de fouet siffla. Projeté en avant, Abril s'effondra sur le sable.

— Lève-toi, chien, et combats comme un homme, hurla l'officier espagnol.

— Et il se bat avec quoi ? demanda Weistort.

— Avec ce qui lui a servi à commettre son crime : ses mains et sa...

Mais le picador s'impatientait. Il tournait autour de sa victime comme un oiseau de proie, le piquant à chaque passage. Bientôt le dos du condamné ruissela de sang.

— Savez-vous pourquoi, Oberführer, on arrose l'arène avant une corrida ? Eh bien, pour le plaisir, pour que le sable n'avale pas le sang trop vite.

— Au moins le sable est à la hauteur dans ce combat, répondit Weistort, dédaigneux.

Le colonel se rembrunit. Il leva sa main, pouce à l'envers. Le picador cessa de tournoyer. D'un coup ferme, il enfonça le fer de sa lance sous l'épaule d'Abril et le fit rouler sur le dos.

Les bras à l'horizontale, le corps ensanglanté, Victor Abril ressemblait au Christ en croix.

— Je vais vous montrer comment on traite les veules chez nous ! *Hombre*, la *cavalcade* pour notre hôte !

Le picador lança sa bête au trot. À chaque pas, le sol résonnait d'un coup sourd comme si le cheval voulait marquer le sable de ses fers. À deux mètres du corps allongé, le cavalier ralentit l'allure.

— Au pas !

Le premier coup de sabot explosa la cheville d'Abril. Une nuée de sang et de chair vola dans l'air comme un vol d'insectes. Le second lui broya les testicules.

— À un taureau méritant, on coupe ses parties nobles, pas aux lâches, commenta Orsana.

Malgré sa souffrance, Abril tenta de se dégager. Il leva la tête, puis le buste, mais ce fut son dernier geste de vivant. Le pas lourd du cheval s'enfonça dans son ventre. Un geyser d'entrailles gicla comme un feu d'artifice, puis retomba en taches sombres sur le sable. Assis à côté de Weistort, don Montalban se plia en deux. Lui qui avait vu tant de taureaux agoniser à genoux au centre de l'arène était sur le point de vomir.

— Le soleil, s'excusa-t-il en respirant bruyamment.

Le colonel s'épongeait le front. Seul Weistort restait imperturbable. Il fixait le visage du mort. Un lambeau de viscère lui pendait de la bouche. Son dernier cri avait été étouffé par un bout d'intestin retombé du ciel. Cette vision avilissante le réjouissait. C'est ainsi que devait être la mort pour les vaincus, une humiliation. Il ne suffisait pas de perdre la vie, il fallait la perdre dans la honte.

— J'espère que le spectacle vous a plu, Oberführer ?

Le chef de l'Ahnenerbe hocha simplement la tête. Il réfléchissait. Sitôt rentré à Berlin, il mettrait en place un nouveau groupe d'études. Des historiens, des anthropologues, avec pour objectif de recenser la manière dont les civilisations anciennes tuaient leurs prisonniers de guerre. Voilà qui plairait à Himmler. Il avait déjà hâte de l'annoncer au Reichsführer.

— Nous avons un autre prisonnier, un Français. Lui aussi s'est attaqué à un monastère.

Weistort se retourna brusquement.

— Quel monastère ?

— Le plus saint de tous, Oberführer, Montserrat, la lumière spirituelle de l'Espagne, mais voilà le condamné.

Tristan s'avança dans un couloir sombre barré d'une porte basse. Juste au-dessus, il apercevait des gradins blancs sous un ciel venté où courait un chapelet de nuages presque translucides. La veille, on l'avait extirpé de Montjuic pour le hisser, avec d'autres détenus, dans un camion militaire. Ils avaient traversé une campagne espagnole qui portait encore les stigmates de la guerre civile. Villages brûlés, champs à l'abandon, voitures calcinées… Tout avait le parfum de la défaite. Au fur et à mesure du trajet sur des routes cahotantes, le camion se délestait de ses prisonniers, livrés à des officiers de la Guardia Civil. Une fois, les militaires n'avaient même pas attendu que le camion reparte et une rafale avait retenti dans le silence de la nuit, suivie du bruit sourd du corps roulant dans un fossé.

Bientôt il fut le dernier.

Au matin, on l'avait remis à des soldats à l'uniforme impeccable qui l'avaient conduit au bout de ce couloir comme un gladiateur avant le spectacle.

L'arène était déserte. Le vent qui gémissait entre les gradins accentuait cette impression de solitude. Un coup de sifflet le fit se retourner. Juste au-dessus de l'entrée, trois hommes se tenaient assis. Un civil et deux militaires dont l'un portait un uniforme étranger.

— Avance au milieu de l'arène.

Malgré la chaleur, le sable semblait humide. Plus surprenant encore, une odeur stagnait que Tristan ne parvenait pas à identifier, une odeur entêtante comme si on avait curé une mare pleine de vase.

— Arrête-toi.

La porte basse claqua comme rabattue par une main invisible. Du centre de l'arène, le couloir d'où il était venu ressemblait à un profond boyau. La porte des ténèbres, murmura Tristan juste avant d'entendre un bruit mat et cadencé qui enflait comme un orage. Sur les gradins, un des hommes se leva. Cette fois Tristan reconnut l'uniforme. Sur les épaulettes brillaient deux éclairs d'argent.

Comme vomi par les enfers, un cavalier surgit.

De sa main droite, il tenait une lance serrée sous son épaule et chargeait comme un chevalier du Moyen Âge. À quelques mètres de Tristan, il abaissa sa pique, visant le bas-ventre.

Une erreur.

Tristan se jeta en travers de la course du cheval qui, affolé, se cabra avant de retomber lourdement sur ses sabots. Pendant que le Français roulait sur le côté, le cavalier tenta de se cramponner à la selle, mais sa lance, déjà dirigée vers le sol, se ficha dans le sable.

Désarçonné, il plongea en hurlant au-dessus de sa monture

Quand Tristan se releva, ce fut pour voir le corps du picador empalé sur sa propre pique. Le bois s'était brisé, crevant la poitrine du cavalier dont les mains inutiles tremblaient en pendant.

Le colonel Orsana était furieux. Il vociférait comme un enfant auquel on vient de briser un jouet. À ses côtés, don Montalban fixait, effaré, le corps empalé. Comment était-ce possible ? Il avait juste vu ce maudit Français sauter devant le cheval comme un gardien de foot devant un penalty et puis...

— C'est un sorcier... Un sorcier, s'écria don Montalban.

Il se tourna vers Weistort comme pour chercher une confirmation.

— Les chevaux que montent les picadors portent toujours des œillères, ce qui les rend aveugles... Le Français ne peut pas l'avoir effrayé en sautant devant lui... C'est impossible.

Le chef de l'Ahnenerbe haussa les épaules en souriant.

— Ce n'est pas du prisonnier que ce cheval a eu peur – il montra le soleil qui illuminait l'arène – mais de la lumière. En sautant, le Français lui a tout simplement arraché une œillère.

Stupéfait et humilié par la simplicité de l'explication, le colonel explosa d'un coup.

— Il ne s'en tirera pas comme ça ! Don Montalban, allez chercher un taureau et, par le sang de Dieu...

— On ne massacre pas un homme qui a su triompher de la mort, le coupa Weistort.

— Alors vous voulez le tuer comment ?

— Donnez-le-moi.

Orsana craignait de comprendre. Il avait vu les Allemands à l'œuvre durant la guerre civile, Hitler avait envoyé des *volontaires* pour soutenir les franquistes… Des fanatiques qui n'hésitaient pas à anéantir un village sous les bombes sans se préoccuper des pertes humaines. Des alliés, certes, mais des alliés pour lesquels la vie d'un adversaire ne valait rien.

— Pour quoi faire, Oberführer ?

Weistort se pencha :

— Croyez-moi, colonel, mieux vaut pour vous que vous ne le sachiez jamais…

L'Espagnol baissa la tête. D'étranges rumeurs circulaient sur ce que les nazis étaient capables de faire subir à leurs ennemis. Des tortures et des mises à mort qui défiaient l'imagination… Et Orsana voulait continuer à dormir la nuit.

— Il est à vous.

Sans le remercier, Weistort descendit les gradins et pénétra dans l'arène. Le sable crissait sous ses bottes. Il s'approcha de Tristan.

— Vous n'avez échappé à la mort que pour appartenir au diable.

11

Londres
Mai 1941

Une pluie poisseuse balayait le quartier de Covent Garden. Comme après chaque bombardement une odeur irritante, mélange de bois brûlé et de pierre humide, imprégnait l'air ambiant au point que les Londoniens n'y prêtaient même plus attention.

La semaine précédente, trois immeubles s'étaient volatilisés juste à côté du Freemasons' Hall, le seul à avoir été épargné presque miraculeusement. À première vue, le bâtiment ressemblait à une église ou à un temple, mais un passant attentif aurait néanmoins remarqué deux détails singuliers qui le distinguaient d'un édifice religieux. Le premier, en façade : un blason frappé d'un compas et d'une équerre. Le second, une date gravée sur une plaque : 1717. L'année de création officielle de la franc-maçonnerie. Au royaume d'Albion, les frères ne se cachaient pas, ils gravaient leur puissance dans la pierre et l'affirmaient aux yeux de tous.

À la proue de l'édifice une lourde porte en bronze patinée depuis moins d'un siècle, plus épaisse que les parois d'un cuirassé, bloquait l'entrée extérieure. Nul son ne sortait des murs et on aurait pu croire le bâtiment aussi désert que les rues aux alentours, pourtant l'intérieur du grand temple était plein à craquer.

C'était soir de tenue au siège de la très vénérable Grande Loge Unie d'Angleterre.

— Mes très chers frères, il est temps pour nous de conclure. Ayons une pensée pour nos frères qui servent dans la RAF[1]. Par leur courage admirable ils vont gagner la bataille du ciel d'Angleterre.

Les paroles du duc de Kent, huitième grand maître de la Grande Loge Unie d'Angleterre, résonnaient dans le temple vaste comme un demi-terrain de rugby et haut comme une cathédrale. Assis dans son fauteuil de vénérable, aussi majestueux que le trône d'un roi, il surplombait les quatre cents frères assis devant lui sur dix rangées de bancs disposés en arc de cercle. Tous habillés en pantalon et veste noirs, la cravate sanglée autour du cou, le tablier maçonnique accroché sur le devant de la ceinture. La plupart, d'un âge vénérable, étaient trop vieux pour être mobilisés. Les frères plus jeunes, eux, s'étaient engagés dans l'armée et n'avaient plus le loisir d'assister aux tenues.

— Je ne sais pas combien de temps durera cette guerre, mais la lumière finira par triompher des ténèbres. L'Allemagne nazie capitulera et ses enfants n'auront que leurs larmes pour seule fontaine.

1. RAF : Royal Air Force.

L'aristocrate laissa passer quelques secondes, puis reprit d'une voix tonnante :

— Pour Dieu. Pour notre roi bien-aimé. J'ai dit !

Assis sur la plus haute travée, juste à côté d'une des portes de sortie intérieure, le commander Malorley bougeait ses lèvres en même temps que l'aristocrate. Il connaissait par cœur le discours. Et pour cause, il en avait rédigé le texte deux jours plus tôt. L'homme du SOE était satisfait, le duc de Kent prononçait admirablement son discours. Il en aurait presque eu un frisson s'il avait pu croire un traître mot de la conclusion. De la propagande même dans les loges… L'espoir était un luxe qu'il ne pouvait s'accorder, mais qui devenait une nécessité pour les Anglais durement frappés.

— Mes frères à l'ordre !

L'aristocrate frappa trois fois dans les mains. Les quatre cents frères se levèrent comme un seul homme. Droits comme des piquets, les mains plaquées sur la couture du pantalon. La tenue était terminée. La double porte intérieure qui fermait le temple s'ouvrit comme par enchantement et, rang par rang, les francs-maçons quittèrent la salle.

Il fallut un bon quart d'heure pour que le temple se vide. Malorley sortit parmi les derniers et emprunta discrètement un couloir qui menait à l'aile sud du bâtiment, où se trouvait l'administration de la Grande Loge, déserte à une heure aussi tardive. Il pressa le pas sous le regard sévère des grands maîtres de l'ordre dont les portraits ornaient les murs recouverts de boiserie. Tous aristocrates de haute lignée, à commencer par feu le roi Édouard VII. Au royaume d'Angleterre, la maçonnerie avait toujours été un pilier de l'ordre établi et jouissait de la protection des dynasties royales. Les Windsor ne dérogeaient pas à la règle, l'actuel souverain, Georges VI, fréquentait assidûment sa loge.

Malorley poussa une porte qui donnait sur un escalier plongé dans une semi-pénombre et descendit les marches rapidement. Une minute plus tard il était à l'air libre, sur Great Queen Street qui longeait la Grande Loge.

Une lune ronde et argentée comme un shilling planait au-dessus de la rue déserte. Il laissa ses yeux s'accoutumer à l'obscurité, Londres était plongée dans les ténèbres chaque soir depuis le *Blitz*, et le passant devait quémander à l'astre mort quelques rayons de lumière. Il regarda le ciel avec lassitude. Une dizaine de ballons de barrage oscillaient en silence dans la nuit. Malorley était fasciné par ces dirigeables accrochés aux toits des immeubles londoniens à l'aide de câbles d'acier. Ils étaient censés empêcher les avions ennemis de raser le sol, mais ils exprimaient quelque chose de menaçant, comme de gros insectes prêts à exploser au-dessus de la ville.

Il pressa le pas et parvint au niveau de la Rolls Royce bleu nuit stationnée en double file. Un chauffeur en livrée se tenait debout et ouvrit la portière arrière en le voyant arriver. Malorley sourit, le propriétaire de la voiture, Sebastian Moran, devait être l'un des derniers banquiers à employer un chauffeur accoutré de la sorte.

Il inclina la tête et s'installa avec élégance sur la banquette de cuir blanc. Un homme aux cheveux assortis à la couleur du siège était assis en face de lui. Il avait la soixantaine alerte, des yeux vifs, et trois grosses rides lui barraient le front.

— Sebastian, pourquoi m'avoir demandé de sortir du temple séparément ?

— Certains frères sont bien trop curieux à mon goût, se contenta de répondre le banquier. De vraies pies…

Sa voix se teintait d'un léger accent rocailleux, typique des natifs du Sussex.

La voiture démarra, on entendait à peine le ronronnement du moteur surpuissant. Malorley refusa le cigare que lui tendait le banquier.

— Et le discours du grand maître à la fin de la tenue ?

— Admirable… À tout point de vue.

Malorley hocha la tête d'un air entendu.

— En ce moment peu de gens nous trouvent admirables, du moins en Europe continentale. Adolf et ses amis mènent la vie dure à nos frères. J'ai appris qu'en France le maréchal Pétain avait rédigé une loi pour chasser les francs-maçons de l'administration.

— Je le regrette profondément, mais certains maçons français étaient bien trop politisés. Ils paient au prix fort leur antifascisme.

La Rolls filait sur une artère quasi déserte.

— Vous êtes prêt pour votre présentation auprès de notre petit comité ? reprit Moran.

— Oui. J'espère que j'arriverai à convaincre l'assistance mieux que le Premier ministre.

— On ne peut pas blâmer Churchill, mon cher. Et je ne vous garantis pas que nos membres soient plus réceptifs. Cela étant ils peuvent parfois faire preuve d'une grande ouverture d'esprit.

La rive de la Tamise était nappée d'une blancheur quasi spectrale. La voiture contourna une batterie de canons de la DCA qui fixait le ciel en plein milieu de la rue.

Dix minutes s'écoulèrent avant que la Rolls ne se gare sur Craven Street, à côté de la station d'Embankment à moitié en ruine, juste devant la façade cossue d'un immeuble de pierre grise. Les deux hommes sortirent de la Rolls et gravirent une volée de marches qui menaient à une porte en bois sombre. Malorley haussa un sourcil à la vue de la plaque accrochée au-dessus de la sonnette et sur laquelle était gravé le nom *Prospero's Mansion*.

— Prospero... Serait-ce une référence à *La Tempête* de Shakespeare ?

— Tout juste, répondit Moran. Prospero, ce duc de Milan exilé sur une île perdue avec sa fille Miranda et le damné Caliban. Prospero devenu sorcier et maître des maléfices par dépit. Une pièce magnifique.

Le banquier fit tinter une cloche de cuivre fixée au mur. Quelques secondes s'écoulèrent avant qu'un judas ne s'ouvre sur un regard inquisiteur.

— Nous venons pour la représentation de onze heures, annonça Moran.

La porte s'ouvrit comme par enchantement, laissant apparaître un domestique qui s'inclina respectueusement devant eux.

— Vous êtes attendus, dit-il cérémonieusement en prenant les manteaux des nouveaux venus.

Les deux hommes s'avancèrent dans un hall majestueux de style victorien, aux murs recouverts de tentures de velours écarlate. Un lustre de taille imposante, surchargé de grappes de grenats de Bohême, diffusait une lumière aux reflets chatoyants. Le valet poussa une porte entrouverte, remit une clé en argent au banquier et s'effaça pour les laisser passer. Ils se retrouvèrent dans un couloir en arc de cercle qui longeait des loges closes par des rideaux. Comme dans un théâtre. Le chef du renseignement tendit l'oreille. Des cris et des claquements fusaient. Il ralentit le pas au niveau d'une loge vide, aux rideaux écartés, et aperçut en contrebas une petite scène de théâtre.

— Jetez un œil, mon cher, murmura l'homme aux cheveux blancs.

Malorley s'avança et se figea net devant le spectacle qui s'offrait à lui.

Deux femmes rousses en corset de cuir rouge, armées de badines, cuissardes assorties, fouettaient un homme chauve avec une moustache fournie, aussi nu qu'un ver, qui tenait un crâne entre ses mains.

— Mais où sommes-nous donc ? demanda le commander, intrigué.

Le banquier sourit avec malice.

— L'agent secret de Sa Majesté serait-il pris en défaut ?

— Je m'occupe des renseignements, pas des mœurs sexuelles de mes compatriotes.

Le soumis tentait de déclamer son texte entre deux gémissements. La rousse la plus charpentée lui donna un coup de talon au creux des reins. Il s'affala à terre sous le regard enflammé de ses bourreaux.

— Être ou ne pas être ! s'exclama Moran visiblement amusé par le spectacle. *Hamlet*, voyons ! Acte trois, scène un. Le prince du Danemark médite sur son destin tourmenté.

— Plutôt… Souffrir ou ne pas souffrir, répliqua Malorley. Je n'ai pas souvenir d'indications scéniques sadomasochistes.

Le banquier posa son doigt sur ses lèvres.

— Certains soirs, le manoir de Prospero revisite Shakespeare sous un angle plus… érotique. Les loges que vous voyez sont occupées par des amateurs du génie de Stratford-upon-Avon, mais aux penchants érotomanes marqués. On peut même participer. Ce Hamlet n'est autre qu'un de mes collègues anglais, l'un des plus influents de la City.

— Et je suis censé faire ma présentation juste après lui ? En compagnie de ces charmantes demoiselles ?

— Rassurez-vous, nous avons rendez-vous dans une autre partie du théâtre. Disons que pour des raisons de sécurité, notre *cercle* change à chaque fois d'endroit pour se réunir. Ce lieu appartient à l'un de nos membres et l'agenda a voulu que la réunion de ce soir se déroule entre ces murs.

Malorley était impatient de rencontrer les membres du Cercle Gordon, dont faisait partie son frère de loge. C'était son ultime espoir. Parmi les groupes d'influence qui grenouillaient dans la capitale, le Cercle était considéré comme l'un des plus puissants. Son nom avait été choisi en hommage au général Charles Gordon, l'un des héros de l'Angleterre victorienne. Surnommé Gordon Pacha, il était mort au Soudan pendant la guerre contre le Mahdi, un exalté mystique, chef de tribus musulmanes sacrifié par le gouvernement anglais de l'époque pour des raisons politiques. Le scandale provoqué avait incité un groupe d'industriels, de banquiers et de militaires de haut rang à créer un groupe d'influence auprès des gouvernements, afin de ne plus reproduire des erreurs aussi tragiques. On murmurait que c'était le Cercle Gordon qui avait favorisé l'accession de l'outsider Churchill au poste de Premier ministre face au grand favori Lord Halifax.

— Vous avez fait installer le projecteur ? demanda Malorley.

— Oui, rassurez-vous. Ah, une dernière chose, ne vous formalisez pas de la rudesse de certains membres, cela fait partie de l'exercice.

Sebastian Moran sortit une clé alors qu'ils arrivaient devant une porte close ornée d'un masque grimaçant. Il l'ouvrit avec précaution et ils pénétrèrent dans un salon à l'éclairage tamisé. Il n'y avait aucune fenêtre.

La pièce était basse de plafond, soutenue à intervalles réguliers par des colonnes doriques. Onze hommes et une femme étaient assis autour d'une table ovale. Derrière eux, sur un trépied, se dressait un projecteur de cinéma surmonté d'une bobine à moitié remplie.

Le banquier s'avança dans le salon avec son invité.

— Chers amis, je vous présente le commander Malorley, chef du département d'action psychologique du SOE. Il a pris sur son temps précieux pour nous faire part d'informations pour le moins… Singulières. Je vous prie de l'écouter avec attention.

Malorley salua l'assemblée dont il connaissait certains visages. À droite de la table, il identifia Sir Alan Lascelles, secrétaire personnel du roi, Clement Attlee, Lord du sceau privé, le général Francis Brooke, chef de l'armée intérieure. À gauche, une femme d'une soixantaine d'années, aux cheveux noir de jais, Lady Beltham, la quatrième fortune d'Angleterre, et à ses côtés l'amiral Cunningham. Les six autres membres lui étaient inconnus.

Le roi Georges VI complétait l'assistance, du moins son portrait qui trônait sur l'un des murs mitoyens. Le souverain fixait d'un regard paisible les invités présents.

Malorley se dirigea vers l'écran blanc disposé sur un mur face à l'assistance tandis que Sebastian Moran mit en marche le projecteur. Les lumières du salon faiblirent comme par enchantement. On entendit une sorte de ronronnement diffus. Un faisceau blanc frappa l'écran, le commander se mit sur le côté pour ne pas être ébloui.

Sa voix grave retentit dans la semi-pénombre.

— Les informations que je vais vous communiquer ce soir peuvent remettre en cause vos certitudes sur cette guerre. Ce que vous allez entendre n'a été consigné dans aucun rapport de l'état-major et ne fera jamais l'objet d'aucune communication écrite. Ces informations n'ont pas vocation à être communiquées à la population. Je nierai avoir tenu ces propos si par inadvertance l'un d'entre vous y faisait référence.

Dans la pénombre il distinguait à peine les visages des participants. Il reprit d'une voix plus forte :

— Il y a deux ans, le Reichsführer Himmler a envoyé une expédition au Tibet. Expédition scientifique dirigée par l'ethnologue SS Ernst Schäfer. Ils ont trouvé…

12

Barcelone
Gran Hotel
Mai 1941

La porte était fermée à clef, mais il pouvait ouvrir la fenêtre. La hauteur de la façade, de toute façon, décourageait toute velléité d'évasion. Après des mois passés au fond d'un trou à Montjuic, Tristan n'en revenait pas d'être détenu dans une chambre au parquet ciré et aux draps changés tous les jours. Chaque matin, une bonne espagnole, les yeux baissés et les lèvres closes, venait faire le lit comme s'il était un hôte de marque. Par recoupement, Tristan avait fini par comprendre qu'il était retenu dans un hôtel qui surplombait la ville. Un de ces établissements conçus au tournant du siècle et qui devait accueillir, avant-guerre, toute la haute société cosmopolite d'Europe. Ironie du sort, l'hôtel hébergeait désormais des SS dont l'immense drapeau à croix gammée flottait au-dessus du perron d'entrée. Là où autrefois se pressaient des porteurs et des liftiers, se tenaient aujourd'hui des gardes à l'uniforme noir, aussi droits et impassibles que des statues.

Cinq jours qu'on l'avait oublié dans cette chambre. De quoi connaître par cœur le papier peint, les reflets ondulants du soleil sur les stucs du plafond et la ligne bleue de la mer à l'horizon. À la vérité, Tristan savait très bien qu'on ne l'avait pas *oublié*. Non, on le laissait mariner entre doute et espoir jusqu'à ce qu'il soit à point pour un premier interrogatoire. Les nazis ne semblaient perdre du temps que pour en gagner. Pour ne pas laisser son esprit battre la campagne à chaque moment d'angoisse, Tristan s'allongeait sur le lit et se rappelait les musées qu'il avait visités. Il lui avait fallu deux jours pour parcourir, en mémoire, les principales galeries du Louvre, une journée pour le Prado de Madrid – il faut dire qu'il avait visité à grandes enjambées en pleine guerre civile – et depuis hier, il se consacrait aux Offices de Florence.

Il en était à contempler un détail – le noir éclatant d'une cuirasse – de *La Bataille de San Romano* de Paolo Uccello quand la porte s'ouvrit sur le claquement de talon d'un garde. En un instant, Tristan se retrouva dans le couloir avant de descendre le grand escalier qui menait aux salons.

À la place de profonds canapés et de tables de jeu, une nuée de secrétaires, toutes aussi blondes que des walkyries, tapaient frénétiquement sur des machines à écrire ou répondaient d'une voix criarde au téléphone. Visiblement l'ancien palace était devenu le centre névralgique de la présence allemande à Barcelone. Tristan traversa la grande salle dans l'indifférence générale : la mécanique de guerre nazie était en marche et rien ne devait distraire le moindre de ses rouages.

— Ne bougez plus !

Le Français s'arrêta devant une large baie vitrée qui donnait sur un jardin de buis. Le soir commençait à tomber et le ciel prenait une délicate teinte d'orange. Une douceur improbable qui contrastait avec l'essaim d'abeilles qui bruissait derrière lui. Il repensa au tableau que son souvenir avait ressuscité – *La Bataille de San Romano* –, au premier plan on y voyait, dans une mêlée indescriptible, des chevaliers se battre à mort ; mais derrière, au milieu des champs bucoliques, on apercevait courir lapins et lévriers. Tristan n'avait jamais compris comment le peintre avait pu mettre côte à côte l'image de la guerre et celle de l'harmonie. Maintenant, il savait. Le mal pouvait très bien coexister avec la beauté.

Une ombre venait de s'interposer entre lui et le ciel. Tristan émergea de ses pensées. À deux pas, se tenait l'officier qui l'avait exfiltré des arènes. Il ne portait plus l'uniforme noir tant redouté, mais un élégant costume de voyage, comme s'il venait prendre une chambre à l'hôtel. Malgré son habit civil, le garde lui donna son grade :

— Oberführer, voici le prisonnier.

Weistort le congédia sans un mot, il se dirigea vers le jardin. Tristan le suivit jusqu'à une table où le SS s'installa. Les terrasses du parc descendaient jusqu'à une route en lacet qui rejoignait la ville et la mer. De loin, Barcelone semblait intacte. Seules quelques trouées sombres entre des immeubles rappelaient l'intensité des combats de rue. Weistort, lui, avait tourné son regard de l'autre côté vers la forêt de chênes verts qui enserraient la colline.

— Les forêts m'inspirent. J'aime à les contempler, humer leur odeur, entendre leur bruit. En Allemagne, les forêts sont le royaume de la nuit. Sous les hautes futaies de sapins, la lumière ne pénètre pas et dans l'obscurité se cachent encore les anciens dieux.

De la main, il désigna un calvaire orné d'une croix de bois vermoulu qui se trouvait au bout du jardin.

— Comment croire en un dieu assez bête pour finir crucifié ? Mais les temps nouveaux sont venus et, bientôt, une nouvelle croix va dominer le monde pour faire régner l'ordre et la puissance.

— Je ne suis pas sûr que les habitants de Guernica, qui ont expérimenté votre puissance sous la forme de bombes ayant rasé leur ville, partagent votre amour de l'ordre.

— Un détail de l'Histoire dont nul ne se souviendra, trancha Weistort. Comme de vous si je le décide.

Sur la table, l'Oberführer venait d'ouvrir un dossier à la couverture rouge écornée dont les pages, tapées à la machine, étaient largement griffonnées dans la marge.

— Le juge qui vous a interrogé à Montjuic a bien fait son travail. Étonnant pour un Espagnol. Je vois que vous parlez plusieurs langues dont la nôtre. Vous avez fait vos études à Paris ?

— Une licence d'histoire de l'art.

— Oui, avec une spécialité en peinture ancienne. Je vois que vous avez travaillé sur Paolo Uccello. Vous savez sans doute que son œuvre majeure, *La Bataille de San Romano*, a été découpée en trois parties ?

— Oui, l'une est à Paris, l'autre à Londres, la dernière en Italie.

— Bientôt le Reich inaugurera à Berlin le plus grand musée du monde – Albert Speer y travaille – et je ne doute pas que ce tableau célèbre y figurera en entier. Après tout, nous occupons déjà Paris et bientôt ce sera le tour de Londres…

Tristan l'interrompit calmement :

— Peut-être. En revanche, je crains que votre ami Mussolini ne vous fasse pas cadeau de la partie qui est à Florence…

— Le Duce ! En ce moment, il n'est même pas parvenu à vaincre les Grecs sans notre aide. Nul doute qu'après lui avoir épargné une telle humiliation, il sera ravi d'offrir à l'Allemagne les trésors artistiques qu'elle souhaitera.

— Un tribut, en quelque sorte.

— Un tribut payé avec du sang. Quelque chose qui vous dépasse, vous dont le métier est de débusquer des œuvres d'art comme du vulgaire gibier pour les vendre à prix d'or à de richissimes collectionneurs. Des juifs, j'en suis certain.

— Je ne demande pas à mes clients s'ils sont circoncis ou baptisés, juste s'ils aiment l'art.

— Et s'ils sont prêts à payer, car pour vous, tout se vend, tout s'achète. En fait, vous êtes un chasseur d'œuvres, un mercenaire de l'art.

— Un mercenaire *au* service de l'art, nuança Tristan.

Weistort referma le dossier. Le temps des escarmouches était terminé, celui du corps à corps commençait.

— Mais les mercenaires ont tous un prix. Voilà pourquoi vous êtes ici. J'ai une transaction à vous proposer.

Quoique surpris, Tristan continua de regarder au loin, vers le fond du jardin. Par moments, des casques gris émergeaient des buis impeccablement taillés, précédés du bruit sourd d'une paire de bottes. Même dans la douceur d'un parc, il était difficile d'oublier qu'on était en prison.

— Il y a quelques jours, Heinrich Himmler a effectué une visite officielle en Espagne. Il en a profité pour se rendre au monastère de Montserrat.

— J'ignorais que le chef des SS était un amateur de vie spirituelle…

Weistort poursuivit sans relever :

— Et il a eu la désagréable surprise de ne pas trouver ce qu'il était venu y chercher. Or il semble que, juste avant le passage du Reichsführer, vous avez, vous aussi, été pris d'une irrésistible envie de visiter cette abbaye ?

Tristan décida de répliquer sur le même ton :

— Je suis comme le Reichsführer, je ne rate jamais une occasion de m'instruire.

— Et on s'instruit beaucoup mieux la nuit, en compagnie d'amis armés, c'est bien cela ?

— L'Espagne n'est pas très sûre en ce moment.

— Quant au gardien, si vous l'avez crucifié, c'est sans doute parce qu'il était un piètre guide touristique, n'est-ce pas ?

Dans un duel à fleurets mouchetés, le perdant est toujours celui qui ne sait pas s'arrêter à temps. Tristan décida de ne pas faire un assaut d'ironie de plus.

— Si vous faites allusion au trésor du monastère, vous savez déjà qu'il a été en totalité remis aux autorités républicaines juste avant la débâcle. Il n'en reste rien.

Tranquillement, Weistort épousseta une manche de son costume, puis l'autre avant de reprendre :

— Voyez-vous, le Reichsführer n'est amateur ni de calices, ni de crucifix, encore moins de reliquaires. En revanche, c'est un véritable passionné de peintures, le saviez-vous ?

Les nazis entretenaient avec l'art un rapport ambigu. Hitler, qui dans sa jeunesse avait échoué aux Beaux-Arts de Vienne, avait décrété que tout ce qui s'était peint, dessiné ou sculpté depuis sa naissance était un art perverti. Monet ou Picasso, par exemple, étaient des peintres dégénérés, indignes de figurer dans des musées. Une condamnation furibonde qui n'empêchait en rien certains hauts dignitaires nazis de collectionner avec passion les tableaux impressionnistes ou cubistes.

— Comme le maréchal Goering, grand collectionneur des œuvres d'autrui ?

Weistort s'autorisa un sourire. Le chef de la Luftwaffe était réputé pour ses pillages effrénés des musées en territoire conquis. Une avidité qui le déshonorait aux yeux des SS.

— À la différence de Goering, le Reichsführer est très sélectif dans ses choix esthétiques. En ce moment, il s'intéresse à un tableau qui se trouvait dans le trésor de Montserrat. Mais regardez ce coucher de soleil, il enflamme la forêt. Quelle beauté ! On dirait une enluminure médiévale. Pour un peu, on croirait voir apparaître les chevaliers de la Table ronde.

Poliment, Tristan hocha la tête. Pas la peine d'expliquer à son interlocuteur que la quête du Graal, avant d'être un mythe universel, était d'abord un roman français, il aurait immédiatement dégainé une légende allemande, source unique et véritable de toute inspiration arthurienne.

— Personnellement en matière de peinture, reprit Weistort, je préfère les miniatures de l'époque médiévale. J'aime leur naïveté, leur innocence, leurs jeunes filles aux cheveux tressés et leurs chevaliers aux armures d'or…

— Même si j'ai étudié cette période, ce sont plutôt les œuvres de la Renaissance qui me touchent. Peut-être parce que l'homme y est la mesure de toute chose.

— Il y a homme et *homme*. Tous ne se valent pas. Je suis convaincu que les grands artistes dont se glorifie l'Italie sont tous des aryens. D'ailleurs, il faudrait réaliser des recherches généalogiques sur ces grands peintres. L'Ahnenerbe pourrait s'en charger…

Weistort imaginait déjà la tête du Duce, avec son petit crâne fripé, si on lui annonçait que Léonard de Vinci et Michel Ange étaient d'origine germanique !

— Le Reichsführer, lui, a une passion pour les chemins de croix et il comptait justement découvrir celui de Montserrat. Vous imaginez sa déception quand on lui a piteusement annoncé qu'il n'était plus là…

— Nous n'avons pris que les objets de valeur, en or, pierres précieuses ou ivoire. Quant aux peintures représentant le chemin de croix, nous n'y avons pas touché, tout simplement parce que ça ne valait rien. Une œuvre anonyme par un artiste qui ne l'était pas moins. Si les moines prétendent que nous l'avons dérobé, c'est faux.

— À la vérité, reprit Weistort d'un ton conciliant, le père abbé ne prétend pas qu'on le lui a dérobé, il affirme que c'est *vous* qui l'avez volé.

Tristan ne protesta pas. Comme aux échecs, quand on est en mauvaise posture, il est parfois préférable d'attendre le coup suivant.

— D'ailleurs l'abbé de Montserrat est très précis. Vous avez pris *un* tableau. Un seul. Sans doute avez-vous eu un coup de foudre soudain, à moins que vous n'ayez ainsi pris votre pourcentage ?

— Vous savez comme moi que ce tableau n'a aucune valeur.

— Aucune valeur artistique, oui. Alors pourquoi l'avez-vous pris ?

— Une intuition esthétique…

Weistort eut un étrange sourire.

— Donc à Montserrat, devant tant de beauté accumulée par les siècles, vous n'avez pas pu résister et vous avez succombé à vos vieux démons ? Et parmi tous ces tableaux, croulants de poussière, vous en avez choisi un au hasard ?

Tristan secoua la tête.

— Non, pas au hasard. Le chemin de croix comptait douze peintures, j'ai choisi celle qui représentait la montagne de Montserrat. Un souvenir en quelque sorte.

Le chef de l'Ahnenerbe claqua des mains. Un soldat apparut.

— Avertissez la garde, nous descendons.

Weistort se leva pour se diriger vers le bas des jardins, Tristan le suivit.

— Quand cet hôtel a été construit, il a abrité les nuits folles de la Belle Époque espagnole. On y venait de l'Europe entière pour parader et s'amuser. On croisait des industriels enrichis, des nobles ruinés, des courtisanes aguerries, des joueurs invétérés... Pourtant ce qui faisait la réputation de cet hôtel de luxe, ce n'était pas ses lits profonds comme des alcôves – comme dirait un de vos poètes décadents – ou bien ses tables de jeu endiablées, non c'était sa cave.

Ils venaient d'arriver devant une porte en ogive gardée par deux militaires en tenue de campagne.

— On raconte que si l'hôtel a été édifié sur une colline, c'est pour pouvoir creuser dans la roche la plus parfaite des caves à vins. D'ailleurs, vous allez voir.

Un des gardes fit pivoter les battants et se saisit d'une torche. Une odeur de résine flotta dans l'air.

— Le dernier directeur avait fait installer l'éclairage électrique dans cette cave. Un anachronisme – pire, une hérésie – nous l'avons bien sûr supprimé. Et puis l'obscurité est beaucoup plus favorable à nos activités.

La lueur de la flamme se dispersait dans les milliers d'éclats de quartz qui parsemaient la voûte taillée en un arc de cercle parfait. Tristan comprit pourquoi l'endroit plaisait à Weistort : il ressemblait à la salle souterraine d'un château médiéval. On s'attendait à voir une cavalcade d'armures et de lances jaillir des murs.

— Si vous cherchez les bouteilles, annonça l'Oberführer en montrant les rangements désertés le long des murs, vous serez déçu. L'hôtel a servi d'hôpital militaire et la visite prolongée aux caves faisait partie du programme autoproclamé de convalescence des soldats.

Ils avançaient sur une couche molle de sable qui crissait sous leurs pas.

— Quant au sable, il n'a rien à voir avec la conservation des crus. C'est moi qui l'ai fait répandre. Chaque pas, chaque semelle s'y incruste. Après chacune de mes visites, je le fais aplanir. Parfois, plusieurs fois par jour. Ainsi si quelqu'un s'introduit ici…

Surpris, Tristan regarda les hauts casiers métalliques vides de bouteilles. Pourquoi tant de précautions ? Il n'y avait plus rien à dérober depuis longtemps.

— Pour atteindre à une conservation optimale des grands crus, il fallait que la fraîcheur de la cave soit constante, voilà pourquoi les propriétaires de l'hôtel ont fait construire un puits.

Weistort tendit la main. Au fond de la cave, se dressait une haute margelle aux pierres sculptées en forme de gargouilles. Surpris, Tristan s'avança, mais l'ouverture était close par une épaisse dalle de pierre percée de trous comme un tamis.

— Saviez-vous qu'au Moyen Âge, la corporation des puisatiers qui forait et entretenait les puits était suspectée de sorcellerie ? On ne s'enfonce pas dans les entrailles de la terre impunément. Un puits, c'est souvent une porte ouverte sur les enfers.

Le garde avait posé sa torche et, à l'aide d'un treuil, soulevait la lourde dalle qui obturait l'intérieur de la margelle.

— De tout temps les hommes ont eu peur des puits, de cet œil, venu des profondeurs, qui les contemple.

— Une peur qui n'existe plus.

— Vous croyez ? Alors regardez !

Sitôt penché sur le rebord de pierre, Tristan recula d'effroi. Le long de la paroi, agrippés à des pierres en saillie, des hommes pendaient dans le vide comme des mouches à une toile d'araignée.

— Ils ne crient même plus, annonça Weistort, tant ils ont peur de perdre des forces et de chuter dans les ténèbres.

— Qui sont-ils ?

— Des Allemands, des traîtres qui ont rejoint le camp des républicains. La plupart sont des communistes venus s'entraîner en Espagne. Leurs informations, leurs contacts, sont très importants pour démanteler leurs réseaux clandestins en Allemagne.

Un des prisonniers avait de plus en plus de mal à se maintenir contre la paroi. Tristan remarqua qu'il avait un numéro tatoué sur son crâne rasé.

— 28, lut Weistort. Il a déjà été interrogé deux fois, il n'a plus rien à nous apprendre.

Le garde s'approcha du treuil pour fermer progressivement l'ouverture du puits.

— Laissez tomber la dalle d'un coup, intima l'Oberführer.

Le soldat s'exécuta. Un violent fracas retentit.
Un hurlement lui répondit.
L'homme venait de lâcher prise.
Weistort saisit le bras de Tristan.
— Et maintenant, si vous me disiez où se trouve ce tableau ?

13

Londres
Prospero's Mansion
Cercle Gordon

Un silence profond planait dans la salle de réunion. Les membres du Cercle Gordon fixaient avec attention les images qui défilaient sur l'écran.

Des Européens blonds et souriants assis par terre autour d'une table basse avec des moines tibétains. Un autre qui prenait les mensurations du crâne d'une paysanne hilare. Ces scènes étaient entrecoupées de plans séquence sur des sommets enneigés et une caravane qui serpentait sur une piste en altitude.

— Je m'en souviens, s'exclama le Lord du sceau privé. L'expédition Schäfer... De mémoire, on soupçonnait les Allemands de mener des contacts politiques avec le gouvernement tibétain. Pour nous contrer aux frontières de l'Inde.

— Vos informations sont exactes, mais parcellaires, répondit Malorley. Après le départ de Schäfer, le régent du royaume, le Rimpoché, a contacté notre agent en poste à Lhassa. Il était affolé. Selon lui, les nazis avaient trahi sa confiance et emporté un talisman inestimable pour son peuple.

Une nouvelle image apparut à l'écran. C'était la représentation d'une sculpture d'un homme de haute taille, aux traits asiatiques prononcés, et qui tenait entre ses mains une croix gammée.

— La swastika du *Kanjur*, reprit Malorley. Censée assurer la stabilité du monde et donner la connaissance de toutes choses. Les Allemands l'ont volée, assassiné les moines qui en assuraient la garde et l'ont expédiée à Berlin. Avec des conséquences imprévues…

De nouvelles images apparurent.

— Quelle horreur ! s'exclama Lady Beltham.

On voyait deux hommes couchés sur des lits d'hôpitaux, les visages ravagés comme s'ils avaient été brûlés à l'acide. L'épiderme était parti en lambeaux, les cheveux avaient disparu laissant à nu des crânes à la peau fissurée, les yeux ne formaient plus que des cratères informes et les nez s'étaient littéralement liquéfiés.

— Cette photo, prise à l'hôpital militaire de Berlin, a été récupérée par l'un de nos agents. Les cinq SS qui sont revenus en convoyant la swastika sacrée ont succombé à un mal mystérieux. Selon les rapports médicaux, leurs corps se seraient rongés de l'intérieur. Les malheureux ont été euthanasiés et leurs corps incinérés sur-le-champ. Mais le plus troublant est à venir : l'un des dossiers indique que ces SS ont été irradiés par une énergie probablement contenue dans la swastika.

— Un matériau radioactif ? demanda le chef de l'armée intérieure.

— Non, général Brooke, répliqua Malorley, et je vous prie d'écouter attentivement. Les médecins allemands ont noté sur leur rapport : « énergie de nature inconnue, mille fois plus puissante que la radioactivité ».

À nouveau des murmures s'élevèrent dans le salon. Malorley demanda le silence et reprit la parole :

— La swastika a été ensuite expédiée au Wewelsburg, le château privé d'Himmler. Une forteresse imprenable. La possession de cette swastika intervient en mars 1939, six mois avant l'invasion de la Pologne qui a marqué le début de la guerre.

Lady Beltham sortit à nouveau de son silence. Elle semblait captivée par les paroles du commander.

— Il y a quelque chose que je ne comprends pas dans votre récit. Comment les Allemands ont-ils entendu parler de ce talisman ?

Le visage de Malorley s'assombrit. De pénibles souvenirs remontaient à la surface de son esprit. Il fit signe à Sebastian d'actionner à nouveau le projecteur. L'image d'un roi du Moyen Âge, barbu, au visage farouche, apparut à l'écran.

— Ils ont mis la main sur un livre que l'on croyait légendaire, le *Thule Borealis Kulten*, volé chez un libraire à Berlin. Cet ouvrage écrit au Moyen Âge aurait appartenu à l'empereur Frédéric Barberousse avant de disparaître. Il rapporte une curieuse histoire qui date de temps anciens, bien avant la Grèce antique, avant même la construction des pyramides. Un continent mythique, Hyperborée, berceau de la soi-disant race aryenne, aurait été victime d'une glaciation progressive. Ce peuple se serait éparpillé sur les autres continents tandis que leurs seigneurs, au nombre de quatre, auraient caché en différents lieux les symboles de leur puissance. Quatre swastikas, représentant les symboles de l'eau, de l'air, de la terre et du feu. Ce serait l'une d'entre elles, révérée par les Tibétains, qui aurait été retrouvée par les nazis en 1939.

L'écran s'éteignit, le projecteur arrêta de tourner. Malorley précisa :

— Le *Thule Borealis Kulten*, lui, donnerait des indications précises sur les endroits où seraient cachées les reliques.

L'amiral prit la parole.

— Êtes-vous sérieux, commander ? À vous entendre on pourrait penser que cette croix gammée tibétaine aurait des pouvoirs… Magiques. Qu'elle aurait convaincu Hitler d'entrer en guerre ?

— Je n'irai pas jusqu'à utiliser le terme de magie, répliqua Malorley d'une voix sèche. Je n'y crois plus depuis que j'ai l'âge de mettre un pantalon tout seul. Mais mon métier m'oblige à prendre en compte toutes les hypothèses. Même les plus folles. Je suis persuadé que les Allemands ont mis la main sur un objet potentiellement dangereux qui a eu une influence évidente sur le déclenchement de la guerre. Et le problème c'est qu'il y en a trois autres qui se baladent dans la nature.

L'amiral Cunningham haussa les sourcils et répondit avec une pointe de mépris :

— Avant-guerre, je suis allé deux fois en Allemagne à l'invitation de notre ambassadeur pour assister aux Jeux olympiques à Berlin et l'année suivante pour une rencontre bilatérale. J'ai croisé mes homologues de la Kriegsmarine et échangé avec des généraux de la Wehrmacht. Ces gens-là avaient leurs bottes bien rivées sur la terre de leur foutu Grand Reich. Ils parlaient tanks, bombardiers et acier, et pas sorcellerie et grimoires.

— Sauf votre respect, vous n'avez pas rencontré les bonnes personnes…

— Que voulez-vous dire ?

Malorley chercha du regard le soutien du banquier, celui-ci lui sourit amicalement. L'homme du SOE reprit :

— C'est de ma faute, je n'ai pas été assez précis. Quand je parlais des Allemands, je ne parlais pas des officiers de l'armée régulière ou de la majorité des cadres nazis, j'évoquais certains hauts dirigeants à la fois pragmatiques et capables d'adhérer à des croyances d'un autre âge.

— Vous en avez trop dit ou pas assez. Expliquez-vous plus clairement, dit Lady Beltham.

Malorley s'attendait à des réactions d'incrédulité. Il fit un signe au banquier qui actionna à nouveau le projecteur.

— Pour répondre, je vais vous parler d'un courant ésotérique qui a imprégné la création même du parti nazi. Observez attentivement le dessin sur cet écran.

— Ceci est le blason de la *Thule-Gesellschaft*, reprit Malorley. Une société secrète allemande créée en 1919, un an après la capitulation de l'Allemagne. Remarquez le symbole en haut du poignard : une croix gammée ou plus exactement une swastika, aux bords légèrement arrondis. La Thulé était composée d'aristocrates, de grands bourgeois, de philosophes et de militaires ulcérés par la défaite de l'Allemagne. Une défaite qu'ils attribuaient aux communistes, aux juifs et aux francs-maçons et nullement à leurs généraux incompétents. Ce discours n'avait rien de bien original, il était répandu dans la mouvance nationaliste de l'époque, ce que l'on appelait le *Germanenorden*. Mais ce qui différenciait la Thulé des autres organisations *völkisch* c'était son ésotérisme poussé à l'extrême. Tous les membres étaient férus d'occultisme et de mysticisme et pratiquaient des rites païens.

Une main se leva.

— Qu'entendez-vous par *völkisch* ?

— Ce sont des groupes nationalistes nés un peu partout en Allemagne dans la seconde partie du XIXe siècle qui professaient un nationalisme teinté de xénophobie. Pour eux l'unité nationale ne pouvait passer que par une prise de conscience de la germanité, facteur racial primordial.

Sur l'écran, un nouveau dessin remplaça le premier. On y voyait un guerrier blond qui se dressait, hache à la main, face à un ours polaire.

— Revenons au groupe Thulé. Pour eux, il y a plus de cent mille ans vivait une race supérieure, blanche, qui habitait sur un continent mythique situé au pôle Nord : Hyperborée. La race boréale. Toujours selon les idéologues de Thulé, d'autres races inférieures, non blanches, noires et juives, se seraient dressées face à eux pour les exterminer. Dans cette vision du monde, l'histoire de l'humanité depuis des millénaires se résume à une lutte impitoyable entre ces races. Et bien sûr, les aryens doivent régner en maîtres, quitte à exterminer les sous-hommes. Ça ne vous rappelle rien ?

— La légende de votre livre, le *Borealis* quelque chose, répliqua le général Brooke, attentif.

— Les dirigeants de Thulé décidèrent qu'ils avaient besoin d'une assise populaire pour répandre leur venin. Ils créent un mouvement politique de façade, le parti ouvrier allemand. Que vous connaissez sous un autre nom…

Il entendit des murmures dans la salle.

— National-socialiste ? suggéra l'un des participants.

— En effet. C'est là qu'entre en scène un homme qui vous est familier, j'ai nommé Adolf Hitler. À l'époque, c'est un obscur caporal démobilisé, solitaire, qui, comme des millions d'Allemands, rumine ses frustrations et végète dans un pays ruiné. Peintre raté, sans le sou, il accepte de jouer les mouchards pour le compte des services de renseignement de ce qui reste de l'armée. En 1919, ses supérieurs l'envoient espionner ce groupuscule d'agitateurs.

Une voix masculine s'éleva du côté droit de la table, que Malorley ne reconnut pas.

— Hitler n'a donc pas créé le parti nazi ?

— Exactement. En revanche, il se fait remarquer par ses talents d'orateur. En moins de six mois il passe du statut d'indic à celui de leader charismatique. Sous la protection du groupe Thulé qui lui bourre le crâne avec ses croyances malsaines. La croix gammée, le salut Sieg Heil, la croyance en la race aryenne et son sang sacré…

— Et il va se métamorphoser en quatorze ans, passer du statut de peintre amateur à celui de dictateur professionnel, ajouta Sebastian Moran. Un modèle de reconversion de carrière.

Des murmures approbateurs parcoururent l'assemblée. Malorley savait qu'il avait marqué des points. Mais ce n'était pas terminé.

L'amiral l'apostropha d'une voix acerbe :

— Et la moustache ridicule du Führer… Elle est aussi ésotérique ?

De petits rires parcoururent l'assistance.

— Commander, si je vous suis bien, reprit l'amiral, vous êtes en train de nous expliquer que le nazisme puise son inspiration dans une sorte de mystique pervertie et qu'Hitler était une marionnette entre les mains d'une bande de cinglés. Ça me paraît bien fantaisiste pour expliquer son ascension. Si vous n'étiez pas l'un des directeurs du SOE, j'aurais quitté la salle depuis longtemps.

— Je vais préciser ma pensée. Que les choses soient claires, Hitler est arrivé au pouvoir par la conjonction de plusieurs facteurs on ne peut plus rationnels. Un pays humilié par la défaite de 1918, ravagé par la crise économique et travaillé par une propagande pernicieuse. Il a bénéficié du soutien du monde industriel et militaire et a su jouer du système démocratique pour être porté au pouvoir par les urnes. Non, ce que je souhaite vous faire comprendre c'est la dualité essentielle du nazisme. C'est un mouvement politique et aussi une religion. Et comme toute religion, il repose sur des croyances, ses dirigeants intègrent cette part irrationnelle dans leur esprit. Si Hitler est le prophète du nazisme, je dis que sa Bible a été pré-écrite par d'autres que lui. Je…

— Je ne vois pas en quoi ça va nous aider à gagner cette guerre. Que suggérez-vous ? D'expédier un commando pour assassiner les dirigeants de cette secte de Thulé ?

Malorley secoua à nouveau la tête.

— Non. Au fur et à mesure de son ascension Hitler a pris ses distances avec la société secrète, même si certains de ses proches en faisaient toujours partie, comme Rudolf Hess, le chef du parti. Et quand il accède au pouvoir en 1933 il la dissout une fois pour toutes. C'est là que j'arrive au cœur de mon intervention. Avec l'entrée en jeu d'un personnage inquiétant que vous connaissez tous.

L'écran s'anima, on voyait une parade nazie, avec de longs cortèges d'hommes en uniformes noirs qui défilaient dans la nuit au pas de l'oie. Leurs visages étaient éclairés par des flambeaux. En grand uniforme de la SS, un homme aux petites lunettes rondes et au visage chafouin les saluait d'un air satisfait. L'image se figea sur lui.

— Himmler, l'homme le plus puissant et le plus dangereux d'Allemagne après Hitler. Ce que vous ne savez pas c'est que le chef de la police et de la SS est lui aussi fasciné par l'occultisme, la magie et la mystique païenne. Il n'a pas fait partie de la Thulé, mais il est allé encore plus loin en créant de toutes pièces sa SS et en la structurant comme un ordre de chevalerie. Avec des rites, des grades et une croyance dans les vertus magiques d'un sang aryen pur qu'il faut préserver. Il abhorre lui aussi les juifs et le christianisme et veut rétablir dans toute l'Allemagne le culte païen. Himmler, comme Hitler et certains autres dignitaires du parti, ne raisonne pas comme nous. Il est l'incarnation même de cette dualité propre au nazisme. Il est capable de construire le camp de Dachau et en même temps de créer l'Institut *Ahnenerbe Forschungs und Lehrgemeinschaft*, chargé d'étayer sa vision occulte du monde à l'aide de scientifiques de premier plan. Le jour, il se passionne pour les méthodes de torture basées sur l'électricité et le soir il envoie une expédition aux Canaries pour retrouver l'Atlantide.

— Que suggérez-vous ? interrogea Lady Beltham. Que nous financions une opération commando pour récupérer cette maudite swastika ?

L'amiral secoua la tête. Sebastian Moran répondit avant Malorley :

— Ce serait une mission impossible, l'objet est aussi protégé qu'un lingot dans les caves de la banque d'Angleterre.

Malorley posa ses mains sur la table et dit calmement :

— Selon de nouvelles informations, il existerait un deuxième objet similaire, avec le même pouvoir. Et celui-là ne doit pas tomber dans les mains des nazis. Ce serait catastrophique.

— Où est-il ? Au Tibet ? lança le général Brooke.

— Non, l'année dernière, Heinrich Himmler s'est rendu en Espagne, plus précisément en Catalogne, au monastère de Montserrat, pour mettre la main dessus. Il n'y était pas, mais une piste aurait mené ses hommes de l'autre côté des Pyrénées où ils conduisent actuellement des fouilles dans un château du sud de la France. Il faut les intercepter coûte que coûte, si les nazis s'en emparent, je crois que nous pouvons dire définitivement adieu au monde libre.

— Ça ne nous dit pas quelle est la nature du talisman dérobé aux Tibétains, répliqua l'amiral d'un ton bourru.

— Ça, c'est le travail des scientifiques. Le mien est de récupérer cette relique avant les Allemands. Et pour ça, il faut convaincre le Premier ministre d'envoyer un commando le plus rapidement possible. Voilà pourquoi je suis devant vous ce soir.

— Ridicule… Grotesque…, marmonna l'amiral.

Le banquier prit la parole :

— Vous me connaissez tous, il n'y a pas plus rationnel que moi, mais j'ai pour habitude de ne jamais rien laisser au hasard. C'est comme ça que j'ai bâti ma fortune. Il faut aider le commander et revenir à la charge auprès du Premier ministre. Un commando, ce n'est pas grand-chose dans l'effort de guerre actuel.

Un homme jusque-là silencieux leva la main pour prendre la parole. C'était le secrétaire du roi Georges VI.

— Je propose de passer au vote.

14

Castello d'Empuries
Mai 1941

L'ombre lourde de la cathédrale tombait sur les murs comme un nuage noir avant l'orage. La maison de Dieu écrasait tout de sa masse de pierre. Les maisons qui l'entouraient semblaient à genoux, figées dans la prière. Derrière leurs volets clos, à cause de la chaleur, les habitants devaient faire des cauchemars hantés de cryptes et de gargouilles. En tout cas, on n'en apercevait aucun dans les rues. L'automitrailleuse, qui précédait le convoi, avançait lentement. Le museau noir de son canon semblait renifler chaque rue, chaque façade, en quête d'un gibier dangereux. Il est vrai que si, à Madrid, le général Franco fêtait sa victoire sur son peuple, l'Espagne entière ne lui appartenait pas encore. Des groupes de partisans tenaient toujours des bouts de Pyrénées d'où ils lançaient des opérations d'attaque dans la plaine. L'Oberführer Weistort n'avait pris aucun risque. Depuis qu'ils avaient quitté Barcelone, ils circulaient sur les routes poudreuses avec une protection rapprochée. L'automitrailleuse venait d'arriver sur la place centrale. La tourelle noire de son canon balaya tous les recoins avant que les voitures officielles ne soient autorisées à se garer près de la cathédrale. Claquant les portières, des soldats jaillirent sur la place déserte dont ils bloquèrent toutes les voies d'accès.

— Périmètre sécurisé, Oberführer !

Toujours en civil, Weistort déplia son long corps comme si on l'avait enfermé dans une malle pour le trajet. Malgré l'exiguïté des places de voiture, son costume était à peine fripé. Il l'examina pourtant soigneusement à la recherche d'un faux pli ou d'un accroc, puis une fois sa vérification terminée, il parcourut la place du regard avant de s'arrêter sur une façade typiquement médiévale à côté de la mairie.

Museo Gótico.

Tristan sortit de la seconde voiture, encadré par deux gardes. Ils le laissèrent faire quelques pas, mais il sentait leur regard sur sa nuque. Là où l'impact d'une balle était fatal.

— C'est donc le musée où, après la chute de Barcelone, vous vous êtes caché ? demanda Weistort tout en connaissant la réponse.

Le Français se rapprocha et montra du doigt une des fenêtres grillagées qui donnaient sur la place.

— Mon bureau était là.

— Mais comment les gens d'ici vous ont-ils engagé ? demanda Weistort étonné.

— Je suis arrivé un matin, j'ai expliqué que j'étais gardien au musée d'histoire de Barcelone et que la prise de la ville m'avait jeté sur les routes. Il n'y avait plus d'autorités locales, les habitants avaient peur du pillage et comme je ne demandais pour tout salaire que de manger…

— Sauf qu'au bout de trois mois, ils vous ont donné un vrai salaire. Et au bout de six, ils l'ont doublé.

— Comme je n'avais pas beaucoup de visiteurs, j'ai dressé le catalogue complet des collections.

L'Oberführer demeurait dubitatif.

— Je peux admettre qu'on vous ait payé pour ça, mais de là à vous augmenter…

— Pour les pièces les plus rares du musée, j'ai prétendu qu'elles avaient été données par les familles des principaux notables de la ville. Vous savez qu'on peut tout faire dire aux archives. J'ai donc donné un de leurs noms à chaque salle du musée, ils ont été très sensibles à cet honneur…

Le visage de l'Allemand se fendit d'un sourire. La vanité était vraiment le pire défaut des Espagnols.

Ils venaient d'arriver devant la porte d'entrée du musée. Un fonctionnaire terrifié leur abandonna les lieux sans demander son reste. Le bâtiment sentait le salpêtre qui montait à travers les planchers disjoints. Une odeur annonciatrice et funèbre comme si les caves allaient bientôt engloutir le vieux bâtiment. Sans s'attarder devant les vestiges romains ou médiévaux accumulés dans les vitrines, Weistort se précipita dans la salle des peintures. Deux madones, qui allaitaient l'enfant Jésus d'un sein vigoureux, avoisinaient des portraits d'illustres inconnus à la calvitie précoce et aux moustaches cirées. Sous le vernis noirci, leurs noms en lettres d'or fanées achevaient de disparaître. Dans une vitrine isolée, comme oubliée dans un recoin, des tableaux dépareillés étaient exposés en désordre. Des portraits de saints extatiques, de Christ béats au cœur rayonnant… Tout un bric-à-brac religieux dont même un brocanteur n'aurait pas voulu.

— Le voilà !

De sa main d'une blancheur étonnante, le chef de l'Ahnenerbe désigna une toile aux dimensions modestes dont les couleurs défraîchies n'attiraient pas l'attention. On y voyait une montagne, en forme de cône tronqué d'où s'élevaient plusieurs niveaux de murailles et une tour. Dans le ciel, brillait une étoile blanche à cinq branches dont la taille, manifestement exagérée, jurait avec l'ensemble.

— Cote AF 133, « vue supposée de Montserrat, artiste inconnu, datation de même », annonça Tristan.

Au mot *supposée*, Weistort jeta un regard interrogateur vers le Français. Ce dernier se déplaça vers un mur et décrocha une gravure au cadre branlant.

— Voici une vue de Montserrat. Comme vous pouvez le constater, l'abbaye n'est pas située sur un sommet, mais dans l'échancrure d'une montagne. De plus, le monastère n'est protégé par aucun mur d'enceinte.

— Et vous en concluez ?

— Il ne s'agit pas d'une peinture représentant Montserrat, mais d'un autre lieu. Pas plus qu'il ne s'agit d'une abbaye, mais bien d'un château. Regardez attentivement la tour qui s'élève au-dessus des murailles, elle est crénelée. Ce n'est pas un clocher, mais une tour de défense.

— Vous seriez capable de dater le château ?

Tristan se pencha sur les détails.

— Je ne suis pas un spécialiste d'histoire médiévale, mais l'enceinte n'a pas de mâchicoulis en haut des remparts, aucune barbacane[1] de protection, ni tours de flanquement. Donc aucun système de défense sophistiqué. Je dirais que le tableau représente un *castrum*, un château du XIIe ou XIIIe siècle.

— Ce qui signifie que l'artiste l'a vu de ses propres yeux pour le représenter ainsi ?

Le Français secoua la tête.

— Non, même si je ne suis pas parvenu à dater la peinture avec précision, vu la manière du peintre, l'emploi des couleurs… elle a été certainement réalisée après 1500.

Weistort aimait les énigmes. Il considérait qu'un universitaire, même s'il portait l'uniforme, se devait de rester un chercheur. Il fixa avec attention le tableau pour vérifier les dires de son prisonnier avant de l'interroger à nouveau :

— Votre hypothèse ?

— Il s'agit de la copie d'une peinture ou d'un dessin beaucoup plus ancien. Sans doute médiéval. On peut imaginer que l'œuvre originale ait été détériorée au fil des décennies et donc qu'on en a réalisé un double… Avant de l'insérer dans un chemin de croix. Peut-être pour ne pas attirer l'attention.

Soupçonneux, l'Oberführer se retourna, mais les gardes étaient restés à l'entrée de la salle : ils ne pouvaient rien entendre. Il revint au tableau. Décidément

1. Ouvrage de défense, le plus souvent une muraille, située en avant d'un point exposé du château.

ce Français se révélait de plus en plus compétent. Plein de ressource. Presque trop.

— Nous aurions donc un dessin ou une peinture représentant un château du milieu du Moyen Âge dont on aurait fait une copie, des siècles après, pour l'enfouir dans un banal chemin de croix, c'est bien ça ?

Tristan acquiesça. Apparemment Weistort avait besoin de reformuler ces informations pour mieux les absorber.

— Ce château, vous seriez capable de le reconnaître ?

— Si je le voyais, peut-être. Mais le tableau, lui, n'a pas été peint pour qu'on l'identifie aussitôt. Au contraire, que ce soit la montagne, les murailles ou la tour, aucun détail marquant n'est visible.

— Quel intérêt alors de le dissimuler dans un chemin de croix ?

— Peut-être faut-il l'examiner de plus près…

Délicatement, Weistort fit coulisser la vitre de protection et saisit la peinture, prenant garde de n'en toucher que le revers pour ne pas effriter le vernis déjà craquelé. Vu de plus près, l'étoile se trouvait directement dans l'axe de la tour tandis que sur les murailles apparaissaient des traits noirs qui, sans doute, symbolisaient des meurtrières. Juste à la base du rempart, la montagne semblait fortifiée par une succession de murs de pierre, protégeant un chemin d'accès. Toutefois, à part ces détails précisant l'architecture du château, aucun indice n'apparaissait à la surface du tableau. Le ciel était d'un bleu uniforme, la montagne d'un gris délavé.

Un détail pourtant intriguait Tristan. Juste en dessous du rebord supérieur du cadre, un chiffre en lettres romaines apparaissait. Il le montra à Weistort.

— « XI », lut l'Oberführer. Le chiffre qui, dans un chemin de croix, correspond à la scène de la crucifixion du Christ.

— Sauf que là il n'y a aucune croix, aucun crucifié… Le seul élément identique, c'est le mont, puisqu'il est dit, dans les Évangiles, que le Christ a été crucifié sur le Golgotha, le mont du Calvaire.

— Ce qui signifie qu'il faut se concentrer sur ce mont ?

— Le lieu ou le mot, précisa Tristan, mais ça ne suffit pas. Si ce tableau a quelque chose à nous dire, il y a obligatoirement un autre indice.

Weistort aperçut dans un angle un vieux fauteuil espagnol au cuir usé. Sans doute une épave du Siècle d'or. Il le poussa face à la vitrine et s'installa à la manière d'un seigneur des temps passés. On ne réfléchit bien qu'assis était un de ses principes.

— Procédons par ordre, proposa-t-il, si nous partons du principe qu'un signe, une indication, est caché dans ce tableau nous permettant de localiser ce château, où peut-il être dissimulé ? Dans le cadre ?

Tristan sourit avec ironie. Durant son passage au musée, il avait bien sûr démonté le cadre qui empiétait sur la toile pour voir s'il n'occultait pas une signature. La base du métier quand on est un *chasseur de tableaux.*

— Je vois, à votre sourire, que nous pouvons évacuer cette hypothèse. Je suppose que vous avez aussi vérifié l'arrière de la peinture ?

— La toile est posée sur un châssis de bois qui la maintient sous tension. Aucune marque visible. Pas d'inscription, ni sceau, ni poinçon, rien. Mais, à mon avis, la pose sur un simple châssis est déjà un indice, cela signifie que la toile peut être rapidement enlevée, roulée, emportée…

— … Et dissimulée.

— Donc si message il y a, il est directement dans la peinture.

Weistort décroisa ses jambes et plaça ses mains à plat sur ses cuisses. Il avait besoin de se concentrer. Comme il restait silencieux, Tristan continua :

— Je ne vois que deux possibilités. Soit l'indice est dans l'œuvre même, caché sous une épaisseur de couleur ou de vernis, soit il est dans les éléments qui composent l'œuvre elle-même.

— Soyez plus précis.

Malgré le danger, Tristan sentait une forme d'enthousiasme le gagner. Comme chaque fois qu'il était devant une œuvre d'art inconnue, il éprouvait le besoin irrépressible de découvrir un sens que le temps ou les hommes avaient dissimulé. Une quête, dont le goût lui était venu de l'enfance, qui lui faisait regarder chaque tableau comme une énigme à élucider. C'est d'ailleurs ce goût insatiable du mystère qui avait fait sa réputation dans le milieu de l'art. Une œuvre n'était pas que beauté, elle était aussi une histoire à découvrir, un récit à retrouver.

— À l'époque où ce tableau a été peint, à la Renaissance, les intellectuels comme les artistes se passionnent pour le double sens. C'est l'époque où l'on invente les codes. Pour le trouver, il faut chercher ce qui échappe à la logique, à la cohérence de la représentation habituelle. Il faut changer de regard.

— Au premier abord, ce ne peut pas être le château, muraille, tour… Tout est conforme à l'image traditionnelle d'une forteresse.

— Pareil pour l'étoile, même si elle est trop large, ses cinq branches sont conformes aux représentations de l'époque.

— Reste le mont. Rien ne vous surprend ?

Tristan avait beau regarder attentivement, il ne voyait rien de singulier. Au contraire. La peinture du mont était d'une banalité presque affligeante. L'artiste, visiblement pressé, n'avait même pas pris la peine de représenter un bloc de rocher stylisé ou le vert d'un bosquet d'arbres. À croire qu'il avait consacré son unique effort à peindre le sentier d'accès qui s'étirait en multiples lacets jusqu'au sommet. *Trop d'ailleurs*, pensa Tristan, *il n'y en a pas besoin d'autant. Et en plus ils sont tous biscornus. Dans la réalité, monter cette côte prendrait des heures, c'est complètement…*

Tristan n'acheva pas sa pensée. Il fit pivoter le tableau de droite à gauche.

— Je l'ai.

Weistort bondit de son siège. Vu ainsi, le tracé du chemin avait disparu remplacé par un entrelacs de courbes pareil à une signature enchevêtrée.

— C'est un mot dissimulé, s'écria le Français. Regardez vers le bas, la première lettre.

— Un « s », suivi d'un « e » accentué.

Le Français retourna le tableau. À l'endroit, l'accent aigu correspondait à une section de muret qui longeait le sentier. L'Oberführer saisit l'œuvre pour mieux la décrypter.

— La troisième lettre est un « g ».

— La suivante un « u ».

— « Ségu… »

— « Ségur », répéta Tristan qui, intrigué, se pencha à nouveau vers la peinture.

— Qu'est-ce que vous cherchez ? demanda Weistort, suspicieux.

— Il y a un accent aigu sur le « e », c'est étrange, ça n'existe pas en espagnol.

À son tour l'Oberführer scruta la toile. Mais il n'y avait aucun doute, l'accent sur le « e » était bien présent. La conclusion de Tristan fut immédiate.

— Il n'y a qu'en français qu'on met un accent aigu sur le « e ». Si ce nom – « ségur » – est écrit ainsi c'est qu'il désigne un lieu en France.

— Un lieu avec un château médiéval, renchérit Weistort, sur un mont en forme de cône.

Tristan frappa dans ses mains. À l'entrée, un garde se retourna, faisant sauter son arme de l'épaule.

— Montségur ! C'est un château dans le sud de la France, en bordure des Pyrénées. Sur un piton, il est célèbre parce que…

Il n'eut pas le temps de terminer.

— Gardes !

La voix de l'Oberführer résonna entre les murs du vieux musée. Les soldats accoururent.

— Saisissez le prisonnier.

En un instant, les poignets de Tristan furent pris dans un étau.

— Et emprisonnez-le !

Dès que le Français fut sorti du musée, le SS appela son officier d'intendance.

— Une demande prioritaire à transmettre au Reichsführer personnellement. Que l'on envoie une section SS et une équipe de fouilles au château de Montségur, en zone libre en France.

15

Londres
QG du Special Operations Executive
Baker Street

Les coups de marteau redoublaient d'intensité entre deux grincements de scie à percussion. Une fine poussière se mit à tomber du plafond sale et saupoudra le dossier qu'il consultait.

Ça recommence.

Malorley frotta ses yeux rougis de fatigue, puis épousseta la couche grisâtre d'un revers de main. Il n'arriverait jamais à se concentrer dans ces conditions. Non seulement on avait attribué à la section Propagande et guerre psychologique des bureaux dans l'aile la plus humide du bâtiment, mais en plus il devait supporter le tintamarre des travaux depuis deux semaines.

Il cria en direction de la porte entrouverte qui donnait sur le cagibi de sa secrétaire :

— Penny ! Par pitié, dites-leur d'arrêter leur satanée besogne pendant que je travaille.

Le visage jovial d'une femme rousse apparut dans l'entrebâillement.

— Impossible, commander, les ouvriers finissent l'aménagement de l'étage supérieur. Cela étant, j'ai du coton pour les oreilles. Si tant est que ce soit permis pour un officier de votre rang.

Malorley sourit intérieurement. Sa secrétaire, qu'il exploitait honteusement avec trois autres chefs de service, possédait un don inné pour désamorcer les tensions. Une qualité précieuse quand on travaillait au centre de commandement du SOE. Il se leva avec raideur et s'accouda devant la fenêtre à l'encadrement fatigué. En dessous, un parterre de parapluies ondulait dans Baker Street. La rumeur courait que Churchill en personne avait choisi cette adresse à cause de son goût immodéré des enquêtes de Sherlock Holmes[1]. Vu de l'extérieur, rien ne distinguait l'élégant édifice de ses immeubles voisins, une plaque sobre à l'entrée indiquait seulement *Inter Services Research Bureau*, un nom bidon et passe-partout. Mais derrière ces murs cossus, œuvrait le redoutable *Special Operations Executive*. Une centaine d'hommes et de femmes suaient jour et nuit dans un seul but : créer le chaos dans l'Europe nazie.

Ici, on concoctait des sabotages, on organisait des parachutages d'agents, de fusils et de grenades. On planifiait même des assassinats. Si la direction restait british jusqu'au bout des ongles, les couloirs bruissaient des accents colorés des agents étrangers, tous recrutés pour leur haine de l'Allemagne conquérante.

---

1. Selon Conan Doyle, le grand détective habitait dans la même rue, au 221B.

Tous motivés pour laver les humiliations subies dans leurs pays occupés. Des cavaliers de l'ex-armée polonaise croisaient des officiers français rescapés de Dunkerque et des policiers tchèques revenaient de stages commando où ils avaient côtoyé d'ex-cambrioleurs hollandais, des royalistes belges et des socialistes norvégiens. Tous en transit dans cette tour de Babel de la subversion armée, impatients d'être largués dans leur patrie pour y porter le fer et le feu.

Et Malorley en était l'un des cadres de la première heure. Au tout début de la guerre, il avait refusé un poste au sein du prestigieux MI6, le service officiel de contre-espionnage, pour intégrer le département des opérations psychologiques et propagande du SOE. Ça lui correspondait tout à fait. Et même à l'intérieur du SOE, dont il était le numéro trois, son service était considéré comme le plus retors. Opérations de désinformation et d'intoxication, montage de stations radio fantôme, profilage et identification des vices des chefs nazis, manipulation des diplomates... Le service psy s'était rendu incontournable au sein du SOE.

La secrétaire croisa son regard.

— Ne désespérez pas, commander. La section F va libérer ses bureaux pour partir à Orchard Court. Nous sommes en haut de la liste pour les récupérer.

— À propos de la section F, voulez-vous leur rendre ces dossiers, dit Malorley en indiquant la pile de dossiers jaunes posée sur son bureau. Dites au colonel Buckmaster que j'ai enfin choisi deux de ses agents.

— Connaissant F[1], il n'a pas dû vous les prêter de gaieté de cœur. Il les considère comme ses propres enfants.

— Il faut savoir couper le cordon ombilical, répliqua Malorley d'un ton calme. Je passerai le voir dans un quart d'heure.

— Ce ne sera pas la peine, il n'arrête pas d'appeler. À mon avis, vous allez le voir arriver aussi vite qu'un coucou sur un nid d'hirondelles.

Il attendit que la secrétaire referme la porte de son bureau pour s'allumer une Morland offerte par un ami de l'amirauté, le capitaine Fleming, qu'il avait connu au *Times*. Les Morland étaient son péché mignon, un savant mélange de tabac de contrebande en provenance de Turquie et des Balkans. Il expira une bouffée délicieusement caramélisée, puis examina à nouveau les photos des deux agents sélectionnés pour l'accompagner dans son opération commando.

Un homme et une femme.

Le premier avait une trentaine d'années, les cheveux bruns, plaqués en arrière. Un visage banal et fatigué, le regard terne accentué par des cernes. Un type dont personne ne se méfierait, songea Malorley. Sa fiche portait le nom de Charles Grandel. Capitaine de l'armée de terre française, deuxième régiment d'infanterie, il avait rejoint Londres en août 1940 pour ensuite se porter volontaire dans les rangs du SOE. Parachuté en Loire-Atlantique, il était en train d'y monter *ex*

1. Pour des raisons de sécurité, les chefs de certaines sections du SOE portaient l'initiale de leur service.

nihilo un réseau de résistance. L'agent opérait sous le pseudonyme de Charles.

Malorley fit glisser la deuxième photo sur la précédente.

Jane Colson. Vingt-sept ans, franco-anglaise, née à Besançon. Fille d'un colonel de l'armée des Indes et d'une infirmière française. La famille avait déménagé en Angleterre deux ans avant la déclaration de la guerre. Malorley prit le tirage en noir et blanc entre ses mains. La jeune femme blonde semblait avoir une mine boudeuse et un air moqueur. Il n'y avait eu qu'une poignée d'agents féminins recrutés dans les services action depuis leur création. Les autres volontaires étaient versées dans l'administration et la coordination.

Malorley hésitait encore sur ce deuxième choix, il était mal à l'aise à l'idée d'envoyer une femme en France. Savoir que cette fille pourrait subir les tortures les plus ignobles de la Gestapo le rendait malade. Pourtant, F avait insisté pour qu'il soit accompagné d'une femme pendant sa traversée du Sud-Ouest. Un couple passait plus facilement inaperçu et aucun agent de sexe féminin n'avait été arrêté par les Allemands à ce jour.

Malorley ne se leurrait pas sur la prévenance de F, ce dernier avait protesté en haut lieu contre l'opération, surtout en raison de son implication personnelle. Un officier de haut rang du SOE prisonnier serait une catastrophe pour le service.

Il reposa la photo et aspira une longue bouffée de fumée. Derrière la fenêtre, le ciel londonien se teintait d'encre noire.

Malorley était maintenant au pied du mur. C'était une chose de planifier une mission, c'en était une autre d'y participer. Dans moins de deux jours il serait parachuté dans le Bordelais, en zone occupée. Un territoire ennemi où il serait traité comme un espion si les Allemands le capturaient. Avec l'espérance de vie d'un bœuf dans un abattoir, une mort douloureuse en plus.

Il ouvrit un tiroir et en sortit une bouteille d'Oban 17 ans d'âge offerte pour son anniversaire par ses collègues.

Il se versa un demi-verre et porta un toast silencieux à Otto Neumann, son ami allemand mort en martyr. Puis il leva le verre en direction de la photo de Churchill qui trônait sur le mur au-dessus d'une armoire à caissons. Tout s'était joué la veille, quand il avait été convoqué d'urgence au 10 Downing Street.

L'air empestait le cigare dans le bureau du Premier ministre. Churchill observait avec attention une carte d'Europe épinglée au mur et ne s'était même pas retourné pour saluer le commander.

— Alors Malorley, on passe au-dessus de ma tête pour négocier vos lubies délirantes ?

Malorley était resté raide comme un piquet de cricket.

— Je ne vois pas de quoi vous voulez parler, monsieur le Premier ministre.

Churchill se retourna, l'air furibard.

— Ne vous moquez pas de moi ! J'ai reçu un coup de fil du secrétariat de Sa Majesté pour que je lise

votre rapport rempli de sornettes sur... Bon sang, comment appelez-vous ça ?

— L'Ahnenerbe.

— Oui... Je vais être clair avec vous, Malorley. Si ça ne tenait qu'à moi je vous aurais limogé sur-le-champ. Je ne crois pas un seul instant à la magie, à l'ésotérisme et à toutes croyances d'un autre âge. Jamais vous ne me ferez avaler qu'un talisman trouvé au Tibet ait pu aider Hitler à gagner sa guerre ! Jamais !

— Je n'ai...

— Laissez-moi terminer. Il semble évident que vous avez réussi à persuader le Cercle Gordon de vous appuyer. Ce qui en dit long sur la santé mentale de certains membres de nos élites. Allez droit au but. Que voulez-vous exactement ?

Malorley le fixa sans ciller.

— Le feu vert pour monter une opération commando dans le sud de la France afin de récupérer l'autre relique convoitée par nos ennemis. Un parachutage de six agents du SOE, puis sur place l'appoint de résistants locaux devraient suffire.

Le Premier ministre prit son air de bouledogue rusé.

— Six agents, rien que ça... Si vous croyez vraiment à ces foutaises, jusqu'à quel point êtes-vous prêt à vous impliquer ? Après tout vous allez risquer la vie d'agents précieux beaucoup plus utiles sur d'autres missions stratégiques.

Malorley soutint son regard ironique.

— Je ne comprends pas, monsieur.

— Je vais être plus clair. Êtes-vous prêt à prendre la tête de ce commando et à vous jeter dans la tanière du loup ?

Le cœur de Malorley bondit dans sa poitrine. Il ne s'attendait pas à cette proposition. Une poignée de secondes s'écoulèrent.

— Ce serait un honneur.

Churchill semblait dépité.

— Bon dieu, vous êtes aussi dingue que ces nazis. Je voulais juste tester votre détermination.

— J'irai.

Churchill agita la tête.

— Trop dangereux, vous en savez trop sur le SOE.

Malorley appuya ses mains sur le bureau.

— Nous avons de nouvelles capsules de cyanure incorporées dans les plombages dentaires. Le dentiste du département fait des merveilles.

Le Premier ministre s'était mis à marcher le long de la pièce, la tête penchée, le pas agacé. Il s'arrêta net et fixa Malorley d'un regard décidé.

— OK. Vous avez carte blanche pour envoyer une équipe là-bas. Mais dans tous vos rapports, vos consignerez un objectif bidon et réaliste. Je ne veux pas qu'à ma mort on trouve dans mes archives l'autorisation de recommencer la quête du roi Arthur en pleine guerre. À votre retour, vous me tiendrez au courant de vos... découvertes, uniquement par voie orale. Si tant est que vous découvriez quoi que ce soit et que vous reveniez sain et sauf. Suis-je bien clair ?

— Oui monsieur.

— Et vous n'aurez droit qu'à deux agents du SOE, pour le reste débrouillez-vous avec les résistants français. J'imagine leur tête quand vous leur exposerez le but de votre opération. Voyez avec F pour les détails. Et...

Il attendit quelques secondes avant de glapir :

— Et bon voyage en enfer !

Malorley s'inclina et se dirigea vers la porte d'un pas rapide. Au moment où il allait sortir, la voix de Churchill résonna.

— Commander, je déteste que l'on me force la main, même si c'est le roi en personne. Ne me refaites plus jamais un coup pareil, sinon je vous jure que j'accrocherai votre tête tout en haut de la tour de Londres.

Les coups de marteau s'étaient arrêtés, un roulement strident de perceuse prenait la relève. Au moment où il allait mettre le coton dans ses oreilles, la porte de son bureau s'ouvrit avec fracas. Un homme de grande taille, le cheveu blond et rare, le visage mince et livide, se planta devant son bureau. F arborait son air le plus inamical.

— Vous avez choisi ?

Malorley fit glisser les deux photos pour les lui montrer.

Le visage du colonel Buckmaster s'assombrit.

— Pas Charles ! Il n'a pas fini de monter son réseau. Vous en avez dix autres avec le même profil.

Malorley secoua la tête.

— Il est le seul de la liste à avoir vécu toute sa jeunesse, jusqu'au bac, en Ariège. À Lavelanet, à une dizaine de kilomètres de la cible. Il connaît la région comme sa poche. La connaissance du terrain n'est-elle pas un atout précieux, mon cher colonel ?

F répondit violemment :

— La cible ? Parlons-en. Je suis le chef de la section France et je ne comprends toujours pas pourquoi le cabinet du Premier ministre fait le black-out sur cette mission. Bon sang, Malorley, seriez-vous en train de viser ma place ?

Le commander écarquilla les yeux.

— Je ne vois pas où vous voulez en venir…

F poussa les dossiers et s'assit sur le bureau.

— Ne jouez pas au plus fin. C'est la première fois depuis l'existence du département France que je ne suis pas mis au courant d'une opération qui nécessite le concours de mes agents. Ça doit être du lourd, puisque vous y allez aussi. Conséquence de tout cela, si ça marche vous en retirerez tous les lauriers.

Malorley sourit.

— Les résultats, positifs ou négatifs, de cette mission, ne seront jamais divulgués au sein du SOE. Vous pouvez dormir tranquille, je n'ai ni la volonté, ni l'étoffe de vous piquer votre place. Je peux même vous signer un papier l'attestant.

F le dévisagea pendant quelques instants, puis piocha une cigarette dans son paquet.

— Vous êtes un type étrange, Malorley. Vraiment étrange. Ça ne m'étonne pas qu'on vous ait confié le département d'action psy… Bon, comment allez-vous procéder ?

Malorley déplia une carte de la moitié sud de la France qu'il cala avec des livres.

— Dans une semaine, je décolle avec Jane, si le temps ne nous joue pas des tours. Ensuite largage à Pessac où le chef de réseau pour la Gironde nous réceptionnera. Charles nous y attendra.

Deux traits jaunes avaient été tracés entre Pessac et Toulouse.

— Jane et moi, nous prendrons le train en gare de Bordeaux pour passer la ligne de démarcation puis arriver à Toulouse, seconde étape de notre périple où un deuxième contact nous attendra. Grandel partira en camion de son côté pour minimiser les risques d'interception.

L'index de Malorley glissa ensuite le long d'un trait rouge qui surlignait une route sinueuse pour s'arrêter à une localité. Buckmaster chaussa des lunettes de lecture et se pencha sur la carte.

— Montségur... Jamais entendu parler. Que peut-il bien y avoir de si important dans ce trou paumé ?

Buckmaster était fidèle à sa réputation, il ne lâchait jamais. Malorley répondit d'une voix calme :

— Je continue. La mission accomplie, nous rejoindrons un petit port de la Méditerranée, Collioure, où nous attendra un sous-marin au large des côtes.

— Un sous-marin, rien que ça... D'habitude, mes agents reviennent par l'Espagne et le Portugal ou se font récupérer par avion. Vous ne voulez toujours rien me dire sur tout ce cirque ?

— Navré, colonel. Voyez le bon côté des choses, si je ne reviens pas vous donnerez votre avis pour choisir mon successeur. Sûrement un type moins étrange que moi…

F retira ses lunettes en se pinçant le nez.

— Contrairement à ce que vous croyez, je vous apprécie. J'espère sincèrement que vous réussirez votre mission. Et que vous me ramènerez mes deux agents sains et saufs.

— Je ferai mon maximum.

— Dans notre métier, faire le maximum n'est qu'une première étape. Bonne chance à vous.

Songeur, Malorley fixa la porte que F venait de refermer. En guise d'adieu, c'était déjà plus sympathique que les dernières paroles de Churchill.

Il sortit un nouveau dossier de son tiroir et l'ouvrit pour en extraire une photo. Celle d'un visage au sourire glacé, avec une casquette à visière noire, ornée d'une tête de mort. Une fine cicatrice lui barrait la joue. Bien qu'il sourît, son visage conservait une expression hautaine. Sur la photo était collée une étiquette rectangulaire, avec un nom inscrit d'une écriture fine et déliée.

Oberführer Karl Weistort.

Il ne l'avait vu qu'une seule fois, à Berlin lors de la nuit de Cristal. Et entre eux deux, il y avait un cadavre : l'ami qu'il n'avait pu sauver, le professeur Neumann.

Malorley passa son index sur le tirage de mauvaise qualité.

Weistort… Cette fois nous ne ferons pas que nous croiser.

16

Trois jours plus tard
Castello d'Empuries
Mai 1941

Tristan jaillit de la cave du musée, projeté par deux soldats qui hurlaient comme des possédés. Une des voitures, garée devant la cathédrale, démarra brusquement, faisant crisser ses pneus sur le pavé de la place. Derrière les volets, les habitants apeurés regardaient la scène. Quel était cet homme que l'on traînait au sol ? Et ces soldats, aux uniformes noirs comme la nuit, d'où sortaient-ils ? Leurs hurlements gutturaux résonnaient sur les façades. Brusquement, ils relevèrent leur prisonnier et le jetèrent dans la voiture dont le moteur grondait. Derrière les fenêtres, des femmes se signaient tandis que des hommes, aux poings serrés d'impuissance, murmuraient déjà la prière des morts.

La voiture redémarra. Sa longue silhouette projeta son ombre carnassière sur les murs comme si elle traquait déjà un prochain gibier. Une fois le silence retombé, Weistort sortit sur le pas du musée. Arborant un chapeau de paille, il ressemblait à un parfait touriste. Les habitants n'y comprenaient plus rien. Mais ils avaient été habitués à tant d'horreurs pendant la guerre civile qu'un cauchemar de plus ne les étonnait pas. Weistort tenait le tableau à la main. Dès demain, la toile partirait pour Berlin par la valise diplomatique, direction les laboratoires de l'Ahnenerbe. Là, la peinture serait étudiée dans les moindres détails. On nettoierait son vernis jusqu'à le rendre transparent, on scruterait chaque coup de pinceau, chaque reflet de peinture… Une totale mise à nu, mais qui n'apporterait rien. L'Oberführer en était certain. Tristan avait déjà trouvé le message. Le message, venu du fond des temps, et qui allait amener le Reich au firmament.

Weistort traversa la place. Derrière lui, l'automitrailleuse venait de se mettre en marche. Bientôt, ils disparaîtraient, aussi anonymes qu'ils étaient venus. Et jamais personne ne saurait que le sort de la guerre s'était joué là, à Castello d'Empuries.

Mais avant, il fallait s'occuper de Tristan qu'il avait gardé prisonnier, le temps d'envoyer une équipe de recherche à Montségur.

Au bas de la ville, un pan de muraille avait survécu aux invasions et aux destructions. Bâti en lourdes pierres ocre, ce vestige s'élevait au pied d'un ancien fossé mal asséché. Les soldats n'avaient pas choisi l'endroit au hasard. Parfait pour un peloton d'exécution. Les balles qui trouaient le corps finiraient dans le mur, quant aux cadavres, le fond du fossé, facile à creuser, leur servirait de dernière demeure. Weistort observait avec attention le rituel de la constitution d'un peloton d'exécution. C'était la première fois et les rituels – surtout quand ils préfiguraient la mort – le fascinaient.

Après avoir aligné les soldats, un sergent désignait les tireurs. Cinq au total. Les hommes sortaient du rang et tendaient leur arme. Le sergent collectait les fusils puis s'éloignait. C'est lui qui les chargeait, enfonçait la cartouche, faisait jouer la culasse, puis revenait pour poser les armes au sol. À l'appel de leurs noms, les soldats s'avançaient et choisissaient un fusil au hasard. Chacun savait qu'une des armes n'était pas chargée et pouvait ainsi croire qu'il n'était pas responsable du tir mortel.

Weistort haussa les épaules. Ce rituel était ridicule, indigne des soldats du Reich. L'homme nouveau, qu'édifiait l'Allemagne nazie, ne devait connaître ni la peur, ni le remords. Il ne devait obéir qu'à la volonté, la force et la foi absolue en sa supériorité. Bientôt, la conscience, l'humanité ne sera plus qu'un souvenir, le vestige d'un passé aboli, comme les murs calcinés des synagogues de Berlin à Varsovie.

Tristan était toujours dans la voiture. Un garde lui maintenait le visage enfoncé contre l'arrière du siège du conducteur. Il respirait mal. Son cœur battait comme s'il voulait s'échapper de sa poitrine, fuir loin de ce corps en danger. Un cri retentit dehors et on le fit sortir. Le soleil l'aveugla. Il avait soif. D'un geste brusque, le sergent lui ôta sa veste, vérifia qu'il ne portait pas de chaîne ou de médaille qui pouvait dévier le tir, puis lui lia les mains avant de le conduire devant la muraille.

Tristan comprit quand il sentit les pierres bosselées du mur s'enfoncer dans son dos. Le peloton était déjà en place, arme au pied. Il pensa au tableau de Goya – *El Tres de Mayo* – qu'il avait contemplé à Madrid un jour de printemps, à ces corps convulsés, hachés par les balles. Les morts étaient espagnols et les balles françaises, mais le peloton d'exécution, à travers les siècles, était toujours le même, impassible et muet. Il regarda le fossé couleur de cendre. Il n'avait jamais envisagé de mourir face contre terre. Le sergent claqua des talons et déplia un bandeau noir. Tristan refusa. On lui ôtait la vie, on ne lui volerait pas sa mort. Il voulait la voir en face. Le sous-officier pivota comme à la parade et rejoignit le peloton.

Un premier ordre fusa.

Les soldats épaulèrent.

Le second retentit, mais Tristan ne l'entendit plus.

Son corps rebondit sur le mur, puis roula dans le fossé.

Il se réveilla quand on lui détacha la chemise du corps, juste avant de hurler. La bourre des balles avait carbonisé le tissu avant de le mêler à la chair.

— Vous voilà comme le Christ, annonça la voix ironique de Weistort, frappé de stigmates.

Tristan porta instinctivement la main à sa poitrine, mais une pelletée de terre lui noircit le visage. Il toussa et ouvrit les yeux. Juste à côté de lui, un soldat creusait un trou.

— Ne vous inquiétez pas, on ne va pas vous enterrer vivant.

La chemise enlevée, on lui ôtait rapidement ses chaussures. Tristan reconnut le sergent qui avait dirigé le peloton d'exécution.

— Vous faites quoi ? balbutia-t-il.

— On achève de vous tuer, répondit calmement l'Oberführer, pour l'instant tout le monde vous croit mort. Les soldats qui vous ont tiré dessus et les habitants qui ont entendu les détonations. Mais ce n'est pas suffisant. Votre pantalon, enlevez-le.

Sans comprendre, Tristan s'exécuta. La douleur le rattrapa aussitôt. Il avait quatre trous ronds dans la poitrine.

— Des balles d'exercice. Le sergent en a chargé les fusils. Ça brûle, ça saigne, parfois ça suppure, mais on n'en meurt pas.

Tristan eut un haut-le-cœur. Une odeur immonde se répandait. Ce n'est pas possible. Une de ces maudites balles avait dû le traverser et il pourrissait déjà de l'intérieur.

— C'est vrai qu'*il* commence à sentir, reconnut Weistort, mais comme *il* est dans le coffre depuis au moins deux heures.

Le Français crut qu'il devenait fou.

— Regardez au-dessus de vous.

Sur le rebord du fossé, une main pendait immobile, assaillie par une nuée bourdonnante de mouches.

— Nous l'avons ramassé sur la route. Sans doute, un prisonnier exécuté à la va-vite. À peu près votre âge, presque votre taille, même couleur de cheveux et il a deux balles dans le cœur. Il suffira d'en rajouter deux autres.

Déjà, le sergent était en train d'habiller le cadavre avec les vêtements de Tristan.

— N'oubliez pas de nouer les lacets.

Tristan était maintenant debout adossé à la paroi du fossé. La tête lui tournait, mais autour de lui la mécanique SS continuait sa dynamique implacable. Le trou avait pris la forme d'une tombe et le cadavre avait l'apparence de Tristan. L'Oberführer tendit de faux papiers du Français au sergent. Du sang avait noirci la photo d'identité.

— Glissez-les dans la poche arrière du pantalon et finissez le travail.

Le sous-officier recula, épaula et tira deux fois en pleine poitrine.

— Maintenant, vous êtes mort, annonça Weistort.

Ahuri, Tristan vacilla.

— Je vais vous expliquer ce qui va se passer. Dans une heure ou deux, les habitants vont se précipiter ici. Bien sûr, ils vont sortir le cadavre du fossé et lui faire les poches. Et quand ils verront qu'il s'agit d'un étranger, ils seront tétanisés de peur et préviendront aussitôt la Guardia Civil.

La suite, Tristan la devinait. L'exécution constatée, l'information serait transmise à l'ambassade française de Madrid. Dans moins d'un mois, il serait mort. Officiellement. Définitivement.

— Vous n'existez plus, annonça Weistort, il va falloir vous y faire.

Le soldat, qui venait de recouvrir hâtivement la tombe, ouvrit un sac à dos et tendit au Français un uniforme vert-de-gris. Encore abasourdi, Tristan enfila la vareuse. Le tissu rêche, quand il entra en contact avec ses blessures, lui fit lâcher un cri. Mélange de douleur et d'impuissance. Décidément, il n'avait ressuscité des morts que pour chuter en enfer.

Une voiture était garée à l'ombre d'un bosquet d'arbres couleur de poussière. Le sergent venait d'ouvrir les portières. Il portait son pistolet de service, glissé juste sous la boucle de son ceinturon, la crosse tournée vers la droite. Prête à être saisie. Weistort fit signe au Français d'avancer.

— Nous partons. La route est encore longue jusqu'à la frontière.

Deux fanions à croix gammées ornaient le capot de la voiture juste au-dessus du phare. Tristan était assis à l'arrière à côté du sous-officier qui ne le quittait pas des yeux. À la vue de l'emblème nazi, les barrages de contrôle le long de la route se levaient comme par miracle. Certains officiers espagnols poussaient même la servilité ou l'admiration à exécuter le salut nazi auquel Weistort répondait d'une main négligente. À l'entrée de Gérone, on lui avait même tendu une photo d'Hitler, découpée dans un journal de propagande. Il avait dû la toucher comme une relique.

— L'Église catholique a trop d'influence dans ce pays, elle l'a condamné à la superstition, le fanatisme des imbéciles. Vous êtes croyant, Tristan ?

— Pas en ce moment.

Weistort éclata de rire.

— Vous devriez pourtant, n'avez-vous pas ressuscité des morts ? Sans compter que vous êtes en train de vous réincarner dans la peau d'un soldat allemand. Une véritable promotion.

— Pourquoi ne m'avez-vous pas tué ?

— Parce que j'ai le respect de l'intelligence et que la vôtre peut servir la cause de la Grande Allemagne.

Tristan n'insista pas. Ils venaient de s'arrêter dans un village aux ruelles étroites dont les façades semblaient se toucher. Malgré l'ombre, la chaleur était suffocante. Le chauffeur ouvrit le capot pour rafraîchir la mécanique et chercher un peu d'eau. Une porte claqua et une jeune femme apparut, une corbeille en osier sous le bras. Elle se dirigeait vers le lavoir. Ses espadrilles frappaient le pavé avec sérénité. Ni la chaleur, ni les soldats ne paraissaient la troubler. Elle semblait le cœur de la ville qui battait enfin. Elle longea la voiture. Tristan entendit le murmure soyeux de sa robe frôler la carrosserie. Il ferma les yeux pour prolonger le plaisir de cette musique de la chair. Depuis combien de temps n'avait-il pas rêvé d'une femme ? Le rythme des espadrilles s'estompait, mais pas l'espoir qu'il avait fait naître. Il existait un autre monde que celui des cadavres jetés au bord des routes, des prisons où l'on hurlait sous les coups et il l'avait oublié. Brusquement, il se sentit plein d'avenir, de promesses, de fleurs légères, mais lourdes de fruits à venir. Le capot claqua. Une légère vapeur montait du moteur. Tristan se demanda s'il n'avait pas eu une vision. Dans les temps mythiques, les déesses disparaissaient ainsi dans un courant de brume. Weistort s'impatientait :

— Nous pouvons repartir ?

Le chauffeur claqua des talons avant de répondre :

— Tout de suite.

La voiture redémarra. Sitôt sorti du village, la masse bleutée des Pyrénées fit son apparition. Déjà les derniers champs d'oliviers s'étageaient en terrasses le long des collines de plus en plus hautes et rocailleuses. Des forêts de pins montaient à l'assaut de la croupe grise des falaises. La frontière avec la France se rapprochait.

— Combien avant la douane ?

Le sergent déplia une carte, suivit du doigt une route qui sinuait entre les taches vertes des forêts avant de s'arrêter sur un pointillé hachuré de rouge.

— Deux heures, Oberführer.

Weistort se retourna vers Tristan. De profil, sa ressemblance avec un oiseau de proie était saisissante.

— Juste avant la frontière, nous vous remettrons des papiers militaires allemands. Vous aurez un nom et un grade. Si on vous interroge, je répondrai pour vous, mais ensuite vous vous débrouillerez puisque vous parlez l'allemand. Et maintenant que tout est réglé… Direction Montségur !

DEUXIÈME PARTIE

« Je me souviens de la secte anabaptiste
de Knipperdolling, à Münster.
Là, comme dans le Troisième Reich,
des idées romantiques de salut, des cruautés,
un altruisme religieux, s'unissent
à de grotesques bizarreries.
Le dévouement se mêle à la brutalité,
une obéissance débridée s'associe
à un dilettantisme enthousiaste
dans cette fresque d'une communauté,
qui au XVIe siècle, conduisit une petite ville
de Westphalie au bord de la ruine et au XXe,
précipita le monde dans le chaos. »

Albert Speer, architecte d'Adolf Hitler
et ministre de la Production du Reich.
« Propos sur le nazisme », in *L'Empire SS*,
Robert Laffont, 1982.

17

Wewelsburg
Westphalie
Mai 1941

La masse sombre du château se détachait à peine dans l'obscurité qui envahissait la campagne. En venant du nord, on ne distinguait que l'élan d'une tour ronde dont le sommet vaguement crénelé semblait se perdre dans le ciel. En cette nuit froide, les étoiles avaient disparu sous le roulement des nuages fuyant vers les solitudes de l'Est. Si ce n'était le ronronnement entêtant de la voiture et l'éclat blafard des feux, on se serait cru revenir à un autre âge, celui des chevaliers errants et des loups affamés. Un bref écart déporta la voiture vers la bordure du fossé, une colonne d'hommes venait d'apparaître dans la lumière. Vêtus de simples chemises, malgré la froidure de ce printemps, ils marchaient en rang silencieux, escortés par des gardes à cheval. L'officier, assis près du chauffeur, se retourna.

— Ce sont des détenus du camp de Niederhagen, ils travaillent à la restauration du château. Un ordre du Reichsführer pour accélérer les travaux.

Les jambes croisées, les mains immobiles sur le genou, Erika von Essling ne répondit pas. Elle regardait défiler cette cohorte d'hommes au regard éteint qui marchaient comme des somnambules.

— Ainsi, reprit l'officier d'une voix enthousiaste, même les déviants, politiques ou raciaux, participent à l'effort collectif, à l'édification de notre Grand Reich.

Tout en parlant, il jetait un regard curieux à la jeune femme dont il tentait de deviner les formes sous son strict tailleur gris. Il lissa son col pour qu'elle remarque les deux S au reflet d'argent, mais rien n'y fit. Depuis le début du voyage, elle était restée quasiment muette.

— Quand arrivons-nous ?

— Dans moins de cinq minutes.

Il tenta de deviner l'entrée du château au bout du chemin. Au moins, là-bas, il retrouverait ses camarades SS et avec eux pourrait enfin redevenir lui-même. Depuis qu'il avait pris en charge cette… Comment déjà… Ah oui, une archéologue, il se sentait oppressé, lui qui avait combattu en première ligne en Pologne et en France ! En fait, il se sentait comme réduit à néant par l'indifférence de cette femme. Pour elle, il n'existait pas : il était semblable à ses ancêtres paysans, anonymes de père en fils, tout juste bons à cultiver un misérable lopin de la terre des nobles. Elle, en revanche, faisait partie de la race des seigneurs. Son nom de famille avait résonné sur tous les champs de bataille de l'Europe depuis dix siècles avant de devenir l'un des fers de lance de l'industrie allemande.

— Nous arrivons.

Erika se pencha vers la vitre. Une haie de flambeaux encadrait le pont dormant qui ouvrait sur la cour d'honneur du château. La voiture ralentit avant de s'engager.

— Arrêtez, je préfère entrer à pied.

Le chauffeur stoppa aussitôt tandis que l'officier se précipitait pour ouvrir la portière. La jeune femme nota qu'il en profitait pour jeter un œil trouble sur ses jambes. Décidément, ces SS, qui se prenaient pour la nouvelle élite de l'Allemagne, manquaient d'élégance. Et ce n'était pas leur uniforme noir rutilant et leurs bottes aussi brillantes qu'un miroir qui changeraient son point de vue.

— Puis-je vous demander pourquoi vous êtes, euh, archéologue, c'est ça ?

Elle eut un sourire dédaigneux. Combien de fois lui avait-on posé cette question ! Fouiller un site, établir un relevé, publier un compte rendu, pour beaucoup, ça semblait impensable pour une femme. Surtout à une époque où la virilité s'affichait partout à grands coups de pas de l'oie dans les rues et de vociférations martiales dans les stades.

Archéologue… À l'âge de choisir un mari, elle avait préféré se lancer dans des études d'histoire. Sans doute, l'influence de son oncle, un grand voyageur qui lui racontait des récits fabuleux avant de s'endormir quand elle était petite. La découverte de Troie, des tombeaux des pyramides d'Égypte, les ruines mayas… Autant d'histoires magiques qui l'avaient marquée à jamais.

À l'université de Cologne, elle avait été la seule femme à étudier l'archéologie. Et comble d'insolence, elle avait raflé les meilleures notes de sa promotion.

— Vous ne m'avez pas répondu, lui fit remarquer le SS.

Ils venaient d'entrer dans la grande cour pavée du château. De nombreuses fenêtres étaient éclairées, révélant des sculptures médiévales sur la façade.

— Vous voulez vraiment savoir ce qu'est le travail d'archéologue ? Alors levez la tête. Vous voyez cette sculpture, juste à l'angle ?

— Oui, c'est une scène de chasse. Un cavalier armé d'un arc qui poursuit un sanglier.

— Sauf que ce château – il suffit de regarder la forme des fenêtres – date du XVIIe siècle et qu'il y avait bien longtemps qu'on ne chassait plus à l'arc à cette époque.

— Je ne comprends pas…

— Vous m'avez bien dit que le château était en restauration ? Je ne doute pas que votre chef, Himmler, qui a une passion dévorante pour le Moyen Âge, ait voulu le vieillir un peu, quitte à tricher avec la vérité.

— Le Reichsführer est un homme d'une immense culture, il est impossible que…

— Regardez l'arc.

Abasourdi, l'officier releva la tête.

— La corde est beaucoup trop tendue pour tirer une flèche avec précision. Impossible de toucher sa proie à un endroit mortel. On ne commettait pas ce genre d'erreur à l'époque médiévale. C'est un faux.

Ils venaient d'atteindre le grand escalier qui menait aux salles hautes.

— Mais comment savez-vous ça ?

— J'ai tué mon premier cerf, à quinze ans. Et il ne m'a fallu qu'une seule flèche.

Construit par un évêque, qui se méfiait autant de ses paysans que des nobles voisins, le château avait été bâti pour imposer la peur. À l'extérieur, par ses trois tours grises et menaçantes, à l'intérieur par des coursives interminables, des pièces glaciales et des escaliers étroits qui se perdaient dans l'obscurité. Une partie seulement du château était restaurée et servait de salles de cours aux cadres de la SS. Les couloirs, d'ailleurs, débordaient de mèches blondes, d'uniformes noirs et de bottes en cadence. Une fourmilière affairée, disciplinée, qui rendait plus étouffante encore l'atmosphère déjà confinée des lieux.

— Ici, nous formons l'élite de l'Allemagne future, pure racialement et sûre idéologiquement. Les meilleurs éléments de l'Ordre apprennent ici les vérités essentielles à la supériorité germanique.

— L'Ordre ? reprit Erika, surprise.

— Bien sûr ! Nous sommes un véritable ordre de chevalerie comme l'étaient avant nous les chevaliers teutoniques et les compagnons de la Table ronde.

L'archéologue secoua la tête.

— Vous savez que les chevaliers du roi Arthur n'ont jamais existé ? Que c'est une fiction inventée par un moine français ? Il n'y a aucune preuve historique…

Le jeune officier montra une salle de cours où des élèves prenaient des notes sous un portrait d'Adolf Hitler.

— Nous avons ici les meilleurs spécialistes en littérature et en histoire. Je suis sûr qu'ils prouveront que le roi Arthur a vraiment existé et qu'il était, bien sûr, d'ascendance germanique.

Erika ne répliqua pas. Désormais, il lui tardait que cette visite prenne fin.

— J'ai été conviée par le Reichsführer. Voilà une demi-heure que nous visitons ce... Pensionnat. Je ne voudrais pas le faire attendre.

L'officier consulta sa montre.

— C'est Himmler, lui-même, qui a décidé de ce programme de visite. Il tenait à ce que vous voyiez vous-même cette jeunesse qui est l'avenir de la SS, ces hommes qui...

Une porte, dans le couloir, s'ouvrit brusquement. Encadré par deux soldats, un détenu balbutiait dans une langue étrangère, la bouche pleine de sang. À ses vêtements, Erika reconnut un des travailleurs forcés croisés sur la route.

— Certains sont assez fous pour tenter de s'échapper, commenta l'officier, mais ne vous inquiétez pas, les SS savent régler ce genre de problème. Descendez-le dans la crypte.

Puis il se tourna vers Erika en souriant.

— Je suis certain que le Reichsführer sera ravi de vous convier au spectacle de sa mort.

18

France
Roussillon
Mai 1941

Le poste frontière ressemblait à une maison de vacances avec des géraniums aux fenêtres et des volets fraîchement repeints en vert. Un douanier fumait une cigarette près de la porte d'entrée, profitant de l'ombre de l'auvent tandis que son collègue inspectait nonchalamment une charrette chargée de bois. Ni la défaite tragique du mois de juin 1940, ni les milliers de réfugiés républicains qui avaient franchi la frontière à la fin de la guerre civile, ne semblaient avoir laissé de traces, l'administration française, imperturbable, ronronnait comme un chat qui fait le gros dos au soleil. Après tout, de la Loire à la Méditerranée, le sud de la France avait échappé à l'Occupation, un privilège quand tant de pays d'Europe subissaient l'empreinte sanglante de la botte nazie.

Exaspéré de la lenteur du contrôle, le chauffeur klaxonna, mais sans s'attirer la moindre réaction. À croire que les douaniers, jouant l'indifférence, prenaient un malin plaisir à faire poireauter la voiture allemande. Tristan sourit intérieurement. La résistance commence toujours dans les détails.

— C'est intolérable, Oberführer, s'exclama le chauffeur, ils se foutent de nous.

Le fonctionnaire, qui avait fini sa cigarette, s'approcha d'un pas volontairement lent et tendit silencieusement la main pour réclamer les papiers. Derrière le volant, le garde bouillait d'impatience.

— Ni un salut, ni un mot, c'est une provocation !

Sa vexation vira à la stupéfaction quand le douanier sortit une loupe de sa poche et entreprit de scruter une à une chaque page des documents. Tristan baissa la tête pour qu'on ne le voie pas sourire. Seul Weistort restait impassible, comme si le spectacle ne le concernait pas.

— Nous sommes en mission officielle ! explosa le chauffeur. Urgent, pressé, vous saisissez ?

Le fonctionnaire porta la main à son oreille en signe d'impuissance. Ce n'était pas sa faute, il ne comprenait pas la langue. Et il revint deux pages en arrière comme s'il voulait vérifier un détail qui lui avait échappé. Puis sans prévenir, il tendit les papiers, tourna les talons et fit lever la barrière. La voiture démarra en trombe pour filer en direction de Montségur.

— J'ai une question qui me taraude, lança Tristan, comment êtes-vous arrivé sur la piste du tableau de Montserrat ?

Weistort caressa sa cicatrice avant de répondre.

— Comme vous êtes déjà mort, je peux vous le dire, nous avons mis la main avant la guerre sur un livre étonnant, le *Thule Borealis Kulten*. La tradition veut qu'il ait été écrit par l'empereur Frédéric Barberousse. À l'intérieur, se trouvait une représentation du tableau que vous avez volé. Avec une indication géographique : *Montser*.

— Si j'avais su que ce tableau allait me causer autant d'ennuis, ironisa Tristan, j'aurais fait comme les autres, j'aurais volé un ciboire ou un reliquaire.

— Vous devriez plutôt remercier votre intuition, sinon je ne vous aurais jamais sauvé de la corrida de la mort…

Depuis la frontière, le paysage avait changé. La voiture roulait entre des collines recouvertes d'un épais manteau de chênes verts, et de hauts sommets grisâtres que caressaient des lambeaux de nuages.

— Nous voilà en pays cathare, annonça Weistort, alors que savez-vous de Montségur ?

— Que le château était le centre d'une hérésie médiévale, le catharisme ; qu'il a été assiégé et conquis par des croisés venus du Nord ; que cette hérésie a disparu dans les massacres et les bûchers. Comme des dizaines d'autres pendant cette époque. Rien d'exceptionnel.

— Vous vous trompez, reprit le SS, les tenants de cette hérésie ont été une menace terrible pour l'Église catholique.

— Pourquoi ?

— Parce que ces cathares se prétendaient plus proches de Dieu que les prêtres incultes et les évêques couverts d'or de l'époque. Ils refusaient l'autorité du clergé, de payer la dîme, d'assister à la messe, de se confesser, de communier… Pour eux, l'Église était un obstacle entre l'homme et Dieu. Un obstacle qui devait disparaître.

— Ils n'ont pas dû se faire que des amis.

— Oui, d'autant que leur mouvement s'est répandu comme une tache d'huile de Montpellier à Bayonne, des Pyrénées à la Dordogne. Aussi bien chez les paysans, affamés par les impôts levés par l'Église, que les nobles, en conflit constant avec un clergé ignorant et cupide. Bref, au début du XIIe siècle, c'est tout le Sud de la France qui a basculé dans l'hérésie.

— Et comment a réagi l'Église catholique ?

— D'abord en envoyant des « figures emblématiques », comme saint Bernard et saint Dominique, pour tenter de regagner la foi des populations. Mais ce fut un échec retentissant. Et pour bien signifier aux catholiques qu'ils n'avaient plus rien à faire ici, en 1242, des chevaliers cathares ont assassiné le légat du pape. Quelques mois plus tard, le siège était mis devant Montségur.

— Mais pourquoi ce château précisément, ce ne devait pas être le seul acquis à la cause hérétique ?

— Effectivement, il y en a bien d'autres, plus vastes comme Peyrepertuse, mieux défendus comme Queribus… Et pourtant c'est à Montségur que tous les dignitaires cathares ont décidé de se réfugier. Il y avait sans doute une raison secrète… Et qui l'est restée.

— Le siège a duré longtemps ?

— Dix mois, ce qui est exceptionnel, mais la situation géographique du château, à plus de mille deux cents mètres d'altitude, le rendait quasi inexpugnable.

Il a fallu plus de six mille hommes – un nombre considérable à l'époque – pour en venir à bout. D'ailleurs…

La voiture venait d'atteindre un plateau vallonné d'où émergeaient les toitures ocre d'un village enfoui dans le creux d'une vallée. Mais ce qui frappa Tristan, ce fut l'ombre. L'ombre immense qui tombait sur l'herbe rase des prés et les sentiers dégoulinant de cailloux. Il leva la tête. Une montagne se dressait, comme une lance pointée vers le ciel. Au sommet, entre les déchirures des nuages, pointait la couronne mutilée d'une muraille.

La voix de Weistort résonna dans la voiture :

— Montségur !

19

Wewelsburg
Mai 1941

Le prisonnier avait disparu, emporté par ses gardes. Une traînée de sang serpentait sur le parquet. L'officier ne lui accorda qu'une phrase.

— Une femme de service va nettoyer, maintenant si vous voulez bien me suivre.

Ils empruntèrent un couloir dans un silence hostile. Les salles de classe avaient laissé place à des vastes salons décorés dans le goût médiéval. Par l'embrasure des portes, Erika apercevait tantôt des cheminées gothiques, des stalles en bois ciré ou une collection d'armures en acier éclatant, mais ce qui frappait le plus, au milieu de tous ces souvenirs du Moyen Âge, c'était l'omniprésence des crânes, le symbole fétiche de la SS.

— Le musée des Origines est une décision personnelle du Reichsführer, qui a souhaité que soient rassemblés au Wewelsburg les témoignages les plus éclatants de notre longue histoire et de notre suprématie à travers les âges.

Erika évita de rappeler qu'à l'époque où Rome édifiait des forums, des temples et des thermes, les Germains, eux, vivaient encore dans des huttes de bois au fin fond des forêts. Le visage grave, l'officier s'inclina pour la laisser passer. Elle entra dans ce qui avait dû être la chapelle du château, mais d'où avait été extirpé tout souvenir religieux. Désormais, à la place des bénitiers et de l'autel, s'élevaient de hautes vitrines, brillamment éclairées, dont le contenu aimanta aussitôt le regard de l'archéologue.

— Tous les objets ici exposés proviennent des fouilles accomplies par l'Ahnenerbe – l'organisation de recherches historiques de la SS – partout dans le monde, du Tibet à l'Irak, de la Scandinavie aux îles Canaries.

— Ah, Frau von Essling, les îles Canaries, prononça une voix étonnamment métallique, savez-vous que nous y avons trouvé des merveilles ?

Erika se retourna vers l'entrée. Une fine silhouette se tenait dans l'encadrement. Heinrich Himmler venait de faire son apparition. Les épaules étroites et les jambes grêles, il semblait servir de cintre à son uniforme.

— En 1939, continua le Reichsführer en prenant le bras d'Erika, une équipe de l'Ahnenerbe a été envoyée dans les Canaries. Un succès absolu. Savez-vous que nous avons trouvé des inscriptions runiques au cœur de l'île, preuve d'une civilisation viking ?

— Une découverte inattendue, commenta Erika, prudente.

— Pas une découverte, mais une confirmation, Frau von Essling. J'étais certain que les habitants des Canaries étaient de purs aryens.

— Comment ça, *certain* ?

Himmler sourit derrière ses lunettes rondes cerclées d'argent.

— Avez-vous remarqué que les îles Canaries ne sont en fait que des montagnes qui émergent de l'océan Atlantique ?

— Certes…

— Eh bien, c'est sur ces montagnes abruptes qu'ont survécu les rescapés du plus grand raz-de-marée de l'histoire.

— Mais lequel ?

— Celui qui a submergé l'Atlantide et…

Un cri de bête traquée retentit. Le prisonnier, pensa Erika. Impassible, Himmler continua :

— … Un autre continent mythique, plus au nord : Hyperborée. La mère patrie de la race aryenne. Une civilisation sans égale que nous allons ressusciter. En attendant, faites-moi le plaisir de me suivre jusqu'à la tour Nord.

C'était la première fois qu'Erika rencontrait le Reichsführer à la différence de ses parents. Son père en particulier l'avait vite repéré parmi les trublions qui s'agitaient autour d'Hitler. Flatté d'être ainsi reçu dans la haute société, comme Goering, Himmler avait, par la suite, toujours soutenu les intérêts de la famille von Essling. Une faveur dont Erika craignait désormais que le Reichsführer ne lui présente la note.

— Vous êtes une archéologue réputée, Frau von Essling. J'ai lu certains de vos rapports de fouille, ils dénotent un savoir-faire impressionnant même si leurs résultats ne vont pas toujours dans le sens idéologique que nous défendons.

— L'archéologie ne fait pas de politique.

— En histoire, dès qu'on interprète, on fait de la politique. Mais ne parlons plus de cela, je vous ai réservé une surprise. Entrez.

Erika pénétra dans une salle ronde ornée de colonnes massives qui formaient comme un déambulatoire. Éclairé par des torches qui projetaient des ombres torturées sur la voûte, le lieu avait tout d'une grotte secrète préparée pour un rituel de l'ombre.

— Vous qui êtes un spécialiste de l'époque médiévale, avez-vous déjà vu pareille architecture ?

L'archéologue hocha la tête.

— Oui, dans certaines chapelles, surtout les plus anciennes, on retrouve ce type d'arcade circulaire autour de l'autel. Une manière d'isoler un espace sacré à l'intérieur même de l'église.

Derrière ses lunettes, le regard d'Himmler pétilla.

— Je vois que vous connaissez parfaitement votre sujet, mais savez-vous d'où vient vraiment cette tradition ?

Erika frissonna. Elle avait froid et elle ne parvenait pas à chasser de son esprit le hurlement qu'elle avait entendu.

— D'un point de vue archéologique, il y a plusieurs hypothèses. Ainsi, on peut retrouver ce type de cercle sacré dans des grottes préhistoriques.

Secouant la tête, Himmler l'interrompit :

— Pour l'Ahnenerbe, il n'y a qu'une seule origine possible : ce sont des cromlechs celtiques, ces galeries de pierre circulaires, comme celles de Stonehenge, qui célébraient le culte de l'énergie vitale, née des noces de la terre et du ciel.

Erika préféra ne pas préciser que quand les premiers Celtes étaient apparus en Angleterre, les pierres levées de Stonehenge avaient déjà vu passer plusieurs siècles.

— Maintenant regardez le dallage.

Au centre de la pièce, un étrange motif était gravé en marbre vert. Erika n'en avait jamais vu de semblable. Des éclats de foudre semblaient jaillir d'un centre nébuleux, irradiant tout sur leur passage. À moins que ce ne soit des racines évadées de la nuit de la terre… En tout cas, une étrange intensité s'échappait de ce symbole.

— Aucun symbole n'existe, si on ne lui donne de la puissance, dit le chef SS. Regardez notre croix gammée, pour qu'elle règne aujourd'hui sur l'Europe, il a fallu l'abreuver du sang des morts. D'ailleurs vous allez voir.

Himmler traversa la salle vers une porte qui s'ouvrait dans le mur, dévoilant un escalier en colimaçon. Erika s'engagea à la suite du Reichsführer pour découvrir une haute salle illuminée par un bûcher.

— Ce feu ne s'éteint jamais, il est le symbole de la puissance des SS : le brasier qui doit purifier le monde.

Le visage rougi par la danse effrénée des flammes, Himmler ressemblait à un spectre jailli des profondeurs de l'enfer. D'un coup, Erika comprit comment cet homme pouvait faire peur jusqu'à Goering.

— Mais le feu pour vivre a besoin de dévorer sans cesse. Et nous, nous devons le nourrir.

Jusque-là immobiles dans un recoin du mur, les deux gardes surgirent avec leur prisonnier, les yeux blanchis de peur.

— Un Polonais, commenta Himmler, l'inutile fait homme. Mais sa mort, elle, va servir à quelque chose. Allez-y.

Les yeux subitement fermés, Erika entendit un grésillement infect, suivi d'une odeur ignoble de graisse brûlée. Elle était dégoûtée jusqu'au plus profond de son âme par le spectacle horrible auquel on l'avait conviée. Elle se garda pourtant de manifester son aversion.

— Nous pouvons remonter, annonça le Reichsführer. Le feu va faire son œuvre salvatrice.

À l'étage, Himmler prit Erika par le bras et la conduisit au centre de la salle.

— Maintenant, écoutez-moi bien : il y a mieux que la mort pour acquérir la puissance, car il existe des objets qui, durant des siècles, se sont nourris de la douleur des hommes.

L'archéologue le fixait d'un air égaré. Elle avait l'impression d'entendre un moine médiéval lui parler du pouvoir des reliques, de ces os de saints qui avaient souffert le martyre, du bois de la croix où le Christ avait été crucifié...

— Croyez-moi, en certains hauts lieux, la ferveur et la souffrance se sont métamorphosées en objet de pure puissance.

Himmler abaissa son regard vers le signe gravé dans le sol.

— Voici le soleil noir de la SS, qui catalyse aussi bien les forces telluriques que les énergies magnétiques, mais pour l'alimenter, j'ai besoin d'une relique de feu et de sang…

Erika contemplait, fascinée, ce symbole insolite dont les veines vertes entrelacées lui faisaient désormais penser à un nid ondulant de serpents.

— … Et vous allez la trouver pour moi.

20

France
Montségur
Mai 1941

Le soleil commençait à perdre de sa superbe. Il quittait le haut du ciel pour entamer sa chute vers l'horizon. Déjà la lumière n'atteignait plus certains fonds de vallée d'où remontaient des lambeaux de brume. Par moments, une haleine glacée d'humidité vous saisissait aux chevilles comme une main sortie de terre. Sous sa vareuse d'uniforme, Tristan frissonna. Il n'avait jamais aimé la montagne. Ses masses de pierres désespérément grises, ses herbages dégoulinant d'eau semblaient appartenir à un monde dont il était exclu. Ils venaient de quitter la voiture, garée sur un terre-plein fraîchement nivelé. Un sentier, martelé par le passage des troupeaux, montait à travers un champ à l'herbe rase.

— Le *prats dels cremats*, annonça Weistort qui, durant la détention de Tristan à Castello, avait eu le temps de se documenter. Le 16 mars 1244, les troupes catholiques prirent possession du château. Tous ceux qui renièrent l'hérésie eurent la garantie d'une vie sauve, mais ils ne furent qu'une poignée : pour l'essentiel, des soldats épuisés par des mois de siège et pressés de quitter cet enfer.

— Et les autres ?

— Ils refusèrent de renier leur foi. En tout deux cent vingt personnes que l'Église décida de brûler collectivement. Ici, dans ce pré. Les assiégeants édifièrent une enceinte de pieux qu'ils remplirent de fagots avant d'y enfermer les condamnés. Et d'y mettre le feu. On dit que l'odeur fut insoutenable.

Ils venaient d'atteindre la lisière du champ. De hauts buis montaient à l'assaut de la colline en rangs serrés. Le sentier se limitait à une trace serpentant à travers les rochers. À chaque instant, on manquait ou de glisser sur la terre humide ou de trébucher sur un affleurement de calcaire.

— Vous imaginez, les soldats du pape, les croisés, suant sous leur cotte de mailles, à moitié aveugles sous leur casque à visière, monter à l'assaut de ce rempart de pierre ? Il suffisait d'une seule flèche ou d'un carreau d'arbalète pour les clouer au sol.

Le souffle court, Tristan venait de lever les yeux. On ne voyait toujours pas le château. La montée était éprouvante, le visage et le corps flagellés par les buis. Il fallait s'accrocher à tout ce qui dépassait pour ne pas dégringoler. Il avait les mains en sang à force de se retenir à des branches râpeuses ou des ronces acérées.

— Si le château est imprenable, comment est-il tombé ?

— Retournez-vous.

Le paysage s'étendait à des kilomètres avant de buter sur les contreforts des Pyrénées. Un dédale de vallées obscures, de bois touffus, de plateaux sans fin.

— Après les premiers assauts, les croisés ont décidé d'encercler le site du château pour interdire tout ravitaillement et tout secours. Sauf que la ligne de siège s'est vite révélée ouverte aux quatre vents. Une passoire telle que les assiégeants n'ont jamais connu la faim ni la soif. Le siège aurait pu durer des années.

Ils venaient de sortir des broussailles. Désormais la pente montait, nue et rocailleuse, jusqu'au pied du château. Le Français s'arrêta, étonné. Il ne reconnaissait rien du tableau.

— Si vous cherchez les premières lignes de protection, comme dans le tableau ou la miniature, il n'y a rien, ni mur de défense, ni barbacane.

— Ou il n'en reste rien, rectifia Tristan, vu la raideur de la pente, en pratiquement sept siècles, les constructions ont largement eu le temps de s'effondrer et de disparaître. Il faudrait fouiller plus bas, dans le bois de buis, pour voir s'il n'y a pas des accumulations de pierres, certaines taillées, d'autres avec des restes de mortier. Ainsi, on pourrait confirmer la véracité du tableau.

— Je vois avec plaisir que vous commencez à collaborer avec nous.

— Ai-je le choix ?

— Absolument pas.

— Ça ne me dit toujours pas comment Montségur est tombé ?

Weistort s'était arrêté pour reprendre son souffle. Il désigna un rebord abrupt à droite du château.

— Cette avancée-là, les assiégés ne l'avaient pas fortifiée, car elle tombait à pic sur trois côtés. Aucun risque. Sauf que les croisés ont engagé un groupe de mercenaires basques. Des hommes qui ne connaissaient pas le vertige. Ils ont escaladé une des parois pendant la nuit, pris pied sur cet éperon, puis tenu cette position le temps d'installer un trébuchet[1].

Tristan imaginait le château sous le bombardement incessant de boulets de pierre ravageant les murailles, effondrant la tour.

— Les hérétiques ont tenu trois mois, puis ils se sont rendus.

La base du château se faisait de plus en plus proche. On distinguait, au centre de la muraille, orientée vers le sud, une large ouverture donnant sur une plateforme en bois. Sur cette terrasse se tenaient deux soldats allemands qui scrutaient le paysage à la jumelle.

— Nous sommes en zone libre, s'insurgea le Français, que font des militaires ici ?

— Nous avons passé un accord de coopération avec le gouvernement de Vichy. Coopération en matière scientifique, archéologique… les chercheurs allemands peuvent ainsi procéder à des études de terrain à Carnac, aux Eyzies…

1. Catapulte à contrepoids, employée pour la destruction des murs, par jets de pierre. Certaines pesaient jusqu'à 100 kilos.

Ainsi les Allemands fouillaient aussi bien les grottes préhistoriques du Périgord que les mégalithes de Bretagne. Mais que cherchaient-ils ?

— Montségur a été classé zone spéciale de recherche. Une unité discrète de l'armée protège le site. Et une équipe d'archéologues va arriver demain.

Les derniers mètres de la montée étaient les plus rudes. Tristan, affaibli par des mois de détention, sentait ses jambes se dérober et son esprit s'angoisser. Depuis le pillage de Montserrat, il ne contrôlait plus sa vie. Il devenait le prisonnier d'un destin décidé par d'autres. À côté de lui, Weistort montait d'un pas alerte, le sourire aux lèvres. C'était lui le vivant, pas Tristan. Il était devenu une ombre tombée au pouvoir d'un démon.

Ils venaient d'entrer dans la cour du château parsemée de blocs effondrés et de nids de ronces. Tristan eut l'impression d'entrer dans une fosse. On ne s'en apercevait qu'à l'intérieur, mais l'enceinte avait la forme d'un cercueil. Une tombe à ciel ouvert. Sur les murs dépassaient encore des pierres en saillie qui devaient servir d'escalier. Pour échapper à cette sensation d'enterrement, le Français s'engagea sur ces marches branlantes. Face à lui, au bout de la cour se dressaient les restes du donjon. De forme carrée, percé de meurtrières, il avait été arasé et ne possédait ni créneaux, ni mâchicoulis, ni vestiges de toiture. Mais surtout, posté à l'extrémité du château, il ne se situait pas du tout à la même place que sur le tableau : la tour était au centre de l'édifice, pas à une extrémité.

— C'est bizarre, ce château ne ressemble en rien au *castrum* de la peinture, s'étonna Tristan.

Weistort croisa les bras.

— Exact. Mais tous les châteaux, durant leur histoire, ne cessent d'être détruits et reconstruits. Rien ne prouve que l'édifice où nous sommes est bien celui qui a subi le siège de 1244.

Un groupe de soldats entra dans la cour en portant des caisses et des outils. Tristan redescendit les marches branlantes. Même si sa fatigue lui cisaillait toujours les muscles, ses angoisses avaient fait place à un réflexe de survie. Il était déjà mort une fois, la seconde serait la bonne. Il n'avait pas le choix, il fallait coopérer. Mais à sa façon…

Après avoir dégagé un espace à peu près plan, les soldats montaient des tentes. Tristan s'approcha. Certaines servaient déjà à regrouper du matériel de fouille, d'autres abritaient des lits de camp et des plans de travail. Une petite tente avait été dressée contre la muraille, légèrement à l'écart. À l'intérieur, une table pliante était déjà encombrée de cartes et de relevés. Une sentinelle en protégeait l'entrée. Le Français n'insista pas. Il sentait l'œil de Weistort posé sur sa nuque. Toutefois être surveillé ne l'empêchait pas de penser pour son propre compte. Il avait compté onze lits, plus celui dans la tente à l'écart qui allait sans doute héberger le chef de groupe. Donc douze personnes pour un château en ruine perdu au pied des Pyrénées. Sans compter que la plupart des soldats portaient sur leur manche l'insigne du génie :

des spécialistes de la construction de routes, de ponts… Une dizaine d'hommes capables de fouiller le moindre recoin de Montségur. Tout ça à cause d'un simple tableau…

— Accompagnez-moi jusqu'à l'avancée rocheuse du côté est. C'est là que le destin de Montségur s'est joué.

Weistort tenait à la main un plan du château. On y reconnaissait, à gauche, la forme rectangulaire du donjon avec ses meurtrières latérales, le cercle de son escalier à vis et une pièce au fond que Tristan supposa être une citerne. Comme il n'y avait ni puits, ni source visible à Montségur, les assiégés ne devaient sans doute compter que sur l'eau du ciel. L'enceinte, elle, ressemblait à un trapèze écrasé. Sans doute l'architecte avait-il dû tenir compte de l'étroitesse des lieux, en plus hérissés de rochers. Mais vue sur un plan, la forme du château rappelait celle d'un sarcophage médiéval attendant son cadavre, avec la tête de profil dans le donjon et le corps en position fœtale occupant l'enceinte. La première intuition macabre de Tristan se confirmait : ce château sentait la mort.

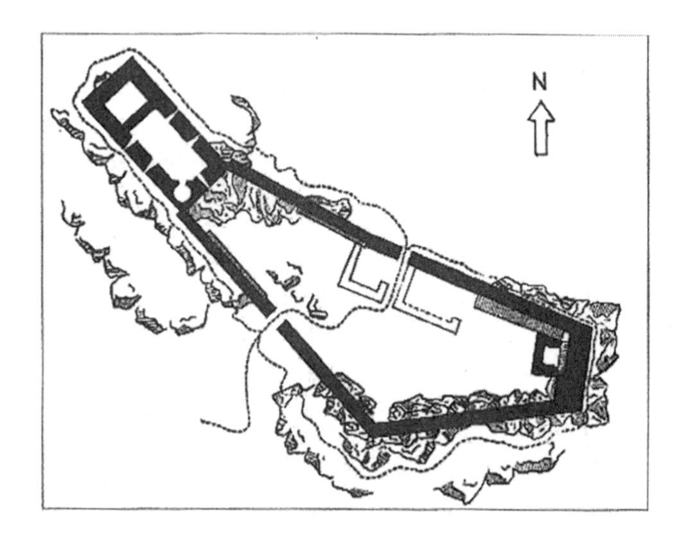

Ils sortirent par la porte sud, tournèrent sur leur gauche à travers les rochers qui semblaient pousser contre l'enceinte. Au bout de quelques mètres, la muraille bifurquait brusquement à gauche, suivant le tracé du plateau qui se réduisait d'un coup. L'avancée devenait plus difficile. Ils durent obliquer et longer le mur Est du château.

— C'est le talon d'Achille de la forteresse, car il donne sur un plateau, le SS montra du doigt un point sur le plan. Voilà pourquoi le mur a été doublé et renforcé.

Ils marchaient désormais au travers de pierres éboulées. Malgré les broussailles, on distinguait au sol des traces de fondation. Tristan ne parvenait pas à se faire une idée d'ensemble. Cet éperon rocheux, qui prolongeait le château au levant, semblait avoir été aménagé, mais avec quoi ? Des habitations, un système de défense ?

— Nous arrivons.

Un espace quasi désert surgit dans l'ombre de ce qui semblait être les pans de mur d'une tour. Weistort s'en approcha.

— C'est là que les mercenaires basques ont pris pied. Ils ont d'abord investi cette tour, tué les défenseurs, avant de se retrancher derrière un fossé protégé par une muraille qui devait se trouver…

Une voix féminine le coupa.

— Il suffit de se retourner.

Dans la lumière du couchant, se tenait une jeune femme. Vêtue d'une parka marron, ses cheveux ramenés sous un béret incliné, elle ressemblait à un braconnier en maraude. Pourtant, son regard gris, fixe et aigu, ne laissait filtrer aucune peur.

— La ligne de défense se situe entre ces broussailles. On en voit encore le tracé, même si les pierres du mur ont été abattues.

Weistort ôta sa casquette, s'inclina et claqua des talons.

— Oberführer Weistort, pour vous servir. Vous parlez parfaitement l'allemand, mademoiselle. Puis-je vous demander où vous l'avez appris ?

Le regard gris vira à l'orage.

— Ici, c'est moi qui pose les questions ! Et je n'en ai qu'une seule. Que faites-vous chez moi ?

21

Gironde
Mai 1941

Malorley termina sa dernière série de tractions sur le sol de la cour de la ferme. Il se releva en sueur, l'air frais du matin râpait ses poumons et irritait sa gorge. L'Anglais contempla les champs qui bordaient les bois aux alentours. Tout était blanc. Ce n'était pas de la neige, mais une mince couche de givre qui nappait la terre à perte de vue. Comme au fin fond du Surrey ou du pays de Galles. Il se rendait compte qu'il n'avait jamais associé le froid à la France. Avant la guerre, il traversait la Manche pour se rendre à Paris ou sur la Côte d'Azur, pas dans un coin paumé de la Gironde. Pour lui, la France se devait d'être joyeuse, ensoleillée et verte. Désormais, elle se peignait en gris et en kaki, les couleurs du désespoir, et se déchirait en deux, du lac Léman jusqu'aux contreforts des Pyrénées.

Il était enfin en France. Tous ses efforts avaient payé. Même ses mensonges. Pour convaincre le Cercle Gordon de l'aider auprès de Churchill, il avait fabriqué des faux. Les photographies des SS irradiés sur leur lit d'hôpital sortaient directement du laboratoire de falsification du SOE. Un travail d'orfèvre. Il s'agissait de soldats brûlés pendant la bataille de Belgique et hospitalisés dans une unité de campagne. Les faussaires du SOE avaient ajouté leur patte pour les faire paraître irradiés. Malorley n'était pas fier de sa supercherie, mais le document avait fait pencher la décision du comité en sa faveur. Il balaya ses pensées négatives. Seule comptait la mission et il n'avait aucun doute sur la puissance maléfique des reliques. C'était l'essentiel. Il souffla dans ses mains pour les réchauffer. L'aube allait bientôt se lever, il était temps de partir.

Malorley scruta une énième fois la route qui bordait la ferme, l'angoisse de voir débarquer les Allemands ne le quittait pas depuis son arrivée. Pourtant tout était paisible. Trop peut-être.

Il fit demi-tour et poussa la lourde porte en bois de chêne qui donnait sur la salle à manger. Une odeur de feu de bois mal éteint collait au plafond bas et aux murs épais. Les deux agents du SOE étaient attablés autour d'un solide petit déjeuner. Le propriétaire de la ferme, un colosse au visage jovial, leur servait un étrange liquide, sombre et épais, qui fumait dans les bols. Jean Vercors était un homme simple, mais aux idées arrêtées. Il détestait les Allemands contre lesquels il s'était battu en 14-18. Ancien adjudant, décoré à Verdun, il avait pris sa retraite deux ans avant le début de la guerre en 1939. À sa grande colère, son unité de réserve était restée l'arme au pied pendant l'invasion de la France. Cela faisait seulement trois mois qu'il appartenait à un jeune et maigrelet réseau de résistance, mais sa ferme avait déjà vu passer une dizaine d'agents parachutés, en transit pour les quatre coins de la France. Son frère cadet Blaise, avec qui il exploitait la ferme, jouait, lui, les passeurs.

— Réglisse, chicorée et une dose de cognac, dit le résistant d'une voix enjouée, rien de mieux pour remplacer le café et huiler les artères. Ça vous réveillerait un macchabée !

Malorley s'assit au milieu de son groupe et avala une gorgée de la mixture. Il s'abstint de faire la grimace et poussa discrètement le bol sur le côté. Une carte de France était dépliée au centre de la table. Il donna un coup de cuillère sur la table.

— Bien. Nous allons revoir les instructions. Vous connaissez notre objectif : rejoindre Toulouse.

— On a déjà répété dix fois, lança d'une voix lasse Charles, l'agent le plus âgé, à la mine sévère et aux cheveux noirs plaqués en arrière.

— Eh bien ce sera la onzième, répondit froidement Malorley. Ça vous épargnera, peut-être, d'avoir à le répéter devant la Gestapo.

Depuis qu'ils s'étaient rencontrés la veille, le courant ne passait pas entre les deux hommes. Malorley sentait une hostilité larvée chez l'agent et commençait à regretter son choix.

Il se tourna vers la jeune femme, une blonde d'une trentaine d'années, le visage ovale, au regard doux noyé derrière une paire de lunettes sans charme.

— Jane ?

— Je suis madame Henri Darcourt, votre épouse attentionnée. Nous partons tous les deux à la gare de Bordeaux afin de prendre le train pour Toulouse. Il y aura deux contrôles sur notre parcours. Le premier à la gare Saint-Jean, le second, dans le train, au passage de la ligne de démarcation.

L'ex-adjudant vint s'asseoir à son tour.

— Faites attention, les Allemands ont demandé aux gendarmes français de leur prêter main-forte à Saint-Jean. Il faudra aussi compter sur les agents en civil de la Gestapo qui pullulent comme des tiques sur la tête d'un chien errant.

Malorley hocha la tête et fixa Charles. Celui-ci prit un air agacé, puis ânonna d'une voix pâteuse :

— Je suis représentant en boîtes de conserve. Je pars en camion vers Libourne, en compagnie de Blaise, éleveur de porcs. Au passage, merci pour le trajet en compagnie de ces charmantes bestioles. Une fois en zone libre, il me laissera en gare de Mirande pour récupérer l'express en direction de Toulouse.

Malorley replia la carte tout en continuant son interrogatoire.

— Point de ralliement dans la ville rose ? Heure de prise de contact ? Mot de passe ?

— Restaurant, le Cochon Jovial, rue Bouquières, répondit Charles, d'un air sombre. Entre vingt et vingt et une heures. Un homme au fond de la salle avec un chapeau noir, bandeau en feutrine grise, posé sur la table. Phrase de reconnaissance : « on a toujours besoin d'un bon chapeau ».

La jeune femme ajouta d'une voix grave :

— Le contact doit répliquer : « même au printemps ». Si la réponse est inexacte, s'enfuir du bar et prier Dieu tout-puissant.

Charles sourit pour la première fois, Malorley, lui, demeurait impassible.

— Il n'y a rien de drôle, car cela signifie que vous avez affaire à un agent des Allemands ou un membre de la police anticommuniste de Vichy. Vous pouvez être sûrs que ses collègues vous attendront à la sortie du bar pour vous coffrer. Et sûrement vous réexpédier en zone occupée.

Charles passa la main dans ses cheveux.

— Sauf votre respect, commander, je travaillais à créer un réseau important quand on m'a demandé de vous rejoindre. Puis-je connaître l'objectif de notre mission ?

Malorley répondit d'une voix glaciale :

— Non. Si vous vous faites arrêter par la Gestapo, je ne veux pas que vous puissiez compromettre l'opération. Une fois tous réunis à Toulouse, je vous donnerai de nouvelles instructions sur l'objectif. D'autres points à éclaircir ?

Les visages se fermèrent définitivement. Le ton sans appel du commander avait refroidi l'atmosphère. Le propriétaire de la ferme se leva et annonça :

— Allez les amis, il faut y aller. Monsieur et madame Darcourt, je vous emmène moi-même à la gare Saint-Jean pendant que Blaise s'occupera du vendeur de boîtes de conserve.

Le camion bâché roulait à petite allure sur la départementale sinueuse en direction de Langon. À l'arrière, la dizaine de porcs, compressés au milieu de caisses de livraison, ne cessaient de couiner à la mort. Une odeur pestilentielle imprégnait jusqu'à l'habitacle du conducteur. Charles jetait des coups d'œil à la dérobée à Blaise, le passeur à la casquette vissée sur sa tête déjà déplumée.

— Il pue vraiment votre camion, c'est une horreur, dit Charles d'un air pincé.

Le paysan sourit avec roublardise.

— Oui, c'est exactement ce que disent les Allemands quand ils nous contrôlent. Ça les empêche de découvrir les caches où on transporte les munitions pour le réseau.

Malgré le danger, le frère de l'ancien adjudant semblait totalement détendu.

L'agent sortit un paquet de gauloises et le tendit au chauffeur.

— Non merci, je ne fume pas, répondit Blaise. On est à une demi-heure de la ligne de démarcation.

— Vous êtes nombreux à officier en tant que passeurs ? demanda Charles.

Le paysan émit un petit rire.

— Ben, ça dépend de ce que vous mettez derrière ce mot. Moi je le fais par conviction, d'autres pour la fraîche. Un passage ça leur rapporte vingt mille francs.

Et dix mille de plus s'ils livrent leurs clients aux Allemands.

— Quoi ?

— Pas tous, je vous rassure, mais quand même. On a eu un salopard au village. L'Amédée, le ferronnier. Il a empoché l'argent de deux familles juives et les a ensuite déposées devant le siège de la Kommandantur de Pessac. Faut croire qu'il l'a pas emporté au paradis, il s'est cogné la tête contre son enclume deux jours plus tard. C'est bête.

— Un accident ?

— C'est ce qu'on dit...

L'agent du SOE s'alluma une cigarette et contempla les vignes entrecoupées de sous-bois touffus.

— J'ai goûté un saint-émilion, avant-guerre. Un 1927. Dans un restaurant de Caen. Je m'en souviens encore. Une merveille.

Blaise sourit faiblement.

— Vous avez de la chance. Moi, j'ai jamais eu les moyens de m'en payer. De toute façon, les Allemands réquisitionnent toutes les bonnes bouteilles, on peut dire qu'ils ont du goût question pinard.

— On les récupérera un jour prochain et je vous en offrirai une caisse.

Le passeur crispa ses mains sur le volant.

— Ça m'étonnerait, mon gars. Les frisés nous ont écrabouillés. L'armée n'existe plus et de l'autre côté de la ligne, le vieux maréchal peut claquer du jour au lendemain.

— Et l'Angleterre ? Et de Gaulle ? L'appel du 18 juin !

Le camion ralentit pour prendre un virage en épingle à cheveux, puis accéléra dans une descente. Les cochons manifestèrent à nouveau leur mécontentement. Le paysan lança un regard complice à son passager.

— Pour les Rosbifs, j'ai rien à dire. Ils tiennent bon. Mais de Gaulle, quelle blague ! L'année dernière, il a voulu reprendre Dakar contre les Vichystes. Un désastre, ricana le passeur. Votre général, il est meilleur à la radio que sur le terrain. À mon avis, il a pas beaucoup d'avenir.

— Je ne comprends pas, pourquoi alors aider la résistance ?

— Je déteste les boches. Ça devrait suffire et d'ailleurs, je…

Il ne finit pas sa phrase, un chevreuil avait surgi d'un fourré pour s'immobiliser, telle une statue, au milieu de la route. Les yeux écarquillés, la tête dressée, les narines frémissantes.

— Bon dieu !

Blaise freina tout en donnant un coup de volant, l'aile gauche du camion renversa l'animal. Les couinements repartirent de plus belle. Charles s'agrippait à la poignée de la portière pour ne pas basculer en avant. Les branches des chênes griffèrent les vitres et la bâche avant que le camion ne finisse sa course dans une ornière.

Il s'écoula quelques minutes, le temps que les deux hommes reprennent leurs esprits. Le passeur fut le premier à sortir de la cabine pour inspecter l'étendue des dégâts.

Le camion ressemblait à un hippopotame avachi dans une mare. Les roues arrière s'étaient enfoncées à mi-hauteur dans une flaque d'eau boueuse. Des couinements jaillirent derrière lui. Il tourna la tête et aperçut trois cochons qui fuyaient en direction des vignes. L'agent du SOE s'efforçait de colmater le trou dans la bâche par lequel le reste du troupeau tentait de sortir en hurlant.

— Et merde, lança Blaise. Elle commence mal votre opération.

22

Montségur
Mai 1941

La porte du manoir claqua comme si la brise de mai venait de s'enfourner dans la vieille demeure. Au bruit de pas rapides qui résonnaient sur le dallage du vestibule, Jean d'Estillac sut que sa fille venait de rentrer. Elle était montée au château malgré le froid et le crépuscule et elle revenait aussi furibonde qu'à son départ. Jean se cala avec volupté dans le profond fauteuil de cuir noir ramené d'Angleterre, l'année où il y avait enseigné. Un excellent investissement qui lui permettait de soutenir, avec sérénité, le caractère trempé de sa fille bien-aimée. Il entendait son pas qui traversait le grand salon, martelant le parquet à point de Hongrie, comme une charge de cavalerie. Parfois, il s'étonnait qu'elle ne fasse pas trembler les murs.

Laure était furieuse. Cet officier allemand, avec sa politesse froide et sa condescendance de vainqueur, s'était bien moqué d'elle. En trois phrases, il lui avait expliqué que le château était désormais une zone spéciale de recherche, réquisitionnée par le Reich, avec l'approbation du régime de Vichy. Les papiers officiels étaient à sa disposition. Bien sûr, on pouvait lui en délivrer copie si elle le souhaitait. Elle avait tourné les talons sans un mot. Son impuissance la rendait furieuse. « Avec l'approbation du régime de Vichy. » Et puis quoi encore ! Non content d'avoir renversé la République, voilà que le vieux gâteux, dans sa ville d'eaux, faisait des douceurs aux Allemands en leur bradant le patrimoine de la France. Un patrimoine que sa famille possédait et protégeait depuis des siècles. Comme elle longeait le couloir qui menait à la bibliothèque, elle croisa du regard un portrait du maréchal Pétain que son père avait accroché au mur. Comment la France avait-elle pu se donner à ce revenant… C'en était trop. Elle saisit le cadre, le fit pivoter et le vieux maréchal se retrouva la tête en bas, le képi en déroute. Voilà ce qu'il en coûtait de s'opposer à Laure d'Estillac.

— Papa !

L'appel fit vibrer jusqu'aux plus vieux livres de la bibliothèque. La poussière des siècles chuta des reliures et les insectes invisibles qui dormaient, depuis des décennies, entre les pages sursautèrent comme dans un cauchemar. Bien calé dans son fauteuil, Jean attendait l'arrivée de l'ouragan. Sa fille se tenait droite comme la justice outragée, l'œil sombre, les cheveux dénoués, les lèvres rouges de colère.

— Les Allemands sont au château. Ils viennent de s'installer. Il y a déjà des tentes dans la cour. Des soldats montent la garde à l'entrée. Et pire, sur le plateau, je suis tombée sur deux officiers.

Elle eut un rictus de dégoût.

— Des SS. Celui qui m'a parlé s'appelait Weistort.

Son père jugea bon de la rassurer.

— Et ils t'ont dit qu'ils étaient là pour procéder à des fouilles archéologiques dans le cadre d'un accord bilatéral entre la France et l'Allemagne, n'est-ce pas ?

— Un seul a parlé, l'autre, le plus jeune, s'est contenté de me regarder, mais comment sais-tu que...

— Le préfet m'a prévenu.

— Pourquoi ne m'as-tu rien dit ?

— Pour que tu fasses régner la tempête dans la maison, que tu invectives jusqu'aux murs...

— Je déteste les Allemands !

— Ma fille, je te rappelle que nous avons perdu la guerre et que désormais nous sommes sous la tutelle de l'occupant. Alors je te prierai d'être un peu plus discrète dans les manifestations de ton hostilité.

— Des soldats, qui portent une tête de mort sur leur uniforme, occupent le château où je jouais enfant et il faudrait que je me taise !

— Évite d'abord de remonter là-haut. Ils ne sont là que pour quelques semaines, quelques mois au plus. Et s'ils ont envie de fouiller les ruines du château, grand bien leur fasse.

D'un geste désespéré, Laure montra tous les livres qui recouvraient les quatre murs de la bibliothèque jusqu'au plafond.

— Comment toi, qui as enseigné l'histoire des hérésies dans toute l'Europe, qui as consacré ta vie aux études sur les cathares, tu vas accepter que l'on profane leur ultime refuge, leur dernier lieu saint ?

— Ce ne sont plus que quatre murs de pierres, battus par le vent, au sommet de la montagne. Une ruine, pas un symbole.

— De toute façon, siffla Laure, il suffit que Vichy ait donné son accord pour que tu suives comme un mouton.

— Peut-être parce que le troupeau, quand il est menacé par le loup, a besoin d'un berger pour le guider.

— Et le guide, c'est le vieux ramolli dont tu as mis le portrait dans le couloir ?

Jean faillit bondir. Il ne supportait pas que l'on s'en prenne au vieux maréchal. Le héros qui avait sauvé la France à Verdun et du pire en juin 1940.

— Je t'interdis, dans cette maison, de dire un mot contre celui qui s'est sacrifié pour nous protéger.

— Voilà que tu parles comme radio Vichy, maintenant.

— C'est la voix de la raison, de la patience et de l'effort, la seule voie que nous pouvons emprunter maintenant.

— Il y en a d'autres…

Laure ôta sa parka, mouchetée de bruine, et se rapprocha de la cheminée.

— Si tu veux parler de ce colonel qui s'est enfui à Londres, de ce déserteur qui appelle à la désobéissance et à la révolte…

— Il s'appelle de Gaulle, papa.

— Je ne veux pas entendre son nom dans ma maison.

Le feu crépitait doucement. La nuit venait de tomber. Laure songeait que, pour la première fois depuis des siècles, des soldats allaient occuper Montségur. Elle frissonna de dégoût. Pourtant, elle se demandait quels rêves allaient faire ces hommes suspendus entre ciel et terre ? Elle-même n'avait jamais dormi au château. Elle s'en voulait désormais. Comme si ces soldats, là-haut, allaient lui voler un secret.

— Depuis quand notre famille possède-t-elle le château ?

— Presque deux siècles.

— Comment se fait-il que tu aies été le seul, de la famille, à s'intéresser aux cathares ?

— Parce que le souvenir s'en était perdu. Nul ne se rappelait ni la croisade contre les hérétiques, ni le siège du château, encore moins le bûcher. Ce sont des érudits, à la fin du siècle dernier, qui ont « ressuscité » Montségur. Ils ont fouillé les archives, écrit des articles, publié des livres… Et le passé englouti est revenu à la surface.

Laure pensait à cet officier nazi qui, sur le plateau, cherchait l'endroit où les croisés avaient installé leur machine de siège.

— Papa, pourquoi les Allemands s'intéressent-ils à Montségur ?

L'universitaire haussa les épaules.

— Ce n'est pas nouveau, déjà au début des années 1930, un jeune universitaire, Otto Rahn[1], était venu

1. Otto Rahn publiera deux ouvrages sur le sujet, *Croisade contre le Graal* et *La Cour de Lucifer*. Voir annexes.

faire des fouilles à Montségur persuadé que le Graal y était caché.

— Sauf qu'il n'y a rien à fouiller, le château repose sur du rocher. Il n'y a ni caves, ni puits et ils ne vont quand même pas démonter les murs…

Le père sourit. Sa fille était impulsive et parfois elle parlait sans savoir comme un acrobate sans filet.

— Tu as encore beaucoup à apprendre sur Montségur. Là où tu te trouvais cet après-midi, juste sur l'éperon où les croisés ont installé leur trébuchet, s'ouvre un gouffre, invisible parmi les broussailles. Et il n'est pas le seul, les anfractuosités, les failles regorgent sur le *pog*[1].

— Elles ont été fouillées, explorées ?

— Uniquement par les chauves-souris, plaisanta Jean, mais il y a un autre mystère : les cathares s'installent au château vers 1200 et vont y rester plus de quarante ans, deux générations, des centaines d'hommes et de femmes…

— Où veux-tu en venir ?

— Beaucoup sont morts. Où sont leurs tombes ? Où sont-ils enterrés ? Aucun ossement n'a jamais été retrouvé.

— Tu veux dire qu'il y aurait une nécropole ?

— C'est probable. D'autant qu'il y a un autre indice. Quand en mars 1244, les assiégés acceptent de se rendre, ils demandent une trêve : deux semaines sans attaque. Après quoi, ils livreront le château.

1. Nom donné en occitan à la montagne sur laquelle est édifié le château.

— Et les croisés ont accepté ?

— Oui, ils préféraient investir la forteresse sans combat. Trop coûteux en vies humaines.

— Mais pourquoi ce délai de grâce ? Qu'ont fait les cathares pendant tout ce temps ?

— Nul ne le sait, mais il devait y avoir beaucoup de morts, suite aux bombardements et aux derniers combats. Au bas mot des dizaines. Que sont devenus les corps ?

Laure avait quitté la chaleur douillette de la cheminée pour venir s'installer près de son père. Elle avait l'impression d'être redevenue une enfant quand il lui racontait une histoire le soir, une histoire dont elle voulait toujours connaître la suite.

— Ainsi, pendant deux semaines, les cathares auraient pu inhumer et dissimuler leurs morts.

— Peut-être dans une faille souterraine dont ils auraient ensuite effondré l'entrée sous des gravats, il n'en manquait pas, avec les débris des murs détruits par les jets de pierre.

Fascinée, Laure observait son père. Comment un pareil esprit pouvait-il être aussi sagace dans sa quête historique et aveugle en politique ? Pire, comment lui qui avait passé sa vie à dénoncer la violence infligée aux hérétiques par les pouvoirs en place, pouvait-il soutenir un régime politique répressif comme celui de Vichy ?

— Et si cette nécropole existe, tu crois que les Allemands ont une chance de la trouver ?

— Avec des moyens et des spécialistes, peut-être. Mais il y a sept cents ans qu'elle est cachée…

Laure se leva.

— Je me sens fatiguée. La montée au château a été rude. Et toutes ces histoires… Ça finit par me lasser. Je monte me reposer dans ma chambre.

Son père la suivit des yeux comme elle empruntait l'escalier, puis il se dirigea vers la bibliothèque où luisaient des reliures précieuses. Il saisit à deux mains les montants d'une travée qui s'abaissa formant ainsi un étroit plan de travail. Sur la planche de chêne, d'habitude dissimulée aux regards, se trouvait un manipulateur morse. Jean actionna tout de suite le bouton et la machine se mit à crépiter :

WEISTORT VIENT D'ARRIVER À MONTSÉGUR.

23

Bordeaux
Gare Saint-Jean
Mai 1941

La traction grise s'était arrêtée dans une petite rue qui longeait le dépôt de marchandises collé à la gare. Un léger brouillard s'accrochait encore aux murs lézardés.

— Que Dieu vous garde, lança Jean Vercors en tendant sa main à Malorley, à travers la vitre baissée.

— Je ne sais pas si Dieu veut mettre son nez dans nos affaires, répondit Malorley. Merci pour votre aide.

Le Français semblait hésiter.

— Je peux vous demander une faveur ?

— Si je peux.

— Vous savez... Les capsules qu'on vous donne si vous êtes pris... L'un de vos collègues m'en a parlé.

— Eh bien ?

— Vous n'en auriez pas pour mon frère et moi ?

Malorley le regarda avec compassion. Jean reprit :

— Si les Allemands vous chopent, je ne dis pas que vous allez nous trahir, mais ils vous tortureront et vous...

— Je suis désolé, on ne nous en donne qu'une par personne. Je ne peux pas prendre le risque qu'ils découvrent le but de ma mission. Mais je vous en ferai parvenir par le prochain parachutage.

L'ancien adjudant sourit tristement.

— Moi, je m'en fous, mais Blaise, mon frère... Il est jeune. Je ne veux pas qu'il souffre aux mains de ces brutes. On raconte des choses horribles...

Jane, qui avait tout entendu, se glissa devant Malorley et tendit une minuscule boîte de métal au Français.

— Tenez. C'est la mienne.

L'Anglais resta impassible pendant que le résistant ouvrait la boîte et en sortit une petite capsule de verre couleur ambre.

— Il suffit de casser l'ampoule ente ses dents, dit Jane, l'effet est immédiat.

L'homme lui serra la main avec effusion.

— C'est étrange. Vous venez de m'offrir la... Mort.

— Dans cette guerre, la vie elle-même est devenue plus étrange que la mort, répondit-elle d'une voix posée. Merci pour votre courage et celui de votre frère.

Ils se saluèrent une dernière fois, puis la Citroën s'éloigna dans le brouillard. Malorley se tourna vers la jeune femme.

— Vous n'auriez jamais dû lui donner votre cyanure. C'est une désobéissance aux procédures.

Elle prit sa valise dans la main et le défia de son regard doux.

— Je ne fais que désobéir depuis le début de cette guerre. À ma mère française pour être entrée au SOE et pas comme infirmière dans un hôpital, à mon père anglais pour ne pas m'être mariée avec mon fiancé aviateur et maintenant à vous. Je reste logique. On y va ?

Elle n'attendit pas sa réponse et prit une longueur d'avance sur lui. Malorley dissimula un sourire, on l'avait prévenu que les agents du SOE avaient du caractère. Et celui de cette fille était trempé dans l'acier. Il la rattrapa à grandes enjambées et ils arrivèrent rapidement devant la façade principale de la gare, un bâtiment de pierres grises et toits en ardoise. Typique des gares construites à la fin du siècle dernier dans les grandes villes de province. Tout en haut, le cadran de l'horloge marquait dix heures quarante. Il leur restait presque une heure à attendre avant le départ de leur train.

Il y avait foule devant l'entrée. Malorley songea que même en temps de guerre les êtres humains ne s'arrêtaient pas de voyager. La seule différence tenait dans l'installation de barrages de contrôle devant les deux portes d'entrée et de sortie. Un détachement de gendarmes français et de soldats allemands était positionné à intervalle régulier, de chaque côté d'une longue file de voyageurs.

Les deux agents s'insérèrent discrètement dans le flot. Malorley sortit les deux *Ausweis* de la poche de sa veste.

— Prions pour que les faussaires d'Orchard Street se soient surpassés.

La jeune femme, elle, s'était tournée contre le mur et se tenait la tête. Quand elle la releva, ses yeux semblaient injectés de sang, comme si elle avait passé la nuit à pleurer.

— Les vertus du poivre…

Il s'écoula un bon quart d'heure avant qu'ils n'arrivent devant le poste de contrôle tenu par deux gendarmes français, au képi légèrement remonté sur le front. À leurs côtés, un peu en retrait, deux hommes en imperméable beige, les mains dans les poches, l'air maussade, fixaient les voyageurs.

Derrière les deux hommes, sur le côté de la gare, un couple et leurs deux enfants en bas âge étaient assis contre le mur, encadrés par des gendarmes allemands. La femme tenait sa petite fille contre elle et jetait des regards apeurés dans tous les sens.

Malorley ne put s'empêcher de s'attarder sur ces malheureux. À tous les coups, il devait s'agir de juifs qui fuyaient la zone occupée. À Londres, des rapports diplomatiques évoquaient des massacres de juifs un peu partout en Europe. Mais c'était en Pologne ou en Roumanie, il avait du mal à croire que la France pouvait s'en rendre complice.

Jane murmura à son tour :

— Ça va être à nous.

Malorley se ressaisit.

— Pardon.

Ils arrivèrent enfin devant le gendarme. L'Anglais sentit se poser sur lui le regard des types en imper, probablement des agents de la Gestapo. Il évita de les regarder en face, mais son estomac se crispait comme s'il se broyait de lui-même. La peur revenait de plus belle. Sourde, implacable, aveugle. Il savait ce que la Gestapo faisait aux espions.

Le gendarme prit les *Ausweis* du couple et les inspecta avec attention. L'homme du SOE sentit son cœur bondir dans sa poitrine. Tous les entraînements du monde ne pouvaient rivaliser avec les dangers éprouvés sur le terrain.

Jane essuyait des larmes sur sa joue. Elle jouait son rôle à merveille. Il eut honte de sa peur.

Le gendarme détailla les papiers d'identité.

— Monsieur et madame Darcourt, résidant à Toulouse.

Il jeta un œil à Jane, puis à Malorley.

— Elle n'a pas l'air bien votre femme.

L'Anglais sortit un papier de son portefeuille et articula dans un français parfait :

— Nous avons assisté aux obsèques de sa mère, à Lacanau.

La semaine précédente, les faussaires du SOE avaient rédigé un faux certificat de décès en utilisant la photographie de la mère d'une des secrétaires.

Le gendarme hocha la tête d'un air entendu, mais ne rendit pas les papiers. Il avait intercepté un nouveau regard de Malorley sur la famille mise à l'écart. L'Anglais voulut en avoir le cœur net.

— Qui sont ces gens ?

— Des juifs qui ont voulu passer en zone libre. Ils se sont fait rouler par leur faussaire. Leurs *Ausweis* n'auraient même pas trompé mon fils de douze ans.

— Qu'allez-vous en faire ?

Le gendarme hocha les épaules.

— Moi rien du tout, mais les Allemands veulent les expédier dans un camp de travail.

— Même les enfants ?

— Pourquoi, vous voulez les adopter ? Comme disent les youpins, on peut vous faire une remise. Ahahah. Allez au suivant !

Le gendarme éclata de rire avec son collègue et rendit les *Ausweis*.

Malorley se contint pour ne pas mettre son poing dans la figure du gendarme. Il eut honte de son propre sourire de connivence, prit les papiers et passa devant les deux hommes en imperméable qui ne manifestaient aucune émotion. À son grand soulagement, ils ne faisaient même plus attention à eux et scrutaient les passagers suivants.

Il murmura à Jane :

— Premier barrage passé. On a le temps de prendre un verre à la gare.

Ils entrèrent dans le hall à moitié bondé, mélange improbable de voyageurs français qui courbaient l'échine et de soldats de la Wehrmacht à la mine épanouie. Des panneaux indicateurs rédigés en allemand doublaient systématiquement les affichages en français. Une immense verrière laissait passer une lumière pâle sur les quais, occupés par une demi-douzaine de trains.

Le couple longea un mur rempli d'affiches du même film sur lesquelles les deux acteurs stars Fernandel et Raimu avaient des sourires complices.

— Oh, s'exclama Jane, *La Fille du puisatier*. On pourrait aller au cinéma et le voir quand on sera à Toulouse.

— Vous plaisantez, maugréa Malorley, qui pressait le pas pour mettre le plus de distance entre eux et les gendarmes.

— Oui. Mais j'aime quand même beaucoup Pagnol.

Ils arrivèrent devant le panneau d'affichage des départs. Le train 1432 pour Toulouse était annoncé sur le quai deux. Il leur restait une bonne demi-heure, Malorley avait besoin de prendre un verre. Ils se frayèrent un chemin au comptoir du seul bistrot de la gare. L'Anglais commanda un verre de bordeaux, bas de gamme, pour se remettre de ses émotions, Jane prit un lait chaud.

— Un ballon de rouge à onze heures du matin, ce n'est pas très pro, dit la jeune femme avec malice.

— J'en ai besoin. Ça vous choque ?

Elle sourit.

— Non, au contraire ça vous rend presque humain, monsieur mon époux.

Il avala le verre d'un trait.

— Vous me trouvez trop raide ?

— Pas plus qu'un balai de cuisine. Sans vous offenser.

Soudain une main lourde se posa sur l'épaule de Malorley. Une voix résonna derrière lui. En français.

— Police. Veuillez nous suivre s'il vous plaît.

L'Anglais se retourna. Il reconnut tout de suite l'homme à l'imperméable beige.

24

Berlin
Opéra national du Reich
Mars 1941

De ses mains gantées de noir et de pourpre, le chevalier blond en armure d'argent éleva la coupe d'or au-dessus de sa tête. Derrière lui se découpaient les ruines d'un château noyé dans un crépuscule trop orange pour être vrai. Devant, des chevaliers vêtus de capes blanches et des demoiselles en robe d'azur s'agenouillaient, leurs visages exaltés et tendus. Le chœur des chanteurs, profond et majestueux, se répandait par effluves dans l'immense salle remplie jusqu'au dernier strapontin.

Puis, d'un geste élégant et solennel, Parsifal déposa le Graal sur une table circulaire de pierre noire. Des envolées de cordes et de cuivre montèrent alors de la fosse d'orchestre et son chef, le grand Wilhelm Furtwängler, fit voleter sa baguette pour conduire ses musiciens jusqu'au dernier mouvement de l'acte final. C'était le moment ultime, l'acmé, le point d'orgue, symbolisé – selon les strictes instructions du maître

Richard Wagner – par l'apparition d'une colombe blanche. L'Esprit saint qui volait vers la coupe sacrée.

Pourtant, ce ne fut pas comme à l'accoutumée : aucun oiseau au blanc ramage ne surgit des cieux.

Non, ce fut une croix gammée. Lourde et rougeoyante comme une braise incandescente.

La swastika de feu descendit du plafond de la scène et finit par s'immobiliser au-dessus de la coupe du Graal.

Dans la loge d'honneur, le chef du parti nazi, Rudolf Hess, semblait hypnotisé. En veste brune, il avait un visage buté et un regard alourdi par une grosse barrière de sourcils. Assis à côté du Führer, un insigne honneur, il ne pouvait détacher son regard du symbole qui envoûtait l'Allemagne entière. La puissance du symbole ! Juste un symbole, mais leur meilleure arme, celle qui leur avait donné le pouvoir.

Submergé par la musique de Wagner, il ferma les yeux. Une autre croix gammée fit son apparition. Celle ramenée du Tibet par les SS et qui leur avait permis de conquérir l'Europe. Si Himmler parvenait à s'emparer de la suivante, elle leur offrirait le monde. Pourtant un doute le hantait, jamais le Reichsführer n'avait été aussi puissant… À manier des forces titanesques, il risquait de perdre tout contrôle.

Un déferlement d'applaudissements jaillit de l'immense salle qui se rallumait progressivement. C'était un torrent qui emportait tout sur son passage, les âmes, les cœurs et la raison des hommes et des femmes assis en rang impeccable.

Il y eut alors un second écart au strict cérémonial établi par le génie de Bayreuth. Le chef d'orchestre fit cesser les applaudissements pour se tourner vers une loge située au-dessus de la scène et encore plongée dans l'ombre.

Il raidit son bras droit et cria d'une voix vibrante :

— *Sieg Heil !*

Dans un même mouvement, la salle entière se hérissa de bras tendus comme un champ de blés mûrs dressés par le vent.

— *Sieg Heil !*

En haut, une silhouette brune surgit de l'ombre. Son visage familier apparut à la lumière étincelante des imposants lustres de cristal de Bohême. L'homme au visage impérieux et si familier plia et releva son avant-bras de façon presque nonchalante. Adolf Hitler se fendit d'un sourire débonnaire pendant que les cris redoublaient de puissance.

Il attendit une bonne minute, puis se rassit. En bas, les voix s'estompèrent pour laisser place au brouhaha habituel des fins de concert. Une houle composée de smokings noirs, de costumes militaires d'apparat et de somptueuses robes de soirée colorées ondulait entre les sièges.

La bouche du Führer se plissa sur le côté. Ses yeux clairs fixaient la salle d'un regard aussi dur que la lourde boucle d'acier de son ceinturon.

— Regardez-les, mon bon Rudolf, tous ces beaux messieurs et ces dames parfumées. Ces aristocrates arrogants, ces industriels ventripotents, ces officiers imbus… Ils m'acclament maintenant que je leur ai offert l'Europe, mais aucun n'aurait misé un mark sur moi à l'époque où j'errais dans cette ville sans le sou.

Combien étaient-ils à nous soutenir il y a quinze ans quand nous étions, vous et moi, emprisonnés à Munich, à la prison du Landsberg après notre putsch raté ?

— Quelques-uns, mon Führer, répliqua Rudolf Hess. C'est vrai qu'il en aura fallu du temps et de l'énergie pour les convaincre de la justesse de votre vision pour l'Allemagne.

Le maître du Reich répondit par un rot épais. Une légère odeur de chou cuit se répandit dans la loge.

— Je les méprise.

Son visage s'assombrit. Il se massa la tempe comme pour chasser un mal de tête, puis martela son genou d'un poing fébrile.

— Le peuple, Rudolf, le peuple allemand. C'est à lui seul que je consacre toutes mes forces. Il ne me trahira jamais.

Hess s'abstint de lui faire remarquer que ces industriels avaient largement contribué à financer le parti pendant son ascension. Il hocha la tête prudemment et prit un ton grave.

— Je le sais depuis le début, vous ne faites qu'un avec notre race. Ce lien est indestructible. Personne ne vous trahira. Personne… Mais l'heure est aux réjouissances, mon Führer. Qu'avez-vous pensé de ce *Parsifal* conduit par notre bon Wilhelm ?

Le visage d'Hitler s'illumina d'un coup. Il se leva et enfila une paire de gants blancs.

— Admirable ! Grandiose ! Émouvant ! Et quelle délicate attention d'avoir remplacé la colombe par le symbole de notre glorieux mouvement. J'en avais presque les larmes aux yeux. C'est votre idée ?

Hess se leva à son tour et grimpa les marches à la suite de son maître. Il bombait le torse.

— Oui… Ma modeste contribution à l'œuvre du grand Wagner. Je n'ai jamais aimé cette misérable colombe chrétienne qui vole au-dessus de la coupe sacrée. Quelle horreur. Comme si elle allait y lâcher ses excréments. La swastika est plus appropriée pour révéler le sens véritable du Graal. Un Graal pur et aryen.

— Ah, le Graal. Si seulement il existait...

— Mais il existe, mon Führer, il existe.

Le chancelier sourit. Rudolf Hess gardait une place particulière dans son cœur. Il avait été le fidèle compagnon de la première heure, l'ami des jours de doute, celui qui ne l'avait jamais abandonné, même s'il professait parfois de bien étranges croyances. En récompense, il l'avait nommé chef du parti national-socialiste. Un poste plus politique que stratégique.

Hitler baissa la tête et chuchota à l'oreille de Hess :

— Ah Rudolf, vous ne changez pas…

— Je ne renie jamais mes convictions, qu'elles soient politiques ou spirituelles.

Les deux hommes arrivèrent devant la sortie, le Führer posa une main sur l'épaule de Hess.

— Je vous envie, murmura Hitler. Depuis que je dirige ce pays je m'englue dans le matérialisme. C'est pire avec la guerre. Il faudrait que je me replonge dans les saines lectures du temps de Munich. Que j'assiste à plus d'opéras comme celui-ci. Je vous remercie d'avoir insisté pour que nous venions écouter *Parsifal.*

L'homme aux larges sourcils inclina poliment la tête.

— J'ai aussi quelques livres extraordinaires à vous recommander, dont celui d'un écrivain américain qui réhabilite le Ku Klux Klan. Il a écrit des passages magnifiques sur la symbolique des croix enflammées. Je pense sincèrement qu'il y aurait des ponts à construire avec les représentants des vrais aryens aux États-Unis. Et aussi en Angleterre, nous y avons encore des amis.

Le visage du maître de l'Allemagne se durcit brutalement.

— L'Angleterre… Vous voulez me gâcher ma soirée, mon bon Rudolf ?

Hess se mordit les lèvres, conscient de sa bévue. Son chef ne supportait pas la moindre allusion aux Britanniques. De fait, en ce printemps 1941, le Royaume-Uni tenait toujours tête à l'Allemagne. L'insolent Churchill devenait même un héros auprès de son peuple

— Non mon Führer, mais je m'attriste que nos cousins anglais aryens ne comprennent pas que vous n'êtes pas leur ennemi.

— Himmler partageait votre point de vue, mais il pense maintenant qu'il est temps de se retourner contre Staline. Il a raison. Nous devons nous préparer à affronter un ennemi plus redoutable.

— L'invasion de la Russie ? s'inquiéta Hess qui n'avait jamais été favorable à ce projet.

Hitler sourit. Il avait retrouvé son expression débonnaire.

— Ah Rudolf… Cessons de parler de la guerre… Cela fait des mois que je ne lis que des rapports militaires, des notes diplomatiques et des statistiques de production de tanks et d'avions que m'envoie Himmler.

— Souhaitons que le Reichsführer ne voie pas trop loin, avertit Hess.

Les deux hommes passèrent la porte et se retrouvèrent dans le couloir qui longeait les loges d'honneur, toutes vides pour des raisons de sécurité. Deux sous-officiers en uniforme noir de la SS se tenaient debout, au garde-à-vous, de chaque côté d'un tableau de Wagner posé sur un trépied. Ils saluèrent de façon impeccable. Hitler s'arrêta net.

— Rudolf, laissez-moi quelques instants, il faut que je réfléchisse seul. Arrangez-vous pour me faire sortir par une issue plus discrète, je n'ai pas envie de croiser tous ces pantins qui m'attendent en bas.

— Oui, mon Führer, répondit Hess qui s'éloigna rapidement vers un escalier sur le côté.

Les mains jointes derrière le dos, le nouveau maître de l'Europe contemplait le portrait du créateur de *Parsifal* et *Lohengrin* dont le visage était déformé par une expression fiévreuse, hautaine et tourmentée. Il le vénérait depuis sa jeunesse, depuis qu'il avait assisté la première fois à une représentation de *Rienzi* à l'opéra de Vienne, dans le poulailler, chez les pauvres. Lui, le misérable étudiant refusé aux Beaux-Arts, en était sorti bouleversé. Il avait pleuré de joie et d'exaltation des heures après la représentation. Ce n'était pas un hasard si des années plus tard, il avait noué une véritable amitié avec Cosima, la petite-fille du grand homme.

Les deux SS restaient silencieux, leurs regards ne cillaient pas, rivés droit devant eux. Hitler brisa le silence et se tourna vers celui de droite.

— Vous savez pourquoi Wagner est un artiste de génie ?

— Non.

Le dictateur leva un sourcil.

— Cela tient en un mot : *Gesamtkunstwerk*... L'art total ! En avez-vous entendu parler ?

Le garde secoua la tête.

— C'est bien dommage, répliqua Hitler d'une voix douce. Il faudra que je demande à ce brave Heinrich de parfaire l'éducation artistique de l'élite de ce pays. Je vais remédier à cette lacune. Wagner pratiquait l'art total, un concept romantique du XIXe siècle. Ce qui veut dire qu'il mettait au service de son œuvre toutes les ressources disponibles, la musique, les décors, le bâtiment de l'opéra de Bayreuth, mais aussi les légendes et la philosophie aryenne. Rien, je dis bien rien, n'était laissé au hasard pour que les mélomanes soient totalement immergés et… envoûtés. Wagner lui-même vivait son art comme si sa vie en dépendait. Comme le grand empereur Frédéric Barberousse, il incarnait à lui seul l'âme de tout un peuple.

Le garde ne répondit pas, son regard restait braqué devant lui. Hitler reprit sur un ton grave :

— *Gesamtkunstwerk*… Le national-socialisme est aussi un art total et le monde va bientôt découvrir l'ampleur de mon œuvre.

25

Montségur
Mai 1941

Les montagnes touffues qui entouraient Montségur avaient viré au vert étincelant. Chaque matin, des millions de feuilles couvertes de rosée rayonnaient sous la lumière ascendante tandis que le brouillard, gris et humide, stagnait dans la vallée. Assis sur le rebord de l'enceinte, les pieds ballant dans le vide, Tristan profitait du soleil avant que sa nouvelle vie ne le rattrape. C'était l'heure encore paisible où, sous les tentes, les soldats dormaient et où il avait pour lui tout ce château qui semblait prêt à appareiller sur une mer infinie de brume. Dans les fourrés qui grimpaient à l'assaut de l'ancienne forteresse, un concert d'oiseaux montait, aussi joyeux qu'un tintamarre d'enfants.

La guerre, qui ensanglantait l'Europe, paraissait si loin que Tristan en oubliait parfois jusqu'aux événements tragiques qu'il avait traversés. La prison de Montjuic, les fossés de Castello, tous les mauvais souvenirs semblaient fuir au loin comme les vols de passereaux, striant le ciel des Pyrénées. Dans la douce chaleur du matin, Tristan jouissait de ces derniers instants de calme et de solitude avant que le camp ne se réveille. Il n'avait pas revu la jeune femme venue tempêter contre l'occupation de son château. Elle l'intriguait. Parfois, il jetait un œil dans les taillis pour voir s'il n'apercevait pas son béret en maraude sur la colline. Lors de l'échange avec Weistort, le courage de la *châtelaine de Montségur*, comme il l'avait baptisée, l'avait estomaqué. Et puis ce regard gris…

Un bruit sourd le ramena à l'âpre réalité. La cloche du donjon venait de sonner. Une nouvelle journée de servitude allait commencer.

Depuis la réquisition du château par Weistort et ses SS, un emploi du temps strict avait été mis en place. Chaque matin, une première équipe, composée d'arpenteurs, prenait possession du site. C'est elle que Tristan, à peine descendu de l'enceinte, voyait passer par la porte cintrée. Équipés de pitons, de cordes et de décamètres, ces géomètres avaient déjà mesuré la courtine du château[1], les dimensions du donjon et la hauteur des murs de défense. Ils allaient maintenant explorer systématiquement tout le plateau à la recherche de la moindre trace d'aménagement. Le Français les suivit du regard, il partait vers le secteur nord, une étroite langue de terre, d'où émergeaient, au fur et à mesure de son étude, de nombreux vestiges. Tristan s'avança vers la cantine où, sous un auvent de toile, un cuisinier remplissait des bols de lait chaud. Le café comme le sucre, devenus

1. L'enceinte du château.

des denrées rares, étaient réservés aux officiers et aux chercheurs.

Au milieu de la cour, sur une longue table de bois, un architecte venait de déplier un vaste papier à dessin où apparaissait le plan de la forteresse, mais aussi le relief sur lequel elle était bâtie. Autour de lui ses assistants reportaient, à la mine de plomb, les mesures et les cotes relevées par les arpenteurs.

Pour dresser une carte aussi précise que possible du site, une autre équipe avait, elle, pour mission de débroussailler tout le plateau, coupant les bosquets de buis, rasant les ronciers, dégageant d'anciens chemins de traverse ou mettant au jour des murs éboulés. Chaque découverte était répertoriée, située et reportée sur le plan comme une position sur un champ de bataille.

Ainsi l'éperon, où Weistort avait amené Tristan le premier jour, avait été dégagé en priorité de sa couverture de taillis. Désormais, il étincelait au soleil, lisse et nu. Partout des éboulis, des bouts de murs, des fosses, jonchaient l'espace. L'archéologue, chargé d'étudier et de cartographier le terrain, était un jeune homme pâle, à la stature chétive, boitillant parmi les pierres. Ses collèges, peu charitables, l'avaient affublé du surnom de *Goebbels*, tant il ressemblait au ministre de la Propagande du Reich, le charisme en moins. C'était lui que le Français, ce matin, accompagnait dans ses recherches. Depuis deux jours, ils étudiaient la tour qui défendait l'accès est de l'éperon. C'est là que les mercenaires basques avaient surgi une nuit de printemps, massacré les gardes avant de s'emparer de l'éperon. Quand Tristan lui avait raconté l'assaut, *Goebbels* avait souri.

— Regardez l'emprise de la tour, sa base est restreinte à cause du relief accidenté, donc, pour des raisons de stabilité, elle ne pouvait guère s'élever à plus de deux étages. Autant dire qu'elle n'abritait que quelques guetteurs, alors pour un massacre, ça m'étonnerait beaucoup.

Tristan ne répliqua pas. Il songeait que l'archéologie était tout le contraire de son travail de chasseur d'œuvres d'art. Là où les archéologues terrassaient les légendes, en les confrontant avec la réalité du terrain, lui au contraire, à partir d'un tableau, cherchait à raconter une histoire, retrouver une origine, ressusciter des vies…

— Mais le plus important, c'est ça, annonça *Goebbels*.

Il venait d'extraire, entre deux moellons au ras du sol, un fragment de mortier jaune clair qu'il contemplait avec extase comme un amateur d'art une sculpture de Michel Ange. Devant le regard dubitatif du Français, il s'expliqua :

— Chaque mortier est unique, il a sa propre densité en sable et en chaux. Ce qui permet de les distinguer de tous les autres.

— Et alors ? demanda Tristan.

— On sait que cette tour est d'origine. En revanche, on ignore si le château actuel correspond à celui du siège de 1244 ou s'il a été bâti plus tard. Eh bien, il suffit de comparer les deux mortiers, celui de la tour et celui du château. S'ils sont identiques, le tour est joué, sinon…

— Sinon, ça veut dire que le château a été rebâti après le siège, c'est bien ça ?

Goebbels se frotta la nuque. Le soleil, au printemps, dans les Pyrénées tapait plus fort qu'à Berlin.

— Oui et surtout que les croisés ont détruit le château primitif pour en édifier un autre. Mais pourquoi ?

Tristan saisit les deux bouts de mortier.

— Je vais les porter moi-même à l'architecte, décida Tristan.

Le front en sueur, *Goebbels* jeta un œil sur l'éperon désert.

— Au village, on raconte d'étranges histoires sur l'histoire de la forteresse. Les soldats qui descendent au ravitaillement les rapportent et…

— Quelles histoires ?

— Le bûcher des hérétiques, au pied de la montagne, plus de deux cents brûlés vifs, on dit que… Leurs âmes sont toujours là.

Goebbels baissa la voix.

— Certains prétendent même que si les croisés ont peut-être construit un nouveau château, ce n'est pas pour se défendre d'une attaque extérieure… Mais pour empêcher que les âmes des suppliciés ne s'échappent.

Le Français sourit. La superstition l'avait toujours amusé.

— « Le château des âmes errantes », ça ferait un bon titre de roman.

De retour dans l'enceinte du château pour rapporter les fragments de mortier, Tristan s'arrêta pour contempler le plan du site, dessiné par l'architecte, qui ne cessait d'évoluer. À l'est, la forteresse était désormais protégée par une tour de guet, une douve sèche[1] et une barbacane. Au sud, sous l'entrée de Montségur, des murs de protection, dont les vestiges venaient d'être retrouvés, s'échelonnaient jusqu'à mi-pente. Désormais, le château n'apparaissait plus isolé au sommet du *pog*, mais bien au centre d'un puissant réseau défensif.

Le plus étonnant pourtant était au nord. Là où il n'y avait jusque-là que des taillis et des broussailles, venaient d'apparaître plusieurs terrasses superposées où s'étageait la trace au sol de nombreuses constructions.

— Les géomètres font du bon travail. Je crois que nous tenons le village cathare, annonça Weistort. C'est sûrement dans cet espace que se dressaient les maisons, les ateliers, les échoppes et les citernes.

— Des ateliers ? s'étonna Tristan.

— Bien sûr, les hérétiques ont vécu là plusieurs décennies, il fallait donc des potiers, des forgerons, des tisserands, des cordonniers… D'ailleurs, l'on retrouve des vestiges matériels de leurs activités, clous rouillés, cuirs usagés… Regardez.

Deux soldats venaient de franchir la porte portant une caisse en bois ouverte d'où dépassaient des bouts de céramique. Ils se dirigeaient vers le dépôt. Une

1. Fossé sec creusé dans le rocher.

tente, plus large que les autres, où étaient déposés et classés les résultats des fouilles.

— Profitez-en pour leur apporter vos bouts de mortier.

Le Français marcha sous la tente où se trouvait un civil cravaté, le front en sueur et les joues écarlates. Il nota scrupuleusement le lieu, la date et le responsable de la découverte. À côté de lui, un militaire photographia, sous des angles différents, les débris de maçonnerie juste avant de les déposer dans une boîte en carton qu'il étiqueta et scella. L'efficacité allemande, songea Tristan juste avant que l'homme à la cravate ne l'interpelle :

— Eh toi, va porter ta feuille de relevé à l'équipe du plan.

Le Français saisit la fiche que le fonctionnaire venait de remplir et se dirigea vers le centre de la cour où, une mine à la main, un architecte reportait sur la feuille à dessin chacune des découvertes de la journée.

— Tu m'apportes quoi ?

— On a trouvé du mortier dans la base d'une tour à l'extrémité est de l'éperon.

— Ah, oui, c'est *Goebbels* qui fouille là-bas. Il connaît son travail. Approche-toi, c'est bien la tour qui est représentée là sur le dernier rocher, face au levant ?

Tristan vérifia l'orientation et les courbes de niveau avant d'acquiescer. L'architecte dessina alors un triangle rayé de rouge, suivi du numéro d'inscription des fragments de mortier dans le dépôt.

— Le triangle, c'est le symbole de la découverte d'un élément de maçonnerie. Encore quelques jours et le site n'aura plus de secret pour nous.

Le Français s'écarta pour aller s'asseoir à la base du donjon. La cour du château grouillait comme une fourmilière. À chaque instant, des militaires entraient et sortaient dans un flux continu d'échange avec les zones de recherches. De l'extérieur, remontaient des coups sourds de hache tandis qu'une haute fumée blanche s'élevait au-dessus des murs. Des soldats dégageaient un nouvel espace de fouilles quand d'autres brûlaient troncs et branchages abattus. Dans quelques jours, le site de Montségur aurait radicalement changé d'aspect et Tristan ne comprenait toujours pas pourquoi. Comment des universitaires, des chercheurs pouvaient dépenser tant de moyens et d'énergie sur la seule foi d'un tableau et de la parenté phonétique entre deux noms de lieu, « Montserrat » et « Montségur » ? La seule réponse était que lui, Tristan, ne connaissait que la partie visible de la vérité.

La partie obscure, c'est Weistort qui en était le gardien.

26

Bordeaux
Gare Saint-Jean
Mai 1941

Le bureau sentait la cigarette humide et la sueur aigre. Les murs d'un vert douteux étaient agrémentés d'affiches de propagande à la gloire de l'alliance entre la nouvelle France et l'Allemagne. La photo encadrée du maréchal Pétain côtoyait celle du Führer en uniforme de chef des armées.

L'un des agents de la Gestapo fouillait consciencieusement les deux valises du couple, ouvertes et posées sur le bureau, tandis que l'autre examinait les papiers, sous le regard de Malorley et de Jane, assis sur un banc contre un mur. Derrière la porte vitrée, une sentinelle en armes allait et venait.

Le chef du commando tentait de garder son calme. Il n'y avait rien de compromettant dans les valises, l'intendance du SOE avait préparé le contenu jusqu'au moindre sous-vêtement. Les habits venaient directement de France ou avaient été imités à la perfection par un tailleur juif qui travaillait spécialement pour le service. La coupe d'une veste, le modèle d'une robe, la longueur d'un pantalon, rien n'était laissé au hasard, jusqu'au calepin de tickets de rationnement à moitié utilisé. Rien ne pouvait les trahir. Mais la peur était revenue et paralysait son cerveau.

L'agent de la Gestapo jeta à son collègue.

— Alors ?

— Rien !

Il se tourna vers le couple, les papiers d'identité en main.

— Je viens de Toulouse moi aussi. J'y ai fait mes études. Quelle belle ville. Pourrie par l'arrivée de la racaille rouge espagnole en 1939, mais bon, ça va changer avec le Maréchal. Je vois que vous habitez tous les deux avenue Jules-Julien.

— Oui, au numéro 18.

L'agent fixa la jeune femme.

— Je connais bien le coin. Chouette quartier, les Minimes. Vous aimez ?

Malorley voulut répondre, mais l'agent l'interrompit :

— C'est à votre femme que je pose la question.

L'Anglais sentit son cœur battre à nouveau. Il avait passé des interrogatoires d'entraînement à Orchard Street et connaissait presque par cœur le plan de Toulouse. Mais pour Jane…

Elle sortit un mouchoir, se moucha délicatement, renifla et dit d'une voix aigre :

— Non, c'est sur la route de Narbonne. Vous êtes sûr d'avoir vécu à Toulouse, monsieur le policier ?

Le gestapiste sourit, mais continua son interrogatoire :

— Vous avez de la famille là-bas ?

Malorley secoua la tête.

— Non.

— Pas de gamins ? Un couple comme le vôtre devrait donner de beaux enfants à la France.

Le collabo articulait le mot enfant avec un petit sourire qui faisait froid dans le dos.

— Y a-t-il un problème ? demanda Malorley d'une voix blanche.

— Contrôle de routine.

— C'est que… Notre train part dans dix minutes.

Le gestapiste haussa les épaules.

— Le suivant est dans six heures.

Le téléphone sonna. L'homme décrocha tout en les scrutant l'un après l'autre.

— Oui… Entendu. Merci de m'avoir prévenu.

Il fit un signe à son collègue qui s'empressa de refermer les valises. Puis il se tourna vers le couple.

— Vous pouvez y aller. Désolé pour ce retard. On nous avait signalé un couple qui organisait une filière de marché noir entre Bordeaux et Toulouse. Mes collègues viennent de les cueillir à l'entrée de la gare. Vous pouvez prendre votre train.

— Et si on le rate ?

— La Gestapo ne rembourse pas les billets. On serait plutôt du genre à encaisser. Hein Marcel ?

Les deux hommes éclatèrent d'un rire gras.

Ils dévalèrent les escaliers et coururent à perdre haleine sur le quai. Le chef de gare était sur le point de siffler. Quand ils montèrent dans le train, celui-ci commençait à rouler. Ils longèrent le couloir quasiment désert.

— Ces Français étaient pires que les Allemands, dit Jane. Qu'est-ce qui peut pousser des types à trahir leur pays ?

— L'idéologie, le pouvoir, l'argent... Je parierais sur la dernière option pour ces deux salopards. En zone occupée, la Gestapo a recruté des voyous pour effectuer le sale boulot.

Il consulta sa montre.

— Et c'est pas encore fini. On franchit la ligne de démarcation dans moins d'une demi-heure.

— Il faudra sortir du train ?

— Non, au contraire. On reste sagement assis en gardant notre calme. Les Allemands viendront inspecter les papiers dans les compartiments.

— Je vous envie, répondit Jane, je n'en menais pas large.

— Ça se passera bien, vous verrez.

Il mentait. Le contrôle inopiné par la Gestapo l'avait tétanisé. Une boule d'angoisse s'incrustait dans son ventre et son cœur battait la chamade. Il avait peur. De toute sa vie, jamais il n'avait eu peur à ce point.

Campagne proche de Libourne

La flaque de boue gicla à nouveau des roues arrière du camion. Charles fit de grands signes à Blaise.

— Stop ! Ça ne sert à rien, il faut mettre du bois sous les pneus.

Il posa un pied sur le pare-chocs arrière qui grinça dangereusement.

— Surtout n'y touchez pas, il est fragile, cria le paysan d'une voix inquiète.

Cela faisait plus d'un quart d'heure que les deux hommes tentaient de dégager le camion. En vain. Personne n'était passé sur la route.

L'agent consulta sa montre. Le contretemps était encore récupérable, du moins s'ils trouvaient de l'aide pour extirper le véhicule de son piège boueux.

— Je connais un viticulteur pas loin d'ici, dit Blaise, à une demi-heure. Il possède un tracteur et…

Un grondement monta de la route. Une voiture blindée arrivait à toute allure, suivie d'un camion militaire. Allemand. Reconnaissable à la croix noire peinte sur la bâche.

Charles se raidit. Il n'avait aucune arme sur lui pour se défendre.

— Et merde, des boches !

— Qu'est-ce qu'on fait ?

— On collabore. C'est à la mode en ce moment, lança le passeur. Les frisés sont serviables dans le coin.

Il s'avança au milieu des flaques en agitant sa casquette en l'air.

— Vous êtes fou, lança Charles en regardant autour de lui.

À part le sous-bois où il pouvait se cacher, il n'y avait que des champs de vigne à perte de vue. Idéal pour se faire tirer dessus s'il s'enfuyait.

Blaise croisa son regard angoissé.

— Ayez confiance, je ne suis pas le père Amédée.

Le convoi allemand arriva à leur niveau et freina brutalement. Deux soldats jaillirent de la voiture et braquèrent leurs armes devant le passeur qui levait les bras. Ils portaient autour de leur cou la plaque d'identification de la *Geheime Polizei*.

Blaise haussa la voix.

— Je suis en panne. Pouvez-vous m'aider ?

Un officier bedonnant s'extirpa de la Mercedes décapotée et arriva à son niveau en soufflant. Il avait le teint aussi rose qu'un bébé. Sa nuque formait des plis au-dessus de son col de chemise.

— Ah, monsieur l'officier, vous êtes mon salut, dit le passeur. Mon camion s'est embourbé à cause d'un putain de chevreuil.

Le lieutenant jaugea le paysan d'un air méfiant. Dans le camion, les couinements des cochons repartirent de plus belle. Le visage de l'Allemand s'éclaira. Il tendit un index accusateur en direction du camion.

— Marché noir ! *Verboten*, glapit-il d'un air courroucé.

— Pas du tout, rétorqua Blaise. J'ai le titre de transport avec moi. Je livre des porcs et des boîtes de conserve vides de l'autre côté de la ligne de démarcation.

Blaise sortit des papiers de sa poche. Le lieutenant les examina avec attention, puis les rendit au passeur. Son visage s'était détendu.

— Ça me paraît en règle. On va vous aider. Nous ne sommes pas là pour embêter les Français. Mais avant, mes hommes vont regarder à l'intérieur s'il n'y a rien de suspect.

Malgré un accent allemand prononcé, son français restait compréhensible.

— Bien sûr. Un grand merci, répondit Blaise.

L'officier croisa les bras pendant que trois soldats montaient à l'intérieur. Ils ressortirent quelques minutes plus tard, le visage chaviré par l'odeur. Charles croisa le regard rassuré de Blaise.

— Monsieur le paysan, continua le lieutenant, l'aide de l'armée allemande n'est pas gratuite.

— C'est-à-dire ?

— Il va falloir que je fasse un rapport. L'utilisation du matériel militaire humain à des fins civiles est interdite par le règlement.

Il laissa planer un silence, puis reprit avec un grand sourire :

— Mais si vous faites le don d'un de vos cochons au titre de l'amitié franco-allemande, mon rapport sera oublié.

— Avec grand plaisir, marmonna Blaise.

L'officier aboya en direction de ses hommes. Il leur indiqua le camion d'un ton autoritaire.

Charles s'approcha et tendit son paquet de cigarettes au lieutenant qui le détaillait avec méfiance.

— Vos papiers s'il vous plaît. Vous n'avez pas l'air d'un paysan.

L'Anglais lâcha un sourire.

— Je suis représentant en conserve. Les producteurs de fraises et de framboises de Marmande, en zone libre, n'ont pas d'usine de production. Du coup je viens leur proposer des modèles. Vous savez, pour faire des compotes et des confitures. C'est très bon.

— Ah, confiture française ! J'adore.

L'officier alluma une cigarette et rejeta la fumée pendant que ses hommes sortaient le camion de l'ornière.

— C'est quand même pénible cette histoire de frontière, vous avez été durs avec nous, dit Charles.

— Je comprends, je n'aimerais pas que mon pays soit divisé en deux. Mais… Il ne fallait pas perdre la guerre.

L'officier éclata de rire, heureux de sa blague.

— Vous ne pourriez pas leur dire, en haut lieu, d'arrêter de fermer l'entrée et la sortie à tout bout de champ, demanda Blaise. Ce n'est pas très pratique pour le commerce.

L'officier sourit.

— C'est fait exprès. Savez-vous ce que m'a dit l'un de mes supérieurs ?

— Non…

— La ligne de démarcation est un mors aux dents posé dans la bouche de la France. Si elle se cabre, nous tirons sur les rênes. Ça nous permet de mieux nous faire entendre par votre maréchal.

Le camion sortait lentement de son piège de boue. Blaise remit sa casquette sur la tête.

— Ça devrait être bon, dit le lieutenant qui lorgnait d'un œil gourmand l'un des porcs.

À peine le camion s'était-il redressé que le pare-chocs arrière se détacha et bascula au sol. Charles vit Blaise se figer. L'officier allemand éclata de rire.

— *Ach*, matériel français pas solide, pas comme nos Mercedes. On va vous le remettre.

— Non, c'est pas la peine on va se débrouiller, on vous remercie beaucoup. Nous sommes en retard, dit le paysan en se dirigeant vers le pare-chocs.

Mais l'un des soldats avait été plus rapide et empoignait la pièce de ferraille.

En la soulevant il s'arrêta net et cria :

— Lieutenant !

Le soldat montra l'envers du pare-chocs bourré de boîtes de munitions.

Le gros officier perdit instantanément son sourire et dégaina son Luger.

— Nous n'allons pas nous séparer maintenant. Vous allez me suivre à la Kommandantur. Je suis sûr que la Gestapo va adorer prolonger notre conversation.

27

Montségur
Mai 1941

La cloche, installée près du donjon, sonna, interrompant les travaux en cours. Archéologues, techniciens et soldats se dirigèrent vers le fond du château. Des rangées de bancs avaient été disposées face à un large tableau où s'étalait le plan en cours d'élaboration de Montségur. Quand chacun fut installé, Weistort prit la parole :

— Voilà plusieurs jours que l'on étudie ce site, avec un premier groupe de géomètres et d'archéologues, venu de Berlin, ainsi qu'une escouade de militaires du génie. Comme vous le savez, ce chantier est prioritaire pour l'Anhenerbe. En effet, il est préparatoire à une campagne de fouilles intensives qui va débuter très rapidement. Il était donc urgent de restituer le site d'origine, d'en repérer tous les vestiges, de les identifier et de les cartographier pour analyse. Ce travail sera bientôt terminé. Voilà pourquoi, afin de l'achever en toute connaissance de cause, j'ai demandé à l'un d'entre vous de nous fournir une première synthèse des recherches en cours.

Rougissant, *Goebbels* se leva. Dans ses mains, des feuillets tremblaient. Parler en public devait lui être un calvaire, mais on ne discutait pas un ordre du chef de l'Ahnenerbe. Il s'approcha du tableau, prit une inspiration et se lança.

— Grâce à ces premières recherches, notre vision de Montségur a profondément changé. Nous avons établi que le château était entouré d'un important réseau défensif. D'abord à l'est où ont été retrouvés les vestiges d'une tour de guet, d'une douve et d'une barbacane. Ensuite au sud…

L'archéologue avait saisi une règle et montrait la pente qui descendait sous la forteresse, barrée de plusieurs traits hachurés.

— … Où a été mise au jour la base de plusieurs murs successifs qui permettaient la défense de la porte d'entrée du château.

Exactement comme sur le tableau et la miniature, pensa Tristan.

— Il est à remarquer que tous ces moyens de défense, à l'est comme au sud, ont été volontairement détruits.

L'extrémité de la règle se déplaça vers le haut de la carte. *Goebbels* jeta un œil sur ses papiers avant de reprendre :

— Sur le côté exposé au nord, de nombreuses terrasses en étage ont été découvertes, révélant aussi bien des fonds de citerne, des espaces de stockage, que de très nombreuses bases d'habitations. Il s'agit, sans le moindre doute, du village qui a abrité la population cathare durant le siège de 1244.

Une ride barra le front de l'archéologue.

— En revanche, si nous avons dégagé de la céramique, des objets en métal, nous n'avons trouvé aucune trace de bois.

Le visage de Weistort se fendit d'un sourire en forme de serpe.

— Rappelez-moi quand a eu lieu le bûcher des cathares ?

— Au mois de mars, le 16.

— À la fin de l'hiver donc. Difficile de trouver du bois sec à cette époque... Surtout en quantité suffisante. Imaginez, plus de deux cents personnes à brûler vives...

— Vous ne pensez pas que..., manqua de s'étrangler *Goebbels*.

— ... Que les poutres, charpentes et autres planchers ont servi à transformer ces hérétiques en cendres ? Mais si ! Toutefois que cela ne vous trouble pas, continuez votre exposé.

L'archéologue reprit d'une voix mal assurée :

— Nous... disposons donc de deux ensembles d'origine – village et système défensif – dont nous analyserons les modes de construction – taille des pierres, mortier de liaison... – afin de les comparer à ceux du château actuel.

L'ombre de l'Oberführer, projetée par le soleil, s'abattit sur les participants du premier rang comme celle d'un faucon fondant sur sa proie.

— Et sans attendre une étude technique précise, si vous comparez les deux groupes : le château et les vestiges originaux, vous en dites quoi ?

— Il faut toujours être prudent, affirma *Goebbels*, mais on peut quasiment affirmer que le château où nous nous trouvons a été construit après la chute de la place forte cathare.

— Et la forteresse initiale, selon vous ?

— Rasée, comme tout le reste.

Weistort regarda vers Tristan qui hocha discrètement la tête. Voilà pourquoi on ne retrouvait pas la tour centrale, présente dans le tableau de Montserrat, elle avait été abattue, détruite, extirpée du rocher jusqu'aux fondations.

La présentation était terminée. Le plan de Montségur était retourné sur la table de l'architecte où les assistants inscrivaient les nouvelles données qui ne cessaient d'arriver. Ici un nouveau pan de mur, là les vestiges d'une forge. *Goebbels* était retourné sur l'éperon. Il préférait la compagnie des pierres à celle des hommes, même muettes elles lui parlaient une langue qui le rassurait.

Weistort, lui, était resté au centre de l'enceinte. Par moments, il frappait le sol de la semelle de ses bottes. Un son mat s'en échappait qu'il écoutait avec attention. Tristan, que tout le monde prenait pour son ordonnance, se tenait à ses côtés.

— Il y a une couche d'éboulis avant le niveau du rocher. Si on veut retrouver les fondations de la tour d'origine, il faut décaper toute la superficie du château.

— Pourquoi la tour vous intéresse tant ?

— Je pense que, dès leur entrée dans le château, les croisés ont d'abord détruit les habitations du village – c'était facile pour les murs en torchis et les toitures en tuiles légères – puis fait tomber les merlons et créneaux de l'enceinte pour la « démilitariser », mais ils n'ont pas eu le temps de faire écrouler la tour, pas avant le bûcher.

— Je ne vous suis pas, dit le Français.

— Alors, venez avec moi.

La tente du colonel était accolée contre la muraille nord. Un SS en faction en surveillait l'entrée. À l'intérieur, une table pliante encombrée de papiers administratifs, un étroit lit de camp et, accroché contre la toile, un portrait d'Hitler en uniforme du parti nazi. Seul accroc à cette sobriété, contre les pierres du château, se dressait une malle de voyage posée à la verticale et transformée en bibliothèque portative.

— Juste après le bûcher, reprit Weistort, les assiégés ont été interrogés par l'Inquisition : des moines spécialisés dans la traque des hérétiques. Des hommes de Dieu résolus à en finir avec les cathares par tous les moyens. Et pour eux, la chute de Montségur n'était qu'une étape du combat. Prenez le livre à la reliure noire, c'est le plus épais.

Tristan s'exécuta et posa le volume sur la table que Weistort venait de dégager. Il ouvrit une double page. D'un côté, se succédait, en vagues serrées, une écriture minuscule, de l'autre sa transcription.

— Ce recueil comprend la copie de tous les interrogatoires – des centaines – menés par les inquisiteurs.

Chaque défenseur de Montségur s'est vu poser les mêmes questions. Des entretiens menés sans torture, mais avec beaucoup de persuasion… les cendres du bûcher étaient encore brûlantes.

Le Français tournait les pages. Des noms surgissaient remontant la pente des siècles. Sept cents ans que la plume avait grincé sur le vélin, sept cents ans que les scribes avaient transcrit chaque mot – vérité ou mensonge – et ces témoignages fascinaient encore.

— Les inquisiteurs avaient une idée fixe, expliqua le chef de l'Anhenerbe, dresser la liste la plus précise possible de tous ceux qui avaient séjourné au château pendant le siège en recoupant méthodiquement chaque réponse, chaque nom cité…

Tristan venait de comprendre, il interrompit le colonel :

— … Et découvrir si certains ne s'étaient pas enfuis, c'est bien ça ?

— Oui et trois personnes manquent à l'appel dont nous avons les prénoms : Hugo, Amiel et Aicard. Ces trois hommes disparaissent le jour même de la reddition du château.

— Mais pourquoi ne se sont-ils pas échappés pendant la trêve, c'était beaucoup plus facile : la surveillance avait dû se relâcher.

— Erreur ! Les croisés campaient au pied même de l'enceinte : il n'y avait donc plus de moyen de traverser un encerclement aussi hermétique. En revanche, le jour du bûcher – le château étant réputé désert – il y a fort à parier que les gardes se sont précipités pour voir le spectacle…

— … Et donc les trois hommes ont pu prendre la fuite sans problème.

— Quatre, pour être précis, car le dernier est resté inconnu, cité, mais pas nommé. Et donc la question est : où se sont-ils cachés entre le moment où les soldats investissent le château et le début du bûcher ?

— Pas dans le village en tout cas, répliqua le Français, puisqu'il a été fouillé de fond en comble.

Weistort frappa à nouveau le sol.

— Il ne reste donc qu'un endroit, la tour. Sans doute dans une salle souterraine. Il faut trouver l'emplacement du donjon d'origine.

Tristan demeurait silencieux et réfléchissait. *Quatre hommes*. Pourquoi autant ?

— Demain, arrivera une nouvelle équipe, chargée spécifiquement des fouilles. Les meilleurs éléments de l'Ahnenerbe dans ce domaine dirigé par un archéologue de choc.

Le Français boutonna sa vareuse. Malgré le soleil printanier, un vent froid descendait du Nord. Il était temps de rejoindre *Goebbels* sur l'éperon.

— Ah, j'oubliais, ajouta Weistort, cette archéologue, c'est une femme.

28

Sud de la France
Mai 1941

La puissante locomotive-tender Mikado TA 141 soufflait avec entrain ses généreuses volutes de vapeur blanche dans le ciel toulousain. Sa longue carapace noire et compacte luisait sous les derniers rayons du soleil couchant qui n'allait pas tarder à disparaître au-delà des Pyrénées, vers l'Espagne.

Seul dans le compartiment avec Jane, Malorley contemplait le paysage paisible qui défilait derrière la vitre du wagon. Les champs plats et blanchis avaient laissé la place à de doux vallons qui commençaient à verdoyer. Le printemps était déjà en train de s'installer dans ce coin de la France. Les saccades régulières des boggies sur les rails le berçaient au point de l'avoir presque endormi. Difficile de croire que l'Europe était en guerre, songea le chef du commando alors qu'il étirait ses jambes devant lui. Le passage de la ligne de démarcation s'était déroulé sans encombre, même si le train avait été immobilisé pendant plus d'une heure, le temps que les Allemands inspectent minutieusement chacun des compartiments des dix wagons. Ils avaient raflé et fait descendre sur la voie une dizaine de voyageurs. Que des hommes, avec les mains croisées sur la tête.

Malorley se tourna vers Jane qui s'était plongée dans un livre qu'elle n'avait pratiquement pas lâché depuis leur départ. Il fronça les sourcils en détaillant la couverture.

— Céline. *Les Beaux Draps*. Vous lisez les écrivains français antisémites qui prônent la collaboration avec les nazis ?

Elle leva les yeux, le regard presque étonné.

— Je ne savais pas que les militaires anglais aimaient les livres français. Oui, c'est son dernier ouvrage. Les services de l'intendance du SOE ont poussé le soin à m'en fournir un exemplaire dans mon barda. À ce propos, ils auraient pu éviter de m'imposer les bas de laine et les semelles de bois. C'est une véritable horreur. Quant à ce que je porte sur le dos on pourrait s'en servir comme toile de parachute.

Malorley sourit. Il la trouvait ravissante dans sa robe ajustée à petits carreaux. Le turban noir qui cerclait ses cheveux lui donnait un petit air mutin. Elle devait incarner la femme française soumise aux restrictions de l'occupation mais soucieuse de préserver une élégance discrète. Dixit, les experts du SOE. Il se garda bien de lui faire un compliment. Il ne voulait aucune équivoque dans la mission.

— J'avais beaucoup aimé *Voyage au bout de la nuit,* avant-guerre. Il vaut quoi celui-ci ?

— Pour le style, une merveille. Pour le contenu, un tombereau d'ordures. Je savais qu'il détestait les juifs, et là les francs-maçons en prennent aussi pour leur grade. Une seule idée me semble valable dans ce pamphlet, il propose de ramener la durée du travail à trente-cinq heures par semaine[1].

Malorley sourit.

— Les trente-cinq heures... Très drôle, voilà une idée bien française. Ce serait bien qu'il puisse convaincre Hitler de les appliquer dans ses usines d'armement. Ça nous ferait peut-être gagner la guerre.

Jane rangea le livre dans son sac, se leva et passa une tête à l'extérieur du compartiment. Le couloir était désert. Satisfaite, elle referma la porte coulissante.

— J'ai une question. Si Charles ne nous rejoint pas en temps et en heure, que faisons-nous ?

Malorley consulta sa montre.

— Notre contact a ordre de revenir, toujours à la même heure, pendant deux jours. Après, il sera considéré comme perdu.

— Pourquoi deux jours ?

— C'est le temps maximal avant de craquer sous la torture.

Elle hocha la tête.

— Et s'il a pris du retard ?

— Alors il lui faudra rejoindre son réseau à Nantes ou passer en Espagne et de là rejoindre Gibraltar ou Lisbonne.

— Et vous ne voulez toujours pas me dire quelle est notre destination finale ?

Il sourit.

---

1. Authentique.

— Je comptais le faire à Toulouse quand nous aurons récupéré le reste du commando. Mais maintenant que nous sommes en zone libre…

Il déplia sa carte du sud de la France et pointa son index sur un point précis.

— Notre objectif se situe ici. Dans un minuscule village situé dans le département de l'Ariège. Montségur.

La jeune femme ouvrit de grands yeux étonnés.

— Y a-t-il des installations militaires dans ce trou perdu ? Un centre industriel à saboter ?

— Non. Nous devons récupérer un objet. Un objet très important dont dépend l'issue de cette guerre. Et nous ne sommes pas les seuls à le convoiter, une section de SS a pris ses quartiers là-bas pour trouver la même chose que nous.

— Un objet… C'est pour le moins énigmatique. C'est quoi exactement ?

Malorley replia la carte qu'il enfourna dans son sac.

— Je ne suis pas en mesure de vous le révéler.

— Et on est censé affronter cette bande de SS à nous trois ? Et sans armes ?

— Du renfort nous attend sur place…

Kommandantur de Pessac

Charles n'avait plus une seule larme en lui. Ses yeux s'étaient vidés jusqu'à la dernière goutte.

Couché, nu, sur un sommier à moitié défoncé, il n'avait même plus la force de sursauter. Il ne s'était écoulé qu'une poignée d'heures depuis que l'officier allemand les avait remis à la Gestapo. Et l'enfer s'était déchaîné sur les deux hommes.

Son corps n'était qu'un paquet de chair à vif, seules ses jambes restaient encore intactes. Blaise et lui avaient été roués de coups, méthodiquement, pendant trois heures d'affilée. Sans qu'on ne leur pose aucune question. Juste pour les préparer à l'interrogatoire.

Les spécialistes du SOE lui avaient expliqué la technique.

Celle du *boucher*.

C'était le nom.

Pour attendrir la viande.

Surtout celle de son visage qu'il ne voyait pas, mais dont les bosses déformaient sa peau. Sa main tâtonna le long du sommier pour prendre appui et se redresser, ses doigts effleurèrent la barre de métal du lit. La douleur électrifia son cerveau.

Juste avant de le remettre en cellule, on lui avait appliqué la seconde torture.

La manucure.

Pour embellir les mains.

On lui avait arraché les ongles de sa main gauche. Un par un, avec une lenteur étudiée. Toujours sans poser de questions.

Il avait hurlé. Plus que pendant le tabassage en règle. Il ne pensait pas que l'on pouvait ressentir autant de souffrance sur une si petite partie du corps.

Et il n'en était qu'au début. L'interrogatoire en tant que tel allait commencer sous peu. Il n'était pas pris par surprise, les experts du SOE l'avaient amplement briefé sur les méthodes employées par la Gestapo.

Des bruits de pas résonnèrent au fond du couloir.

Il savait qu'il craquerait. Le tout était de tenir le plus longtemps possible avant de balancer tout ce qu'il savait. On l'avait entraîné pour ça. Jusqu'au moment de rupture… Il passa la langue sur sa dent creuse. L'ultime échappatoire à cet enfer. Il suffisait de mettre dans la bouche quelque chose de dur, sur le haut de la dent et de mordre avec force. Le plombage sautait et le cyanure lui apporterait la délivrance.

Ça, c'était ce qu'on apprenait en théorie, mais décider de mourir… D'être son propre bourreau… Aucun des officiers du centre d'entraînement ne pouvait se targuer d'en parler en connaissance de cause.

Un claquement de verrou fit vibrer la porte de métal.

Un jet de lumière inonda la cellule. Deux silhouettes massives apparurent au-dessus de lui. L'œil qui lui restait identifia ses bourreaux.

Charles se recroquevilla et ramassa par terre un éclat de pierre qu'il mit dans sa bouche. Une voix au fort accent allemand jaillit.

— J'ai le regret de vous annoncer que votre ami le paysan n'a pas supporté… nos questions. Il est mort d'une crise cardiaque au début de l'interrogatoire. Une regrettable erreur de mes collaborateurs.

Un petit homme brun, au teint maladif, en blouse blanche, pénétra dans la cellule, il s'assit sur la paillasse à côté de lui et posa un stéthoscope sur sa poitrine.

L'infirmier hocha la tête et murmura quelques mots à l'oreille de son supérieur. Le visage de ce dernier s'illumina.

— À la bonne heure. Votre cœur marche à la perfection. Nous allons reprendre notre discussion.

Charles se laissa traîner par les épaules sur le sol froid et carrelé du couloir. Ce fut au moment d'entrer dans la salle de torture qu'il écrasa sa dent. Il sentit un liquide amer couler dans sa gorge et ferma les yeux.

Il adressa une prière silencieuse à Dieu. Il combattait pour les forces du bien. Cette opération foireuse, c'était pour une bonne cause. Le plus absurde, c'est qu'il mourrait sans savoir laquelle.

29

Montségur
Mai 1941

La façade du manoir d'Estillac semblait plongée dans un sommeil vieux de plusieurs siècles. Rien ne paraissait changé depuis la fin de la guerre de Cent Ans. Ni les hautes fenêtres à meneaux contemplant le jardin de leurs vitres losangées, ni le soupirail grillagé qui ouvrait sur l'ancien cachot transformé en cave à vin, ni la tour ronde avec sa toiture en poivrière. Seule la porte d'entrée ouverte sur la cour ensoleillée semblait accueillir le visiteur avec un léger sourire. Un chat sortit, au pelage rayé de roux, qui inspecta minutieusement la base des rosiers avant d'aller se rouler sur les dalles usées de l'ancienne aire de battage. Laure l'observa, un instant, de la fenêtre cintrée de l'étage, puis reporta son regard sur le *pog*. L'abattage des arbres et des taillis était visible à l'œil nu. La base du château, délivrée de ses fourrés, étincelait comme une cuirasse neuve. Plus à droite, l'éperon dénudé ressemblait, lui, à un miroir en plein soleil.

— Mademoiselle…

Devant la porte, se tenait un paysan, le béret à la main, lui faisant signe de descendre.

— J'arrive, Bastien !

En un instant, Laure dévala l'escalier à vis, franchit le vestibule en courant et déboula dans la cour. Bastien épongeait son front en sueur.

— Je ne reste pas. On m'attend à la ferme. Juste vous dire que le chemin du *pog* est désormais bloqué par les Allemands. Ils ne laissent plus passer personne.

Laure sentit la colère l'envahir. Elle n'était plus remontée à Montségur depuis son échange orageux avec ce colonel SS. Et voilà qu'en plus d'avoir investi le château, maintenant, on lui en interdisait l'accès.

— On dit aussi qu'ils font de grosses fouilles au nord. On se demande bien ce qu'ils peuvent chercher, c'est que broussailles et sauvagine là-bas.

Laure le remercia d'un regard avant d'exploser intérieurement. Être interdit de séjour dans *son* château l'exaspérait. Si ces SS croyaient l'empêcher de se rendre chez elle, ils se trompaient. Et ce n'est pas son père, devenu résigné, qui allait décider à sa place. D'ailleurs, depuis leur dernière discussion, il ne quittait pas la bibliothèque. Comme si les livres pouvaient servir à quelque chose quand l'ennemi campait sur vos terres ! Laure fixa à nouveau le *pog*. Si l'accès principal était fermé, par où passer ? Par l'éperon ? Il était déjà investi par les Allemands. Par le versant nord ? Des sondages étaient en cours. Elle tourna la tête vers l'ouest. Du côté arrière du donjon. Là s'élevait une corniche que les soldats n'avaient pas encore dégagée. Sans doute parce qu'elle ne présentait aucun intérêt pour des fouilles. Trop étroite et trop rocheuse. Si Laure voulait monter au château, c'est par là qu'il fallait grimper. Du côté le plus escarpé du *pog*.

Une heure qu'elle montait. Une heure à coulisser entre les arbres, à éviter la gifle des branches, à ramper sous les buis, le visage éclaboussé d'humidité. Elle maudissait sa parka trop lourde, trop ample qui s'accrochait aux ronces. Ses bottes, elles, étaient couvertes d'éraflures à force d'avoir glissé sur des pierres. Juste avant la corniche, elle avait senti l'odeur entêtante d'un groupe de sangliers. Les bêtes noires venaient juste de passer, on pouvait encore voir leurs traces martelées sur le sol. Laure reprit son souffle. La barre rocheuse était au-dessus d'elle, à trois ou quatre mètres, pas plus. Il fallait trouver un passage, une cheminée où s'introduire en prenant appui sur des pierres en saillie. Elle se glissa entre deux parois rocheuses, se râpa une joue et prit pied sur le promontoire. Un rocher, marbré de lichen, s'agrippait au donjon. Laure l'escalada et se retrouva, collée contre le mur de la tour, face à une meurtrière qui s'évasait en forme d'étrier. Elle y colla son œil. Le sol du donjon avait été dégagé de ses gravats et aplani avec soin. À intervalles réguliers, des trous s'enfonçaient dans le sol. Des sondages, pensa-t-elle. Sur un des murs, on avait édifié un appentis recouvert d'une toiture végétale. Comme Laure tournait son visage pour mieux apercevoir l'intérieur, la porte qui donnait sur la cour du château pivota. Un homme en uniforme entra – elle reconnut Weistort – puis s'écarta pour laisser passer une femme. Ils se dirigèrent vers la cabane. De peur d'être aperçue, Laure recula. Elle n'avait eu que le temps d'entrevoir le profil de l'inconnue. La peau hâlée, les yeux immensément clairs, elle portait des cheveux blonds nattés autour du front. La joue posée contre le bord de la meurtrière, Laure allait tenter de jeter un nouveau regard, mais une voix féminine résonna entre les vieux murs :

— Oberführer, j'ai étudié le rapport préliminaire des fouilles que vous m'avez envoyé à Berlin. Votre équipe a dégagé les bases des fortifications extérieures et retrouvé les vestiges du village originel, mais visiblement vous n'avez pas découvert ce que vous espérez, sinon je ne serais pas là.

Intriguée, Laure se pencha vers la meurtrière. La jeune femme examinait déjà le sol du donjon. Elle leva la tête.

— Je vois que vous avez procédé systématiquement à des sondages.

— Tous les deux mètres, mais passé la couche de remblai nous sommes à chaque fois tombés sur le rocher.

— Donc, aucune trace d'excavations ou de faille rocheuse, car c'est ce que vous cherchez, n'est-ce pas ?

Laure pensa à ce que lui avait dit son père. Il était persuadé de la présence d'une nécropole souterraine dans le château. Visiblement, ce Weistort cherchait, lui aussi, une cavité disparue.

— Parmi les documents que nous vous avons fait parvenir, se trouvait une sélection d'interrogatoires menés par les inquisiteurs. Vous savez donc que, durant le bûcher, au pied de la montagne, quatre hérétiques se sont échappés du château. Un château pourtant investi, fouillé et occupé par les croisés. Or ces hommes ont réussi à échapper à toute recherche… Voilà pourquoi j'ai la conviction qu'il existe une cache secrète.

Un rire moqueur retentit entre les quatre murs du donjon.

— Et vous voudriez que je trouve l'endroit où ils se sont dissimulés ? Et ce, sept cents ans après les faits et dans un château qui, d'après vos propres dires, a été rasé et reconstruit ?

Le ton ironique fit sourire Laure malgré elle. Dans le fond, elle n'était pas fâchée que ce colonel morde un peu la poussière.

— Vous êtes une spécialiste reconnue, Frau von Essling, vos travaux en archéologie médiévale font autorité. Et vous m'êtes spécialement recommandée par le Reichsführer Himmler, un ami de votre famille.

— Oui, mais comme vous le savez, je ne fais pas partie de l'Anhenerbe…

— Pas encore, répliqua Weistort, mais je puis vous trouver un poste à la hauteur de vos compétences… Et de ce que nous attendons de vous.

— Sauf que nous parlons bien d'une organisation dirigée par la SS et dont les expéditions, comme celle du Tibet, utilisent la recherche archéologique comme couverture, n'est-ce pas ?

— Je vois que vous êtes bien renseignée, mais le Führer nous a donné une mission absolue : retrouver les racines de la nation allemande et prouver sa supériorité.

— Supériorité qui, pour vous, repose sur un savoir ésotérique perdu.

— Et que nous allons retrouver, soyez-en sûre.

— Et vous croyez vraiment que les cathares détenaient ce secret ?

La voix de Weistort se fit plus grave.

— Les cathares, comme les appellent leurs adversaires, étaient des dualistes convaincus que le monde que nous habitons avait été créé par le diable, qu'il était l'incarnation du Mal, mais que l'on pouvait remonter jusqu'au vrai Dieu. Une ascension vers le divin qui nécessitait des pouvoirs secrets.

Laure remarqua que l'archéologue haussait discrètement les épaules.

— Beaucoup d'historiens ne partagent pas ce point de vue. Ils voient plutôt les cathares comme des rebelles à l'autorité écrasante de l'Église catholique et cherchant à revenir au christianisme des origines, sans prêtre et sans sacrements.

— Alors pourquoi ces hommes se sont-ils enfuis ?

— Vous savez comme moi que l'Église interdisait l'accès aux textes sacrés – Ancien et Nouveau Testament – dont elle se réservait, seule, la connaissance et l'usage. Si les cathares détenaient ces livres – la véritable parole de Dieu à leurs yeux – ils ont peut-être voulu les sauver des flammes.

— Croyez-vous qu'il y ait besoin de quatre hommes pour transporter des livres ?

— On sait que les cathares méprisaient les biens matériels, en particulier l'argent, mais quand on vit dans la clandestinité, on en a un besoin vital. Ces fuyards peuvent avoir emporté un trésor monétaire pour continuer la lutte ailleurs. D'ailleurs, je vous fais remarquer qu'ils vont mettre plus d'un siècle à disparaître.

— Comme vous n'avez pas lu tous les interrogatoires des inquisiteurs, Frau von Essling, je vais vous apprendre quelque chose. À la Noël 1243, soit deux mois avant la chute de Montségur, deux hommes se sont enfuis du château, emportant avec eux « de l'or et de l'argent en grande quantité », comme l'affirment les témoins, et ce butin a été convoyé jusque dans le nord de l'Italie où se trouvaient d'importantes communautés cathares encore en liberté. Donc, oui, l'argent a bien été évacué et sécurisé, mais des mois avant la chute de Montségur.

— Alors vous en concluez que si le trésor monétaire a été préventivement mis à l'abri des mains avides de l'Église, cela signifie qu'un autre trésor, lui, a été emporté le jour même où deux cents hérétiques ont péri dans les flammes ?

Weistort ne répondit pas.

— Sauf que s'il a été emporté, comme vous le supposez, il n'y a aucune raison de le chercher là où il ne se trouve plus.

— Vous n'avez jamais été interrogée par la police, Frau von Essling ?

— Quelle question !

— Moi si, en 1923, à Munich.

Laure colla son oreille sur la meurtrière.

— Durant le mois de novembre, le parti nazi avait tenté de prendre le pouvoir par la force. Face aux manifestants, la police a tiré : il y a eu une vingtaine de morts. Hitler a été emprisonné et moi interrogé. Ce qui intéressait le plus les enquêteurs, c'était d'identifier les participants à ce putsch raté, d'évaluer leur degré d'implication, mais surtout d'apprendre où ils se trouvaient. Toutes les heures, on me présentait des noms de camarades, d'amis... Alors j'ai parlé.

— Et rien n'était vrai ?

— Si, des détails. Comme des clous auxquels on accroche un tableau. Assez pour que les enquêteurs croient à ma version et ainsi se dispersent en tous sens au lieu de se concentrer sur l'essentiel.

— Alors vous pensez que les cathares interrogés ont volontairement menti, qu'ils ont donné de faux noms et inventé une évasion qui n'existait pas ?

— Je pense au contraire qu'ils ont donné de vrais noms – justement pour qu'on les suive à la trace. Quant à l'évasion, elle a bien sûr eu lieu, un véritable appât pour motiver la traque des enquêteurs.

Fascinée par ce qu'elle entendait, Laure posa son œil contre la fente de l'archère. L'archéologue fixait le colonel.

— Mais alors ce secret que vous cherchez ?

Weistort tendit la main vers la cour du château.

— Il est toujours là.

Il saisit vivement la jeune femme par le bras.

— Et vous allez le trouver. Coûte que coûte.

30

Toulouse
Mai 1941

Je tiens mes promesses et même celles des autres !

Le slogan écrit en lettres noires et empâtées claquait sur l'affichette de propagande placardée au-dessus de la colonne de gaz. Le Maréchal fixait Jane d'un air sévère, son visage lisse et grave, vissé sous un képi orné de feuilles de chênes, rendait plausible la vantardise de l'exclamation. Sous sa photo un court texte, extrait de l'un de ses discours, vantait les bienfaits de sa politique de *collaboration*.

— Quelle déchéance…, murmura Jane qui avait posé sa valise au sol et observait avec tristesse le vieillard galonné.

Juste à côté une autre affiche représentait un couteau tranchant un pain :

Coupez-le en tranches minces. Et utilisez les croûtes pour la soupe.

— Un vieux croûton pour chef et des croûtes dans les assiettes… Pauvre France, constata la jeune femme dépitée.

— Vous venez ? lança Malorley du trottoir d'en face, ce n'est pas avec Pétain que nous avons rendez-vous.

La jeune femme traversa l'étroite chaussée de la rue Bouquières pour se diriger vers le petit restaurant niché au rez-de-chaussée d'un vieil immeuble de briques rouges. Elle était tombée sous le charme de la capitale occitane durant leur périple depuis la gare Matabiau à travers les rues du centre-ville. Le crépuscule peignait les façades d'une douce lumière rougeoyante propice à une balade romantique. Pendant quelques instants précieux, au fil des ruelles alanguies dans la douceur du soir, elle avait oublié cette horrible guerre. Pendant un instant. Une trop courte parenthèse.

Malorley, lui, avait tracé sa route, insensible aux charmes de la ville rose.

— Je ne comprends pas pourquoi Pétain est devenu le vieux caniche d'Hitler, murmura-t-elle quand elle arriva au niveau de Malorley. Il avait quand même filé une sacrée raclée aux boches à Verdun.

L'Anglais hocha la tête en poussant la porte du Cochon Jovial.

— Déplorable en effet. Heureusement qu'il reste de Gaulle pour sauver l'honneur de la France.

Une épaisse odeur de cigarette et de vieille barrique imprégnait l'intérieur du restaurant. Derrière le comptoir juste à l'entrée, assise sur un tabouret une matrone en robe rose bonbon jouait les cerbères. Elle ressemblait à un vieux bébé joufflu à qui on aurait posé un tas de cheveux gris en vrac sur le crâne. Elle dévisagea le couple d'un air méfiant, puis glapit d'une voix aussi pâteuse que sa face :

— Si c'est pour manger, la cuisine ferme dans une demi-heure.

L'accentuation chantante de ses paroles contrastait avec son air revêche.

— Bonjour madame, ça nous convient parfaitement, répondit Jane avec son plus grand sourire.

— Vous avez des tickets de rationnement ?

— Oui, plus qu'il n'en faut.

— Bien, se radoucit la patronne. Pour dîner c'est au fond.

L'officier du SOE balaya la salle d'un regard rapide. Les murs étaient décorés de publicités représentant des cochons hilares en train de ripailler. Une armée de gros jambons et de saucissons charnus pendaient du plafond. Il saliva. Son contact avait vraiment fait un choix judicieux pour le rendez-vous.

Le restaurant était à moitié vide, un couple entre deux âges était assis à côté d'une table occupée par trois vieux qui jouaient aux dominos. Deux hommes seuls dînaient à des tables séparées, l'un attendait son plat en lisant le journal tandis que l'autre avait le nez plongé dans son assiette. Excepté les trois joueurs, personne ne les dévisagea quand ils traversèrent la salle.

— Charmant accueil, dit Jane, on repassera pour la convivialité à Toulouse.

— Et aucun type en vue avec un chapeau noir à liseré gris, fit Malorley d'une voix tendue. Notre contact doit être en retard.

Un serveur aux cheveux blancs, maigre et déplumé, se planta devant eux, un torchon jeté sur l'avant-bras. Il mâchouillait un cure-dent avec application.

— Bien le bonjour, messieurs-dames, salua-t-il.

Ses paupières lourdes et épaisses semblaient peser des tonnes sur ses yeux noirs.

— Nous sommes affamés, répliqua Malorley.

Le serveur sourit légèrement.

— Comme la plupart des gens dans ce pays, cher monsieur... Ce soir le patron vous propose son ragoût de couenne de porc garni de rutabagas. Si vous voulez que ça passe mieux dans le gosier, il y a du saindoux, avec un supplément bien sûr.

Jane écarquilla les yeux et tendit l'index en direction du plafond.

— Et si vous nous décrochiez l'une de ces cochonnailles ? s'enquit la jeune femme en clignant des cils.

Le serveur eut un geste las.

— Je ne le conseille pas pour votre belle dentition, mademoiselle. Ce sont des éléments de décoration, vestige d'une époque pas si lointaine où nous avions les originaux dans le cellier. Avant qu'on nous mette au régime Vichy. En revanche, je peux vous proposer du chou fermenté aux lardons, mais à vos risques et périls.

— Plus très jovial le cochon... On va s'en tenir au plat du chef, répondit la jeune femme en grimaçant.

Malorley acquiesça d'un signe de tête.

— Vous avez du vin ?

— Comme tout bon établissement qui se respecte, le pichet de la maison, mais pas plus de vingt centilitres par client. C'est la loi, mais c'est du minervois qui ne perfore pas l'estomac.

— Ce sera parfait, dit l'officier du SOE qui regarda s'éloigner le vieux serveur, le pas traînant.

— Curieux, ajouta Jane, j'étais persuadée que la zone libre souffrait moins des restrictions.

— À l'évidence non ou alors il garde ses meilleurs plats pour les bons clients, dit Malorley en consultant sa montre. Notre contact a déjà dix minutes de retard. Et Charles aussi.

La jeune femme haussa un sourcil et le détailla avec une curiosité non feinte

— Vous êtes trop strict. J'espère que vous n'êtes pas comme ça avec Mme Malorley.

— Il n'y a pas de Mme Malorley. Du moins plus depuis notre divorce l'année dernière.

Elle déplia sa serviette qu'elle posa sur ses genoux et adopta une voix plus douce.

— C'est indiscret de connaître les raisons de votre séparation ?

— Oui, répliqua-t-il d'une voix bougonne. Moi je ne me mêle pas de votre vie privée.

— Je peux vous en parler, répondit-elle sur un ton espiègle, histoire de vous détendre un peu.

— Nous sommes en mission, je me détendrai au retour à Londres.

— Puisque vous évoquez la « mission », je vous signale que nous sommes mari et femme, fit-elle en se coulant contre son épaule, vous pourriez être un peu plus tendre. Un baiser serait le bienvenu.

L'Anglais était stupéfait. Elle n'attendit pas sa réponse et déposa ses lèvres sur les siennes. Puis, elle se redressa comme si de rien n'était, une expression mutine dans les yeux.

Malgré sa surprise, Malorley esquissa une moue complice. Cela faisait bien un an qu'une femme ne l'avait embrassé. Depuis le début de la guerre, sa vie sentimentale était aussi animée qu'une lande écossaise en hiver.

— Vous êtes toujours comme ça avec les hommes ? s'enquit-il en dépliant sa serviette.

— C'est juste professionnel, ne vous méprenez pas. Entre deux cours de combat rapproché et de sabotage, on apprend quelques trucs du même genre pendant le stage d'entraînement à Arisaig House. Du moins pour les sections féminines.

— Heureux instructeurs, ajouta-t-il laconiquement.

Le serveur revint vers eux avec deux assiettes fumantes qu'il déposa sous leur nez. Des lambeaux de viande informes surnageaient dans un brouet jaunâtre grumeleux.

— Un festin de roi, observa Jane, nous risquons l'indigestion.

Pour la première fois, Malorley sourit.

Le serveur sortit un dépliant publicitaire qu'il posa à côté de la salière en forme de goret.

— Qu'est-ce donc ? demanda l'Anglais.

Le garçon fit un signe de tête en direction d'un homme mince assis à une table.

— Le type là-bas, il est représentant de commerce. Il distribue des prospectus pour le compte d'une grande maison de confection.

Malorley tendit le prospectus au serveur et secoua la tête.

— On n'est pas intéressés, vous pouvez le lui rendre.

Les petits yeux du serveur se plissèrent, il gardait ses bras le long de son tablier.

— Vous devriez l'ouvrir. Il y a un accessoire d'habillement qui vous irait très bien, suggéra le serveur en tournant les talons.

Malorley ouvrit le prospectus. En plein milieu s'affichait une collection de cannes et de chapeaux, dont un modèle noir cerclé d'un bandeau gris.

L'Anglais jeta un œil en direction du représentant. L'homme croisa son regard, tapota ses lèvres avec sa serviette et se leva pour s'approcher de leur table. Il avait un visage rubicond avec une peau finement grêlée. La moustache fournie qui lui mangeait la lèvre supérieure compensait le cheveu rare. Il avait la soixantaine épanouie avec un embonpoint respectable pour un homme de cet âge. Il se pencha vers eux et posa son index sur la photo du chapeau.

— Il est superbe non ?

— On a toujours besoin d'un bon chapeau, dit Malorley.

— Même au printemps, répliqua l'inconnu.

— Nous sommes monsieur et madame Darcourt. Prenez place.

— Enchanté, moi c'est Georges. Ou Jo pour les amis.

Au moment où le représentant allait s'asseoir, la porte du restaurant s'ouvrit à la volée laissant s'engouffrer un gamin avec une casquette qui fila à toute allure vers leur table. L'enfant se pencha vers Georges et lui murmura quelque chose à l'oreille. L'homme à la moustache hocha la tête et sortit une pièce de la poche qu'il donna au garçon, puis se tourna vers le couple.

— Changement de programme. Veuillez me suivre.

Malorley et Jane le regardèrent, interloqués.

— On vient à peine de commencer notre repas, contesta la jeune femme.

— Discutez pas. On a repéré un groupe de flics en civil au bout de la rue. Et ceux-là ne sont pas des clients de la maison. Dépêchez-vous.

Les deux agents se levèrent précipitamment, prirent leurs valises et emboîtèrent le pas à leur contact qui se déplaçait avec une agilité étonnante pour un homme de cette corpulence.

— Rassurez-vous, tous les gens que vous voyez ici sont des camarades.

Le serveur avait débarrassé les deux assiettes à la vitesse de l'éclair sans que la patronne et les autres clients réagissent.

— Ces policiers savent qui nous sommes ? demanda Malorley.

— Je n'en sais rien, ils font parfois des descentes pour contrôler les papiers. Du zèle… Avec la guerre, la ville rose s'est transformée en une nouvelle tour de Babel. On a deux cent mille réfugiés dans la ville et les alentours pour à peine une centaine de flics. Des dizaines de milliers d'Espagnols républicains exfiltrés après la victoire de Franco, des juifs français qui ne veulent pas remonter en zone occupée, on les comprend, des Polonais en transit, des Italiens antifascistes… Pas vraiment la ville française idéale selon les critères du Maréchal.

Ils pénétrèrent dans un local qui servait à entreposer des cagettes et des poubelles et arrivèrent devant un énorme tonneau en bois couché contre un mur de briques. Georges tâtonna avec ses doigts sur le côté. Un clac sonore retentit, le cul de la barrique s'ouvrit comme par enchantement, laissant entrevoir un escalier de pierre qui s'enfonçait dans les ténèbres. L'homme s'écarta pour les laisser passer en murmurant d'une voix sombre :

— *In vino veritas…* Pressons, pressons, fit-il en refermant la porte du tonneau derrière lui.

Les marches n'étaient plus éclairées que par des rais de lumière qui filtraient des interstices de la barrique.

— Pas très pratique avec les valises, maugréa Jane.

— Il n'y a pas de lumière, ajouta Malorley.

— Tenez-moi par le bas de ma veste, l'escalier descend sur une vingtaine de marches, puis nous prendrons un boyau en ligne droite. Ça ne durera pas longtemps.

Une odeur de salpêtre saturait l'air tout autour d'eux. Jane regretta de ne pas avoir pris de mouchoir, c'était tout bonnement infect. Ils marchèrent trois, quatre minutes, puis stoppèrent dans le noir total. Georges frappa cinq coups espacés contre une surface qui renvoya un son métallique. Un bruit de serrure résonna, puis un jet de lumière jaillit dans un grincement de porte. Un homme apparut dans l'encadrement, la cinquantaine finissante, le front haut, les lèvres minces et les cheveux d'un noir de jais plaqués contre les tempes. Il scruta longuement les trois arrivants d'un regard énigmatique, comme s'il jaugeait leurs âmes, puis jeta d'une voix acidulée, à l'accent italien prononcé :

— Bienvenue en enfer !

31

Montségur
Mai 1941

— Réveille-toi ! Il se passe des choses.

Goebbels, ses lunettes embuées posées de travers sur le nez, lui secouait frénétiquement l'avant-bras. Tristan se dressa brusquement sur son lit de camp. Le jour luisait à peine dans la cour du château, mais on entendait des pas précipités et des cris d'alarme.

— Une attaque ? interrogea le Français en se précipitant sur la lampe.

Depuis quelques jours, une rumeur circulait sur un groupe armé opérant le long de la frontière avec l'Espagne. Certains parlaient de républicains qui avaient repris les armes, d'autres de Français qui avaient formé un maquis. Les bruits montaient de la vallée, rapportés par les villageois fournissant le château en nourriture.

— Je n'ai pas entendu de tirs, dit *Goebbels*, mais on dit que les forêts fourmillent de rebelles.

Malgré son réveil brutal, Tristan sourit. Il n'y avait qu'un archéologue, spécialiste du Moyen Âge, pour parler ainsi. Des « rebelles », et pourquoi pas des ermites et bientôt des sorciers ?

— Tu sais quoi, reprit *Goebbels,* hier des arpenteurs, qui travaillaient près du secteur nord, ont entendu des bruits étranges monter des fourrés...

— Peut-être des lutins, répliqua Tristan en s'habillant, on dit qu'ils sont nombreux dans la région.

— Ne plaisante pas avec ça. Si ça se trouve, cela fait des semaines que nous sommes surveillés par les rebelles...

— Et ce matin, ils sont montés à l'assaut avec des échelles de cordes et des grappins comme au bon vieux temps ? Écoute, je vais te dire, moi, ce que tes copains géomètres ont vraiment entendu, dans les taillis, ce sont des sangliers et rien d'autre. Maintenant allons voir ce qui se passe dehors.

Dans la cour, des soldats avaient pris position à l'entrée tandis que des tireurs, à plat ventre sur les murs, scrutaient la campagne encore endormie. Weistort hurlait à telle vitesse des ordres que Tristan ne parvenait pas à comprendre. *Goebbels*, lui, restait prudemment en arrière, jetant des regards inquiets sur le sommet du donjon comme si des assaillants allaient brutalement jaillir.

— C'est une sentinelle, annonça Weistort, on vient de retrouver son corps.

Une jeune femme sortit d'une tente, nu-pieds, vêtue d'une chemise kaki qu'elle tentait de nouer sur un pantalon d'uniforme. Le SS claqua des talons.

— Je suis désolé, Frau von Essling, mais nous avons un problème.

Il n'eut pas besoin d'expliquer. Quatre soldats franchirent la porte tenant un drap tendu et pesant qui râpait sur le sol. Un sergent se précipita avec une torche. Sur la toile écrue, reposait un cadavre. Tout son corps était disloqué, ses bras formaient comme une couronne tressée autour de son front, ses jambes partaient à angle droit, chacune de leur côté.

— Un suicide, murmura *Goebbels*, il a dû se jeter du haut de la falaise.

Tristan ne répondit pas. Il regardait le visage. Ou plutôt son absence. Car la tête avait complètement pivoté vers l'arrière. On n'apercevait plus qu'une nuque brisée dont les vertèbres ressortaient à vif et des cheveux gluants de sang.

— Vous avez un médecin ? demanda Frau von Essling.

Weistort secoua la tête.

— Alors menez-le dans ma tente. Je vais examiner le corps. Les morts, c'est mon domaine.

Le SS fit un geste vague qui valait pour assentiment. Tristan regarda la jeune femme partir, suivie du cortège funèbre. Ce devait être l'archéologue arrivée de Berlin. Elle avait des mains fines. Il l'avait remarqué quand elle avait boutonné sa chemise. Des mains qu'on prête aux pianistes. Il ne parvenait pas à les imaginer fouillant le sol à la recherche d'un vestige ou d'une tombe.

— Soldats ! la voix grave de Weistort retentit aux quatre coins de l'enceinte. Je ne veux plus que quiconque sorte sans mon autorisation. Désormais, ce château est une forteresse.

Le père de Laure se levait tôt. Il avait l'habitude de petit-déjeuner seul dans la cuisine écoutant le battement de l'horloge, contemplant par la fenêtre la nuit qui se dispersait. Il fut surpris de trouver sa fille, une joue en feu et les paupières bistrées d'insomnie.

— Je suis montée au château, hier, par la face ouest.

— Une ronce ? demanda calmement d'Estillac en montrant la joue de sa fille.

— Non, je me suis râpée contre un rocher en grimpant et comme je suis restée longtemps collée au mur du donjon, ça n'a rien arrangé.

— Tu n'as pas pris le chemin le plus facile pour monter.

— C'est le seul qui ne soit pas surveillé.

Le chat rentra dans la cuisine, miaulant pour avoir sa part de lait. D'Estillac prit la bouteille et en versa le fond dans l'écuelle. Il n'était pas fâché d'avoir un temps de répit pour réfléchir. Visiblement sa fille voulait parler, mais pas plus que lui, elle ne savait comment s'y prendre.

— Par où tu es arrivée, tu n'as pas dû voir grand-chose des fouilles qu'ont entreprises les occupants.

Il avait choisi le mot « occupant » avec soin, sachant que sa fille vivait la réquisition du château comme une véritable spoliation.

— Je n'ai rien vu, mais j'ai beaucoup entendu, lâcha Laure. Un nouvel archéologue est arrivé directement de Berlin. Une femme. Envoyée par Himmler lui-même.

— Une femme, s'étonna d'Estillac, tu as son nom ?

— Von Essling. Elle semblait sceptique sur l'intérêt des fouilles. Pas Weistort. Tu m'as parlé d'une salle souterraine, les SS la cherchent aussi. C'est même leur objectif prioritaire, mais je ne comprends pas pourquoi les nazis déploient autant de moyens pour un cimetière, vieux de sept siècles. Ça n'a aucun sens.

Son père resta muet. Il avait toujours été énigmatique. À la différence d'elle qui, comme sa mère, exprimait toujours ses sentiments, même quand ils tournaient à l'angoisse.

Une fois de plus, elle devrait trouver ses propres réponses.

Montségur

Désormais le château ressemblait à une ligne de front. Des soldats contrôlaient toutes les entrées, les archéologues, eux, se déplaçaient sous protection. Partout le bruit des bottes, le cliquetis des armes se faisaient entendre comme si un ennemi invisible rôdait jusque dans l'enceinte du château. Des bruits se répandaient qui rajoutaient à l'inquiétude. Une situation qui pouvait vite amener à des débordements. Voilà pourquoi Weistort, le visage tendu, écoutait le rapport de la jeune archéologue qui venait d'examiner le corps tourmenté du soldat mort.

— Je ne suis pas un médecin légiste, mais j'ai suivi une formation en anatomie afin de pouvoir travailler sur des sépultures médiévales. La manière dont un cadavre est déposé dans une tombe, sa position, la disposition de ses membres, sont des éléments essentiels pour la datation et l'interprétation.

Elle montra du doigt le corps posé sur une table de travail.

— Dans le cas qui nous occupe, il y a une anomalie évidente qui est une rupture des connexions anatomiques. Pour les membres inférieurs comme supérieurs, les os sont systématiquement déboîtés au niveau des articulations.

— C'est possible dans le cas d'une chute ?

— Il faudrait qu'elle soit extrêmement violente et que le corps ait heurté de nombreux obstacles.

— Entre le lieu où il montait la garde et celui où on l'a retrouvé, il y a beaucoup de rochers, commenta Weistort, et il a roulé sur plusieurs dizaines de mètres.

— Ça ne règle pas le problème de l'impulsion initiale. S'est-il jeté ou l'a-t-on poussé ? Dans le premier cas, c'est un suicide, dans le second un meurtre.

— Dans tous les cas, c'est un suicide, trancha le SS. Les hommes ont besoin d'être immédiatement rassurés.

Il se tourna vers un subordonné.

— Vous rédigerez un rapport qui conclut à la mort volontaire. Vous ferez aussi circuler l'information qu'on a trouvé une lettre de sa petite amie dans ses affaires. Une lettre de rupture. Je dois partir pour Foix immédiatement afin de tenir le Reichsführer au courant de l'avancée des recherches sur une ligne téléphonique sécurisée. Je ne veux en aucun cas que cet *incident* ralentisse le rythme des recherches.

— Reste le problème de la tête, ajouta l'archéologue.

Le silence tomba dans la tente. Chacun évitait de regarder le mort dont on n'apercevait que la nuque ouverte.

— Quelle que soit la violence de la chute, il est impossible que la tête se soit ainsi déplacée.

— Ce qui signifie ? lança froidement Weistort pour conjurer le malaise naissant.

— Les cervicales ont été brisées, disloquées, son crâne arraché de la colonne…

— Alors c'est un meurtre ?

— On l'a attaqué de dos. Il n'a pas eu le temps de souffrir. Seulement de mourir.

Tristan observait Weistort. Ce n'était ni l'effarement, ni la colère qui prenaient possession de son visage. Non, c'était autre chose, de plus intense, de plus secret : un pli rapide à la commissure des lèvres, une rougeur brusque aux pommettes, un feu violent dans le regard… Le plaisir, pensa Tristan, le plaisir de la chasse qui commence. Weistort avait trouvé un adversaire à abattre. Et il ne le lâcherait plus.

— Celui qui a tué ce soldat ne sait pas ce qu'il va souffrir. Je veux cet homme. Je le veux pour le tuer.

32

Toulouse
Mai 1941

— *Buonasera* Georges, lança l'homme aux cheveux de jais d'une voix acidulée.

— *Buonasera* Silvio, toujours à soigner ton entrée théâtrale. Je t'amène des amis venus de Londres.

— Des Anglais ! Soyez les bienvenus dans mon humble boutique.

Le couple d'agents le salua poliment.

L'homme les fit entrer dans une sorte de remise encombrée du sol au plafond de cartons de livres à moitié déballés. Une odeur de vieux papier remplaça celle du couloir qu'ils avaient emprunté.

— Venez, je vous prie.

Il referma la porte de métal d'une main sûre et leur désigna un nouvel escalier qui remontait.

— Attention à vos têtes, le plafond est bas.

Malorley remarqua la branche d'acacia stylisée gravée sur le linteau de pierre et suivit le chef de réseau derrière l'Italien. Il grimpait les marches quatre à quatre d'un pas alerte.

— Où sommes-nous ? chuchota Malorley à Georges.

— Chez Silvio Trentin, un ami italien. Un antifasciste de la première heure. Il est arrivé à Toulouse en 1935 et a ouvert cette merveilleuse librairie. Elle abrite nos réunions clandestines depuis quelques mois.

Ils débouchèrent dans une salle sertie de la même brique toulousaine et aux murs ornés de bibliothèques de haute taille. Les rayonnages débordaient de toute part d'ouvrages. Deux canapés de toile vert pomme se faisaient face au centre de la pièce, avec au milieu une table basse elle aussi surchargée de livres.

Le libraire italien écarta les bras.

— Bienvenue dans l'enfer des livres maudits. Sur ces rayons reposent un demi-millier d'ouvrages interdits par tous les duce, führer, maréchaux, petits pères des peuples et autres caudillo que l'Europe a enfantés avec tant de bonheur.

— Tu oublies la section d'ouvrages érotiques mise à l'index par les papes, précisa Georges.

— Amen, ajouta l'Italien en esquissant ironiquement un signe de croix. Posez vos valises et asseyez-vous, vous avez mangé ?

— Pas vraiment… Votre ami nous a exfiltrés au moment où l'on nous apportait nos assiettes, répondit Jane en se lovant sur l'un des sofas.

Trentin éclata d'un rire enjoué.

— Et il a bien fait. Le Cochon n'a plus rien de jovial. Je vais vous apporter quelques tranches de jambon de Bigorre, il doit me rester un peu de fromage de chèvre de Mauzac et un bon vin de Fronton. J'ai rarement l'occasion d'avoir des invités de Londres.

Tandis qu'il s'éclipsait dans une pièce voisine, Malorley s'était assis en face du représentant.

— Vous n'êtes pas surveillé par la police ?

— Ces ânes bâtés n'ont jamais soupçonné le passage secret qui relie le restaurant à la librairie. Vichy favorise l'obéissance pas l'imagination. Mais ça ne durera pas éternellement…

— Et ils n'ont jamais fait de descente ? le coupa Jane.

— Si, deux fois, mais cette pièce est bien protégée, il faut emprunter un autre passage pour atteindre la librairie. Nous sommes dans le quartier Saint-Étienne, tout un réseau de souterrains-refuges a été construit pendant la croisade contre les cathares. Histoire d'échapper aux inquisiteurs. Silvio a aménagé cette cache le jour même de la capitulation en prévision des jours mauvais. Je ne vous dis pas le travail qu'il a fallu pour installer un système d'aération et raccorder le chauffage à celui de la librairie afin de protéger ses précieux livres.

Trentin arriva avec un plateau qu'il posa sur la table.

— M. Churchill se porte-t-il bien ? demanda le libraire en débouchant une bouteille de vin rouge sombre.

— Oui, une santé de fer en dépit d'une multitude de cigares par jour et d'une quantité non élucidée de whisky.

Il servit les verres de ses invités.

— Admirable. Admirable… Et l'Amérique va-t-elle entrer en guerre ?

— Le président Roosevelt serait partisan d'une intervention, déclara Jane, mais la majeure partie de ses concitoyens ne veut pas en entendre parler.

L'Italien brandit un verre à hauteur de sa tête.

— Salut ! *Que ce pezzo di merda* d'Hitler trahisse Staline et rompe le pacte germano-soviétique pour enfin attaquer la Russie, lança Trentin avec une lueur dans les yeux. C'est la seule chance de changer l'issue de cette guerre. Ouvrir un nouveau front à l'Est et qu'Hitler, tel Napoléon, s'y perde dans les steppes glacées. Sinon l'Angleterre est condamnée et nous avec.

Les trois invités levèrent leurs verres à leur tour.

— L'Angleterre s'en sort toujours, ajouta Malorley, toujours. De midi à minuit.

Le libraire attendit d'avaler la moitié de son verre avant de lui répondre.

— Comment avez-vous deviné ?

— La branche d'acacia stylisée gravée à l'entrée de l'escalier. À moins que ce ne soit vos prédécesseurs.

Trentin secoua la tête.

— Touché. Grand Orient, du moins ce qu'il en reste. Je l'ai fait graver avant-guerre et je n'arrive pas à l'effacer depuis.

— Grande Loge Unie d'Angleterre.

— Je m'en doutais. Mais vous autres obligez vos frères à croire en Dieu… Enfin nul n'est parfait. Salut, mon frère !

La jeune femme ouvrait de grands yeux interloqués.

— Vous pourriez traduire ?

Les deux hommes restèrent silencieux. Georges sourit et alluma une cigarette.

— Ils viennent de découvrir qu'ils sont francs-maçons tous les deux. De midi à minuit est l'une de leurs phrases de reconnaissance.

— Des francs-maçons… Vous faites des messes noires, des trucs comme ça non ? interrogea-t-elle d'un air gêné.

Trentin répondit avec un sourire amusé :

— Oui bien sûr. On sacrifie aussi des jeunes vierges dans la pièce à côté… Ah il ne faut pas croire toutes ces imbécillités propagées par nos adversaires. À mon tour de vous poser une question. Vous êtes bien jeune pour prendre de si grands risques. Et comme écrivait Ronsard : « la jeunesse s'enfuit pour ne jamais revenir ».

La jeune femme finit d'avaler son verre et le reposa sur la table.

— « Il vaut mieux gâcher sa jeunesse que de n'en rien faire du tout. » Courteline.

Le visage de Trentin s'éclaircit.

— La belle a de la repartie.

Georges se leva et prit son ami par l'épaule.

— Le temps nous est compté. Silvio, je vais te demander de nous laisser. Pour ta propre sécurité.

Le libraire hocha la tête.

— Je sais… Appelez-moi quand vous aurez fini. Je vais m'attaquer à une traduction de Steinbeck en français, rude nuit en perspective.

Georges attendit qu'il ferme la porte, puis étala sur la table basse une carte du Sud-Ouest.

— Bien. Cette nuit, vous resterez dormir ici. Demain, à midi, un camarade vous emmènera directement à Montségur dans sa voiture de fonction. Vous y serez en fin d'après-midi. Il travaille pour les services de ravitaillement et assure les contrôles sanitaires des fermes pour l'Ariège et la Haute-Garonne.

Une expression embarrassée se peignit sur le visage de Malorley.

— Un autre agent devait arriver ce soir au restaurant. Il a dû avoir un contretemps. J'aimerais l'attendre jusqu'à demain soir.

Le représentant se crispa.

— Impossible, le chauffeur doit respecter un agenda prévu de longue date. Un décalage paraîtrait suspect. Sinon il faudra attendre la semaine prochaine pour y aller, le temps qu'il revienne de sa tournée.

— Et par le train ?

— Je vous le déconseille, les contrôles ont été renforcés sur la ligne de Foix.

Malorley hésitait. Le temps jouait contre lui, il ne pouvait pas se permettre de perdre une semaine. D'un autre côté, cela lui faisait un agent en moins de disponible sur le terrain.

— OK, mais s'il n'arrive pas demain soir c'est qu'il aura été intercepté.

Georges opina et se servit un autre verre de vin.

— Je ne vais même pas prendre ce risque. Le restaurant sera fermé dès ce soir et jusqu'à nouvel ordre. On interceptera votre homme quand il entrera dans la rue. S'il vient…

Il se servit un autre verre de vin et continua :

— À Montségur, vous serez pris en charge par Trencavel, c'est le nom de code du chef de réseau pour le département. Il vous réceptionnera en personne. Je ne sais pas ce que vous comptez faire là-bas, mais il m'a prévenu que le coin est truffé d'Allemands. Et pas des moindres, des SS. Dans le genre salopard, on n'a pas fait mieux depuis les Huns. Et encore, je crois qu'Attila devait être plus sympathique.

Malorley ne réagit pas, contrairement à la jeune femme.

— Nous sommes pourtant en zone libre, dit-elle.

Le Français émit un rire grinçant.

— Elle n'a de libre que le nom, mademoiselle. Les Allemands peuvent y pénétrer comme la syphilis dans un bordel de campagne. Et ce n'est pas cette vieille carne de Pétain qui va les empêcher.

Malorley interrogea l'homme calmement.

— Vous savez ce qu'ils font là-bas ?

— Trencavel m'a raconté qu'ils conduisent des fouilles archéologiques. Je n'y crois pas une seule seconde. Ça ne m'étonnerait pas qu'ils cherchent un trésor. C'est pour ça que vous êtes venus, non ?

Malorley répondit par un sourire muet. Le résistant hocha les épaules.

— Comme vous voudrez. Mais nous sommes bien d'accord ? En échange de notre aide, Londres parachutera les cent mille francs comme convenu.

— Oui, ne vous inquiétez pas pour ça.

La jeune femme le regarda interdite.

— De l'argent… Je croyais que vous étiez des résistants !

— Nous oui, mais pas les fonctionnaires à qui nous graissons la patte. Les employés de la préfecture qui nous fournissent des papiers, les gardiens de prison qui font passer des messages… Cette somme va aussi nous permettre de louer de nouveaux locaux plus sûrs en périphérie de la ville. La librairie de Silvio devient trop exposée.

— Combien d'hommes pouvez-vous nous fournir sur place ?

— Cinq, peut-être six. Des Espagnols rescapés de l'armée républicaine. Ils ont formé un petit maquis dans l'Ariège après s'être échappés d'un camp de détention de Vichy.

Malorley fit la grimace.

— C'est peu pour faire face à des SS.

— Nos amis sont des combattants aguerris. Ils se feront un plaisir de découper du nazi.

— Et pour les armes ?

— Ça c'est pas un souci, les Espagnols ont emporté leur outillage quand ils ont traversé la frontière en 1939.

Il sortit un petit pistolet à crosse sombre qu'il posa sur la table devant Malorley.

— Calibre 9 mm, modèle CZ de fabrication tchèque, version 1927, solide et efficace, en dotation chez les officiers de l'armée républicaine. Vous en aurez besoin.

— Je n'y ai pas droit ? dit Jane de son air le plus innocent.

— Sauf votre respect, c'est pas un joujou pour les jeunes filles, répondit le résistant.

La jeune femme prit le CZ d'une main agile et le brandit à hauteur de ses yeux. Puis, d'un geste vif, elle sortit le chargeur et débloqua la culasse. En moins d'une minute, l'arme était éparpillée en plusieurs morceaux sous l'œil éberlué du moustachu.

— Pour ma part, je préfère le VIS polonais, version 1935, précisa Jane en jouant avec le chargeur entre ses doigts. Il est plus précis et s'enraye moins à l'usage, mais bon on fera avec le « joujou » tchèque.

Malorley sourit devant le regard de Georges.

— Tous nos agents reçoivent une formation poussée en matière d'armement. Y compris les femmes.

— Quelle étrange époque, murmura le résistant, bientôt elles réclameront le droit de vote.

33

Berlin
Koeningsberg Platz
Bureau de la prospective et des calculs spéciaux

Le pâle soleil berlinois diffusait une lumière douce dans la vaste pièce qui naguère faisait office de fumoir. Sur les murs, les tentures bourgeoises de velours mauve s'étaient volatilisées pour laisser place à des armoires aveugles plantées entre les bannières de swastika qui pendaient du plafond. Seul écart aux canons de la bureaucratie, le portrait officiel d'Adolf Hitler, d'habitude en costume strict du parti, était remplacé par une copie du tableau peint par Hubert Lanzinger. Le Führer vêtu d'une armure argentée d'un chevalier du Moyen Âge et qui brandissait une oriflamme de combat. Son visage farouche, tendu vers sa quête du Graal, était censé inspirer les employés du service.

À la place des cossus fauteuils Chesterfield verts des anciens propriétaires, on avait installé une rangée de bureaux métalliques grisés modèle standard de l'administration soigneusement alignés les uns sur les autres. Derrière chacun de ces bureaux, dix hommes et deux femmes étaient affairés, le nez plongé dans leur travail. On entendait le grattement incessant des crayons et des tracés à la règle.

Debout dans l'entrebâillement de la porte, les mains sur les hanches, Rudolf Hess contemplait son équipe dévouée. Il n'avait sélectionné que les meilleurs, au terme de tests fastidieux et d'entretiens menés dans le Grand Reich et tous les pays occupés. Du fin fond de la Bretagne aux rivages de la Baltique, des plaines de Bohême aux brumes de Bruges, il avait effectué un tri impitoyable. On y trouvait une majorité d'Allemands, mais aussi deux Polonais, une Tchèque et une Française.

Tous ces experts jouissaient d'une réputation flatteuse avant-guerre. Il n'avait pas fallu longtemps à Hess pour les débusquer au fur et à mesure de l'avancée de la Wehrmacht. Ni pour les convaincre. Excepté les sujets du Reich, les autres avaient dû choisir entre la collaboration et le peloton d'exécution. Tous s'étaient ralliés avec enthousiasme pour mettre leurs compétences au service du nouvel ordre européen. Même le juif polonais s'était révélé parmi les plus doués. Son travail stupéfiait Hess par sa précision et sa justesse au point qu'il se demandait s'il n'allait pas lui attribuer un certificat d'aryanité d'honneur.

Hess contemplait, avec satisfaction, sa merveilleuse équipe de collaborateurs uniques dans tout le Reich. Ces hommes et ces femmes, à l'allure de fonctionnaires, exerçaient tous le même métier.

Ils écoutaient les étoiles et parlaient aux planètes.

Ils étaient astrologues.

Officiellement, le service était référencé dans l'administration du parti en tant que Bureau de la prospective et des calculs spéciaux. Une dénomination suggérée poliment à Hess par l'un de ses ennemis, Hjalmar Schacht, le ministre des Finances. Quand bien même le Führer lui-même avait autorisé sa création, on ne pouvait pas attribuer une ligne budgétaire à un service d'astrologie. Bureau de la prospective et des calculs spéciaux... Hess exécrait cette dénomination puante de technocratie et avait fait plaquer à l'entrée du service une inscription en lettres d'argent :

Skuld.

C'était l'une des Nornes, les trois sœurs du panthéon de la mythologie nordique. Elles tissaient la tapisserie cosmique du destin des hommes. À Urd, la trame du passé, à Verdandi celle du présent et à Skuld, les fils de l'avenir.

Le BPCS, ou plutôt Skuld, dépendait de Hess directement et personne n'avait le droit d'y mettre les pieds à part lui.

Un trio d'astrologues allemands s'occupait en priorité de la veille astrale des principaux ennemis du Reich : Staline, le président américain Franklin D. Roosevelt et Winston Churchill. Ce dernier faisait l'objet d'une attention toute particulière de Hess qui se piquait lui aussi de pratiquer l'astrologie en amateur. Il connaissait par cœur le thème de naissance de l'obstiné Bulldog : né le 30 novembre 1874, à 01 h 30 du matin, à Blenheim Palace dans l'Oxfordshire. Sagittaire, ascendant Vierge. Lune en Scorpion, son talon d'Achille : fantasque, imprévisible, tendance à la dépression.

Hess aimait mettre côte à côte la roue de naissance de Churchill et celle du Führer qui, lui, bénéficiait d'une sublime carte des astres. Un Taureau ascendant Capricorne, la force et l'énergie soutenues par l'ambition et la ténacité. Fait plus stupéfiant, il était né avec Mars et Vénus en conjonction parfaite dans son signe. Une rareté astrale qui révélait un être doté d'un équilibre parfait entre masculin et féminin. Le thème était si beau que Hess l'avait encadré comme une relique dans le salon de sa maison.

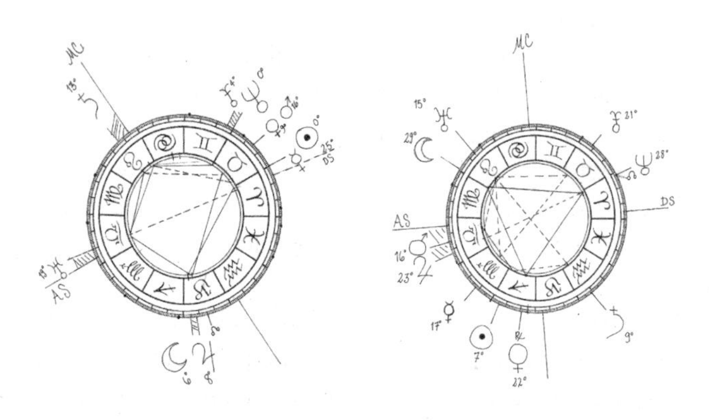

Thèmes astrologiques d'Adolf Hitler et de Winston Churchill

Le chef du parti nazi s'approcha de l'astrologue en charge de Churchill. Il haïssait ce dernier d'autant plus qu'il appréciait les Britanniques. Il comptait parmi eux de nombreux amis de haut rang, souvent sympathisants secrets du nazisme. Comme l'ex-roi

Édouard VIII ou Sir Oswald Mosley, leader du parti fasciste anglais qui croupissait en prison depuis le début de la guerre.

À cause de Churchill, Goering ne cessait de bombarder ce pays jour et nuit et lui, Hess, en était ulcéré. Les Anglais ne méritaient pas tant de brutalité.

— Dites-moi si ce bâtard de Churchill va attraper la vérole !

L'astrologue aux yeux rougis de fatigue leva les yeux vers son protecteur.

— Je calcule le transit de Mercure en maison trois, si ça se confirme on pourrait s'attendre à une période de dépression soudaine.

— Bien... Bien. Et pour mon projet spécial ?

Le devin coula un regard craintif vers ses collègues, puis chuchota d'une voix basse :

— Je termine les thèmes, tout devrait être prêt ce soir.

Il montra à Hess la feuille immaculée sur laquelle il traçait la roue astrologique. À l'extérieur et sur tout le pourtour du cercle noir, les positions des planètes au cœur des constellations du zodiaque ainsi que dans les maisons astrales. À l'intérieur, aux traits rouge ou bleu, les motifs géométriques, triangles et carrés, formés par les positions des planètes entre elles.

Hess se pencha sur la table pour inspecter ce travail. Même s'il n'était qu'un amateur en la matière il savait décrypter un thème.

— Magnifique, Yaros ! Votre travail aidera à sauver des millions de vies.

L'astrologue crut avoir mal entendu, c'était bien la première fois que Hess se souciait du bien-être de l'humanité.

— Des vies aryennes, bien sûr ! s'empressa d'ajouter Hess en s'esclaffant.

Le spécialiste des étoiles inclina la tête avec un pâle sourire. Il tremblait à l'idée que son maître ne soit plus satisfait et l'expédie dans un camp de concentration.

Hess le laissa à sa besogne astrale et se dirigea vers un bureau privé où se tenait le seul astrologue dans son espace particulier : le grand Woltan. C'était son nom de scène quand il prédisait l'avenir dans son cabinet de Munich. Maintenant, l'expert s'occupait uniquement des thèmes des plus hauts dirigeants nazis, de la garde rapprochée du Führer aux cadres de premier plan dans l'armée et le parti. À chacun, Hess envoyait tous les ans une roue de prévision astrale en guise de cadeau d'anniversaire. La plupart les jetaient aussitôt. L'homme aux sourcils broussailleux le savait, mais s'en moquait, car les thèmes lui permettaient d'abord de prédire leur comportement. « Mon bureau d'espionnage astral », comme il l'avouait devant sa femme.

Il entra sans frapper et referma aussitôt. Le grand Woltan, un homme âgé au visage en pointe et à la barbe soigneusement taillée, leva la tête et fit mine de se lever.

— Herr Hess, c'est un honneur.

— Restez assis, j'ai besoin de confirmer une intuition.

— Expliquez-moi.

Le chef nazi s'assit sur le bureau du mage.

— J'ai un souci avec Heinrich Himmler. Vous savez comme je l'apprécie, mais je sens de mauvaises ondes autour de lui en ce moment.

— Quel genre ?

— Je me demande s'il n'est pas en train de prendre de mauvaises décisions. Vous pouvez me sortir son thème de l'année ?

— Oui, bien sûr.

Woltan déplia le rouleau et l'observa attentivement. Le nom du chef de la SS était inscrit en fines lettres déliées en haut du document.

— Vous avez tout à fait raison ! Quelle clairvoyance. Le Reichsführer subit un carré dans son ciel de naissance. Jupiter, qui gouverne la raison pure, est en dissonance avec Pluton et Saturne, les deux maléfiques.

— Je le savais ! Voilà ce qui le pousse à prodiguer de mauvaises décisions à notre Führer.

— Oui, approuva Woltan, vous devriez faire très attention. C'est un homme de plus en plus puissant avec son armée de SS.

Hess le foudroya du regard.

— Enfin… Euh, bien sûr, pas autant que vous, balbutia le devin barbu, conscient de son impair.

— Moi, je n'ai pas l'oreille du Führer, j'ai son cerveau ! Contentez-vous de lire le langage des astres et laissez la politique à ceux qui savent, répliqua sèchement Hess qui se leva d'un bond et sortit sans le saluer.

Le chef du parti quitta Woltan, la mine irritée, pour se rendre dans son bureau personnel.

Les étoiles ne mentent jamais… Woltan avait confirmé ses craintes sur Himmler. Il devait rencontrer le Reichsführer au plus vite, pour en avoir le cœur net.

Le bruit de ses bottes résonnait dans le silence. Il avait toujours aimé ce claquement sec et viril. En matière de chaussures masculines, sa religion était faite depuis bien longtemps : un homme, un vrai, se devait de porter des semelles rigides. La seule entorse qu'il s'autorisait était chez lui, où sa femme exigeait qu'il mette des patins quand ils étaient seuls.

Il arriva au bout du couloir et poussa les deux battants en bronze qui donnaient sur son *sanctum* personnel. Les lourdes portes laissèrent apparaître une salle au plafond voûté qui ressemblait à la nef d'une église.

Il aimait ce refuge magique, plus tranquille, plus intime que celui de la chancellerie du parti, de l'autre côté de Berlin, où il passait, à son grand déplaisir, la majeure partie de son temps. Là-bas tout n'était que cris, bousculades, vociférations et intrigues. Dès qu'il le pouvait il venait se réfugier dans cet édifice pour s'adonner à la réflexion.

De la décoration du temple maçonnique originel il n'avait gardé que la peinture du plafond, une voûte étoilée, et les symboles des deux luminaires sacrés plaqués sur le mur de marbre au fond de la salle. Un soleil d'or et une lune d'argent. Tout le reste était parti au feu, à commencer par le maudit *delta lumineux*, le triangle avec l'œil à l'intérieur. Cela faisait presque six ans, jour pour jour, qu'il avait pris possession des lieux à la tête d'une escouade de vieux camarades du parti. Devant une foule de Berlinois excités ils avaient jeté par les fenêtres tout ce que contenait le temple, meubles, sculptures, livres, breloques, tableaux, excepté les deux vieux gardiens qui s'étaient malencontreusement cogné le front contre une matraque. Puis, ils avaient attendu la nuit et allumé un magnifique bûcher sur la charmante place du Kortenberg. La date même du bûcher n'avait pas été choisie par hasard. Un 21 juin, le solstice de la Saint-Jean. Ce jour-là, quatre planètes formaient un carré parfait dans la constellation du Scorpion.

La flambée fut un tel moment de joie qu'il fallut empêcher les militants les plus enthousiastes de propager le feu dans le temple. Au point de sortir à nouveau les matraques, cette fois pour disperser les plus récalcitrants. Il eût été dommage de détruire ce magnifique édifice du XVIIIe siècle alors qu'il comptait le réquisitionner pour son usage personnel. Le lendemain, le changement de propriétaire s'était déroulé dans les règles, devant notaire. Le suprême maître de la Grande Loge maçonnique, un directeur de banque apeuré, était venu spontanément lui céder les titres de propriété. Hess avait tenu à lui faire ajouter sur le contrat un alinéa avec la mention « Don en réparation de l'influence néfaste exercée par la franc-maçonnerie sur le peuple allemand pendant plus de deux cents ans ».

Hess entra dans son *sanctum* sans refermer les portes.

Face à lui, de chaque côté de l'allée centrale, se dressaient deux rangées de statues de taille cyclopéenne. Il avait lui-même commandé les modèles à Arno Breker, le sculpteur officiel du régime. À droite des hommes à moitié nus, en posture de combat, menton volontaire et muscles saillants, à gauche des femmes qui tendaient les bras pour offrir des gerbes de blé, des cornes d'abondance ou un bébé. À droite les vertus viriles, courage, persévérance, force et hardiesse, à gauche, la maternité, la douceur, l'humilité et la grâce. En art, ses conceptions étaient tout aussi arrêtées qu'en matière d'habillement. Hess aimait cette alliance de la beauté et de la simplicité. Des idées simples que n'importe quel aryen pouvait comprendre en regardant une statue. Bien loin de l'art dégénéré qu'il avait contribué à anéantir. Derrière les statues de gigantesques appliques diffusaient une lumière chaude, presque rougeoyante.

Il aimait marcher au milieu de sa garde de marbre pour se rendre à son bureau planté sur l'estrade au fond de l'ancien temple maçonnique.

À l'orient, pour reprendre l'expression des maçons. Quelle ironie. Quel signe du destin. Lui qui était né à l'orient, en Égypte. Au pays des pharaons, ceux-là même qui avaient réduit les sémites en esclavage.

Un serpent de douleur se tortillait dans son cerveau enfiévré. Il tituba sur place et s'appuya contre la statue d'une walkyrie.

Le mal de tête revenait de plus en plus fréquemment.

Soudain une voix surgit de nulle part :

— *Un beau jour pour toi.*

Son visage s'éclaircit.

Il reconnut l'intonation grave. Elle provenait d'une des statues, celle qui était le plus près de son bureau.

Baldr. Le dieu de la lumière.

Son protecteur. Il le guidait depuis des années.

La première fois qu'il l'avait entendu remontait à un an environ après l'installation de sa statue. Il avait fait venir Woltan et son secrétaire personnel pour savoir si eux aussi percevaient les paroles du dieu. En vain. Et pour cause, Baldr l'avait choisi lui, Hess, et pas un autre. Le dieu ne lui parlait pas tous les jours bien sûr, mais uniquement dans certaines grandes occasions.

Il se figea en face de la statue.

La voix résonna à nouveau.

— *Fais attention à tes oreilles cet hiver, il va geler.*

Il ne savait pas comment interpréter cette phrase. Depuis quelque temps, les propos de la divinité devenaient obscurs, mais il avait son idée sur la question.

La seule hypothèse rationnelle était que Baldr savait que ses ennemis écoutaient leurs conversations télépathiques et ne voulait pas qu'on entende ses conseils. Du coup il codait ses phrases.

— *Fais attention à tes oreilles cet hiver, il va geler.*

Il griffonna la phrase sur le calepin qui ne le quittait pas pour en comprendre plus tard le sens caché.

— *Je t'en reparlerai.*

La douleur s'atténua. La voix disparut.

Il traversa l'allée centrale, comme s'il ne s'était rien passé et grimpa les quelques marches. Il s'assit lourdement sur un fauteuil confortable qui trônait devant son bureau d'un rectangle aussi parfait qu'une dalle funéraire.

Il prit son téléphone et appela son secrétaire personnel.

— Appelez le Reichsführer Himmler et dites-lui que j'ai besoin de lui parler. C'est urgent.

— À vos ordres.

Depuis qu'il tenait la chancellerie du parti, il s'était fait de nombreuses inimitiés. Tous conspiraient à le discréditer auprès du Führer. Tous ces arrivistes, ces lèche-bottes qui avaient rejoint le cortège de la gloire sans prendre aucun risque. Ils faisaient circuler des bruits sur sa prétendue folie, ses lubies ésotériques. Même son bref séjour en institut psychiatrique faisait les gorges chaudes de Goering et de Goebbels. Les crétins, ils n'avaient aucune idée des forces occultes qui gouvernaient le monde et dont ils n'étaient que des pantins. Ils avaient corrompu sa cuisinière, son valet de chambre, son chauffeur, et peut-être même sa femme. Mais ça il n'en était pas sûr. Il lui fallait encore des preuves.

Le téléphone sonna, il décrocha à la vitesse de l'éclair.

— Rudolf, comment vas-tu ?

La voix d'Himmler grésillait comme si elle provenait de l'autre bout de l'Allemagne alors que son bureau n'était qu'à quelques blocs d'immeuble.

— As-tu trouvé la relique de Montségur ?

— Je viens de recevoir un appel de Weistort. J'ai de grands espoirs. Et une fois en notre possession nous pourrons nous lancer dans l'ultime bataille.

Hess fronça ses larges sourcils.

— Je dois te rencontrer rapidement.

Il y eut un blanc, puis le chef des SS répondit d'une voix agacée :

— J'ai beaucoup de travail en ce moment. Trop. L'invasion de la Russie…

— Non ! le coupa Hess. On ne peut pas se permettre d'ouvrir un second front alors que nous sommes toujours en guerre contre l'Angleterre.

— Mon cher Rudolf, tu ne m'as pas appelé pour discuter de stratégie militaire ?

— Il faut absolument en parler de vive voix.

Il s'écoula quelques secondes glacées, puis la voix de Himmler résonna dans le combiné.

— Je dois visiter un chantier important demain. J'ai rendez-vous avec l'architecte et son équipe. Retrouvons-nous là-bas.

— Avec plaisir. Serait-ce un des nouveaux bâtiments conçus pour Germania, notre future capitale ? J'ai vu la maquette à la chancellerie, c'est magnifique.

— Non, pas du tout. Il s'agit d'un camp, répondit Himmler d'une voix suave, un nouveau camp de concentration, Birkenau.

34

Montségur
Mai 1941

Le château ressemblait à un camp fortifié. Avant de partir pour Foix, Weistort avait encore renforcé la sécurité. Il ne voulait pas prendre le risque que les fouilles soient retardées ou interrompues à cause d'une menace extérieure. Les patrouilles étaient multipliées en fréquence et en effectif, les gardes, eux, avaient pour ordre de tirer à vue sur tout mouvement suspect. Et ils ne s'en privaient pas. Un bruissement dans les fourrés, une pierre qui chutait et le claquement sec d'un coup de feu résonnait sur le *pog*. Cette détente facile inquiétait Tristan. Pas pour lui, mais pour la jeune femme au béret, dont il craignait qu'elle ne remonte au château, ignorant tout des nouvelles règles de sécurité. Comme il était sans mission précise, Tristan prit la décision d'accompagner le groupe de soldats qui descendait au village pour le ravitaillement hebdomadaire. En principe, il aurait dû avertir von Essling, mais elle était invisible, préparant la prochaine campagne de fouilles. Désœuvrés, *Goebbels* et les autres chercheurs piétinaient dans l'enceinte, jetant des coups d'œil furtifs sur la tente où l'archéologue se faisait attendre depuis le matin. Une manière sans doute, songea Tristan, d'établir son autorité sur ce groupe strictement masculin qui allait devoir être dirigé par une femme.

À l'entrée de la forteresse, un cercueil attendait au sol. Le Français s'approcha. Les deux runes SS étaient gravées en noir sous le nom du soldat mort. Tristan se demanda si son visage avait été remis à l'endroit.

— Nous le descendons jusqu'au village, annonça un Rottenführer[1], l'intendance s'en occupera.

Au peu d'empressement des hommes à saisir le cercueil, Tristan comprit que les rumeurs devaient aller bon train. Il ne dit rien et se plaça en queue de groupe. Sitôt que ses camarades – car désormais il portait leur uniforme – partiraient au ravitaillement, il essayerait de retrouver la propriétaire du château. Il fallait une demi-heure pour rejoindre la vallée tant le chemin caillouteux était pentu et glissant. Peu à peu, le cortège s'allongea le long du sentier giflé par les buis couverts de rosée. Le sous-officier marchait en tête, suivi du cercueil cahotant porté par quatre hommes qui tentaient de ne pas chuter sur les pierres humides.

— Si on nous attaque, on va se faire tirer comme des lapins, lâcha un des soldats qui serrait nerveusement la crosse de son fusil.

— Moi, ce n'est pas une balle que je crains, mais c'est ce qu'il y a là-dedans, ajouta une jeune recrue en désignant le cercueil.

---

1. « Chef de section ».

— Tu as vu sa tête ? Ce mort, il a vu l'enfer avant de mourir.

Tristan se rapprocha pour écouter.

— Plus vite, on le descend, plus vite on s'en débarrasse. Alors, on conserve la cadence. D'ailleurs, ils vont le brûler. Comme ils l'ont fait pour les hérétiques du château.

— Si tu crois que les démons craignent le feu…

Les précautions de Weistort n'avaient servi à rien. La peur était en train de gagner la troupe. La pire des peurs, celle de l'irrationnel. Pour voir jusqu'où elle pouvait aller, le Français tenta d'apporter la contradiction.

— Et s'il avait seulement fait une mauvaise chute ? Les rochers ont très bien pu lui briser les os.

— Et lui retourner entièrement le visage ? Non, ça c'est la marque du diable.

Tristan n'eut pas le temps de répondre. Ils venaient d'atteindre le poste de garde qui contrôlait l'accès au château. Soulagés, les hommes posèrent le cercueil au sol. Rapidement ils débouchèrent leur gourde et une odeur de schnaps se mêla à la brume qui montait de la vallée. Le Français ne s'attarda pas.

Il fila discrètement vers le village.

À cette heure, la plupart des habitants étaient déjà aux champs ou s'occupaient des bêtes dans les étables. Un chien aboyait au fond d'une venelle comme s'il était seul au monde. Depuis l'arrivée des Allemands, le village s'était replié sur lui-même. Beaucoup de volets restaient clos et on évitait de trop sortir. Dans la grande rue, seule l'épicerie était ouverte. Une échoppe aux pans de bois où la plupart des rayons étaient vides à cause du rationnement. En revanche, on y trouvait du tabac. Tristan entra et salua la forme voûtée qui se tenait derrière le comptoir. C'était une de ces femmes sans âge, avec un châle noir qui lui cachait les cheveux jusqu'aux épaules. Une veuve sans doute.

— Un paquet de gris, s'il vous plaît. Et un renseignement : où habitent les propriétaires du château ?

Un doigt maigre sortit de sous le châle et pointa le bout de la rue.

— Vous allez jusqu'au cimetière, puis à gauche. Le chemin de terre. Quand vous verrez la grande grille, vous y êtes.

Tristan remercia et sortit. La rue était toujours déserte. Un courant d'air froid accompagnait la brume qui ne se levait pas. Il songea qu'il portait l'uniforme ennemi et qu'il était sans arme. Une cible facile. Pour autant, il ne rebroussa pas chemin. Français pour les Allemands, Allemand pour les Français, cette guerre l'avait transformé en Janus, ce dieu que les anciens représentaient avec deux faces, chacune différente. Peut-être même y en avait-il une troisième que tous ignoraient... Ses talons sonnaient contre la terre durcie par le froid. Il venait de passer le cimetière. À gauche, un chemin enherbé s'enfonçait dans la brume. Il remonta le col de sa vareuse et se mit à siffloter.

La grille était ouverte, il traversa la cour et fit tinter la cloche d'entrée. La porte s'ouvrit sur celle qu'il espérait, mais cette fois sans béret et avec des yeux gris encore plus courroucés que lors de leur première rencontre.

— Nous nous sommes vus au château, il y a…

— Je sais où nous nous sommes vus. Que voulez-vous ?

— Je m'appelle Tristan.

— Votre prénom m'importe peu. L'uniforme que vous portez me renseigne assez. Une fois encore que voulez-vous ?

Méfiant, un chat avança son museau à l'angle de la porte entrouverte. Il ne devait pas aimer l'uniforme, car il se mit aussitôt à feuler.

— Je sais que vous vous appelez Laure d'Estillac et que votre famille est propriétaire du château.

— Ex-propriétaire puisque vous vous en êtes emparés.

— Une situation provisoire…

— Vous faites du tourisme, c'est ça ?

Tristan faillit éclater de rire. Décidément, elle ne manquait ni de culot, ni de courage.

— Nous procédons à d'importantes recherches archéologiques, ce qui nous a obligés à renforcer notre sécurité. Désormais, le périmètre du *pog* est totalement interdit à toute présence étrangère.

— *Roda que rodaras, mai dins ton pais tornaras*, répondit-elle dans un accent rocailleux.

— Désolé, je ne comprends pas…

— Proverbe occitan : « Rôde qui rôdera, mais dans ton pays tu reviendras. » C'est vous la présence étrangère !

— Merci pour le petit cours de langue. Je m'en souviendrai au besoin. En attendant je suis venu vous prévenir que les sentinelles ont ordre de tirer à vue.

Laure se rapprocha.

— C'est le colonel Weistort qui vous envoie ?

— L'Oberführer a d'autres priorités en ce moment.

Étonnée, elle fronça les sourcils.

— Alors, vous êtes venu de votre propre chef ?

Il allait répondre quand une voix retentit du fond du manoir.

— Laure, tu as un visiteur ?

— C'est mon père. Je ne tiens pas à ce qu'il me voie parler avec un…

— Je ne veux pas être importun.

Il salua et s'en retourna. Comme il allait passer la grille il entendit un mot. Un seul.

— Merci.

Goebbels l'attendait à la porte du château. Lui, d'habitude si flegmatique, ne cachait pas son excitation.

— Dépêche-toi, Frau von Essling va prendre la parole. Tout le monde est réuni dans la cour.

Décidément, pensa le Français, il suffit parfois d'une femme pour réveiller l'enthousiasme. Pour autant, Tristan ne se pressa pas. Une partie de lui-même était restée dans la vallée. Prisonnier depuis des semaines dans cette citadelle étouffante, sa rencontre avec Laure avait brillé d'un éclat imprévu comme s'il avait revu la lumière. Une question pourtant restait en suspens : qu'avait bien pu penser la jeune femme de cette visite impromptue ? La voix ferme de von Essling mit un terme brusque à ses interrogations.

— Durant son absence, l'Oberführer Weistort m'a confié la direction des fouilles auxquelles nous allons désormais donner une nouvelle direction. La phase de reconnaissance est dorénavant terminée – elle se tourna vers l'architecte et ses assistants –, nous disposons d'une cartographie suffisante des lieux et nous devons nous concentrer sur l'intérieur du château.

La plupart des archéologues se retinrent de hausser les épaules. Le château, mais il n'y avait rien : du rocher et des pierres ?

— Comme nous le savons désormais, la forteresse qui nous entoure n'est pas celle qui a supporté le siège de 1244. À l'époque, il s'agissait d'un *castrum*, caractérisé en particulier par une tour de défense.

— Vous voulez dire le donjon ?

— Du tout. Cette tour se trouvait…

Elle fit un geste ample vers le centre de l'enceinte.

— … Par là.

— Avec ça…, lâcha discrètement *Goebbels*.

— À partir de maintenant, nous cherchons une salle souterraine qui se trouvait sous cette tour.

— Mais il faudrait fouiller toute la superficie du château, constata l'architecte, cela représente des masses énormes de remblai à retirer. Il y en a pour des mois.

— Sauf si l'on sait où se situait la base de la tour.

Goebbels tourna une tête abasourdie vers Tristan. C'était ça l'archéologue d'élite choisie par Himmler ?

— Avez-vous remarqué les meurtrières du donjon actuel ? Elles sont au nombre de cinq, toutes identiques. Une étroite fente verticale terminée par une base rectangulaire, appelée *bèche*. Ce type d'ouverture permettait d'élargir la base de tir et donc d'atteindre des ennemis au pied des murs. C'est une innovation technique caractéristique du début du XIVe siècle, venue du nord de la France. Toutes mes félicitations pour avoir fouillé tout le plateau durant des semaines, mais il suffisait d'observer ce simple détail pour savoir immédiatement que le château actuel avait été construit par les croisés.

D'un coup, elle venait de prendre l'ascendant sur toute l'équipe.

— Il paraît qu'elle s'appelle Erika, murmura *Goebbels*, subjugué.

— En revanche, si vous avez la patience d'inspecter avec précision la muraille sud, vous trouverez, bouchées, mais encore visibles, quatre bases de meurtrières en forme de triangle, des *étriers*, qui, elles, datent bien du château originel. Et comme, à cette époque, les meurtrières sont réservées aux tours de défense…

Tristan retint par la manche *Goebbels* prêt à bondir dehors pour vérifier les dires de l'archéologue.

— Dès cet après-midi, nous allons désobstruer ces bases de meurtrières. Une fois rouvertes du côté intérieur de l'enceinte, elles nous serviront de repères pour délimiter l'emprise de la tour dans la cour. Ensuite, il n'y aura plus qu'à creuser.

L'architecte allait applaudir, suivi par toute l'équipe, quand un soldat surgit par la porte d'entrée.

— L'Oberführer Weistort est de retour !

35

Montségur
Mai 1941

Les trois corbeaux perchés sur le toit du vieux colombier croassaient à l'unisson depuis l'arrivée de la voiture. La traction était garée devant une barrière forestière, en contrebas de la route départementale qui menait au village de Montségur. Cela faisait plus d'une demi-heure que le chauffeur était parti à la rencontre du groupe de résistants. Il avait dit à Jane et Malorley de les attendre sur place, mais ils tardaient et le jour allait bientôt tomber.

Malorley se tenait debout devant le capot. Il contemplait le château de Montségur avec sa paire de jumelles. Le *pog* se détachait dans le ciel couchant, avec au sud les premières ondulations des Pyrénées. Le vaisseau de pierre renvoyait une lumière ocre dans le soleil tombant. L'Anglais n'arrivait pas à en détacher son regard. Il connaissait son histoire et sa tragédie par cœur.

Des batailles, du sang et pour finir des cendres. Celles des malheureux cathares brûlés par les inquisiteurs et les croisés du nord, précurseurs des hordes nazies. Dans le grand livre d'histoire de la cruauté, écrit avec le sang d'hommes, sous la dictée d'un dieu aveugle, il n'existe pas de chapitre final.

L'agent du SOE sentit un picotement dans la nuque devant le prodigieux panorama.

Déjà vu…

C'était comme s'il était venu en ces lieux il y a très longtemps. Avant de quitter Londres, il avait étudié la doctrine des cathares et savait que certains croyaient en la réincarnation. Était-il l'un de ces parfaits dont l'âme avait voyagé sur le fleuve des siècles et s'était incarnée dans le corps d'un Anglais du Devonshire ?

Il chassa cette idée saugrenue. Depuis qu'il avait plongé dans les croyances obscures de ses adversaires sa vision du monde vacillait. Ça lui donnait des idées bizarres. Il devait se concentrer sur l'opération commando. Il était là pour prendre d'assaut cette forteresse. C'était sa mission.

Sa mission…

Il allait risquer des vies, dont la sienne, pour une chimère cachée ou pas, quelque part dans les entrailles de la forteresse en ruine.

Une relique censée changer le cours de la guerre.

Il ne pouvait pas l'avouer à Jane, elle le prendrait pour un fou. Mais le théâtre du monde n'avait-il pas basculé dans la folie et l'obscénité depuis le début de la guerre ?

Hitler et ses damnés nazis. Une armée de damnés, un peuple entier de damnés. Et parmi eux, le colonel Karl Weistort, qui se trouvait en ce moment même dans l'enceinte du château. Presque à portée de main.

Le temps de leur rencontre allait enfin venir. Il pourrait tenir la promesse qu'il s'était faite à Berlin, un soir tragique de novembre 1938.

L'un des corbeaux s'envola d'un coup et interrompit le fil de ses pensées. L'oiseau le frôla et alla se percher sur la branche d'un arbre qui pendait au-dessus de leur voiture.

Jane sortit de la traction et brandit son pistolet luisant en direction du volatile.

— Maudit oiseau ! Faites-le taire, sinon je le flingue. Même si ça fait rappliquer les boches, maugréa Jane.

— Vous êtes superstitieuse ? s'enquit-il en revenant vers elle.

— Pas du tout. Quand j'étais petite, mes parents possédaient une maison du côté de Bourges, à l'orée d'une ferme. Le coin était magnifique, mais truffé de corbeaux. Je les croisais tous les jours le matin et le soir quand j'allais à l'école. C'était lugubre. J'avais beau leur jeter des pierres, rien n'y faisait, ces croquemorts me narguaient tout le temps. Heureusement j'ai fini par résoudre le problème.

— Comment ?

— Pan ! Pan ! Pan ! fit-elle en pointant le corbeau dans sa ligne de mire. C'est comme ça que mon père m'a appris à tirer pour mes douze ans, par la suite j'ai été l'une des rares femmes à faire du tir en compétition. Et je…

— Chut ! la coupa-t-il.

Malorley tendait l'oreille. Il lui semblait avoir entendu du bruit au bout de la piste forestière. Les raclements de semelles sur la pierre montèrent en intensité.

Il reprit ses jumelles et reconnut leur chauffeur qui sortait de la futaie. Il était suivi d'un petit groupe d'hommes en armes qui marchaient en file indienne. Tous portaient des vêtements dépenaillés, la plupart étaient maigres et barbus, les cheveux en bataille sous des bonnets de grosse laine.

— On dirait plus des bandits de grand chemin qu'une troupe de combattants, dit-il en tendant ses jumelles à la jeune femme. Pourvu que ce ne soit pas des anarchistes.

Jane éclata de rire.

— Vous vous attendiez à quoi ? Aux Horse Guards de la reine d'Angleterre.

Malorley grimaça.

— Pour votre gouverne, je connais l'Espagne et ses habitants. J'y ai effectué deux missions pendant la guerre civile, à Teruel et à Barcelone. Certains bataillons républicains avaient une discipline d'acier qui pouvait en remontrer aux troupes de Sa Majesté, particulièrement les communistes, et dieu sait que je ne les portais pas dans mon cœur. Mais les anars… Indisciplinés jusqu'à la pointe des orteils. De vraies bourriques.

— À ta place, l'Anglais, je tiendrais ma langue, j'en ai égorgé pour moins que ça.

La voix rauque, rincée d'accent espagnol, avait jailli derrière eux. Le couple se retourna et fit face à deux hommes, armés chacun d'un pistolet-mitrailleur Erma-Vollmer reconnaissable à sa crosse de bois. Le premier avait une quarantaine d'années, très brun, une grosse paire de lunettes sur le nez, une casquette tordue sur le côté. Il mâchouillait un cure-dent entre ses dents. Le second, nimbé d'une couronne de cheveux blancs, avait un visage grave.

— Heureusement que nous ne sommes pas des Allemands, ajouta le plus âgé. On ne vous a pas appris à sécuriser vos arrières ?

— Qui êtes-vous ?

Le plus âgé inclina légèrement la tête en avant.

— Jean d'Estillac ou encore Trencavel. Et je vous présente mon ami, le capitaine Enrique Bujaraloz, dit El Cebolla.

L'homme à la casquette restait de marbre et continuait de scruter les deux agents du SOE avec méfiance. Visiblement peu satisfait de ce qu'il avait sous les yeux il passa sa main sur sa barbe drue et cracha par terre pendant que le groupe de maquisards arrivait devant la voiture.

— Pas ton jour de chance, l'Anglais. En Espagne, j'appartenais à la colonne Buenaventura Durruti, 26e division, *centuria negra*. Tu ne trouveras pas plus anar que moi et mes copains dans le coin, et peut-être même dans toute la France. Les bourriques te pissent au cul.

Malorley le détailla des pieds à la tête. Il fallait affirmer son autorité dès maintenant s'il voulait garder le contrôle de l'opération. Il s'approcha à un mètre des deux hommes.

— J'espérais que la défaite contre Franco vous aurait servi de leçon et appris les vertus de l'obéissance et de la discipline. Mais vu ton accoutrement et celui de tes copains, je crains que rien n'ait changé.

La tension monta d'un cran dans le groupe, les visages des nouveaux venus s'étaient tous durcis. Jane serra son pistolet dans la poche de son pantalon.

— Je ne suis pas certaine que ce soit la bonne approche avec ces gens, commander, murmura la jeune femme à l'oreille de son chef, vous devriez être plus… positif.

— Je n'ai pas besoin de vos conseils Jane, restez en dehors de ça.

L'Espagnol se rapprocha de lui pour se tenir à quelques centimètres de son visage.

— L'Anglais, tu sais pourquoi on me surnomme El Cebolla ?

— De mémoire, ça veut dire l'oignon, répondit Malorley en ne cillant pas. Avec tes lunettes, tu ne devais pas jouer les tireurs d'élite. Tu étais cuistot dans ta brigade ?

L'Espagnol se tourna vers ses camarades et les apostropha en les prenant à témoin :

— L'Anglais croit que j'étais un *cocinero* pendant la guerre !

Ses hommes éclatèrent d'un rire joyeux. L'Espagnol se tourna à nouveau vers l'homme du SOE.

— L'oignon, ça fait pleurer. Moi, c'est pareil, j'aimais faire couler les larmes des fascistes avant de les achever au couteau. Tu veux peut-être une démonstration ?

D'Estillac tapa sur l'épaule du maquisard.

— Enrique… Maintenant que les présentations sont faites, on va passer au vif du sujet. Ce n'est pas le moment de jouer les coqs, puis se tournant vers Malorley, ces gens vont se faire trouer la peau pour vous, présentez-leur vos excuses tout de suite. Sinon, ils partiront dans la seconde.

— Il a raison, vous devriez suivre son conseil, lui suggéra Jane à l'oreille.

Malorley resta silencieux quelques secondes, puis inclina la tête d'un demi-centimètre.

— Messieurs, veuillez me pardonner, articula-t-il en affichant un visage aussi froid qu'un thermomètre de Sibérie.

Cebolla émit une grimace qui pouvait ressembler à un sourire.

Le père de Laure fut secoué par une quinte de toux avant de s'essuyer le front avec un mouchoir.

— Il va falloir faire plus vite que prévu pour l'assaut du château, annonça-t-il d'une voix enrouée. Les Allemands sont sur le point d'aboutir dans leurs fouilles.

— Ne le prenez pas mal, l'interrompit Malorley, mais n'êtes-vous pas un peu âgé pour prendre part à cette opération commando ?

— Ne vous préoccupez pas de ma santé. Cebolla mènera l'attaque, lui et ses hommes connaissent bien le terrain. Ils ont déjà frappé en assassinant l'un des SS de garde au château.

— Je l'ai balancé moi-même dans les rochers, ajouta Cebolla, le surhomme s'est désarticulé comme une vulgaire poupée.

— OK, mais l'attaque sera sous mon contrôle ! siffla le chef du SOE. Que ce soit bien clair, et en accord avec votre supérieur à Toulouse, toute cette opération reste sous mon commandement. Sinon, vous pouvez vous asseoir sur l'argent et le matériel qui sera versé à votre réseau.

Les yeux de l'Espagnol se réduisirent à une simple fente.

— *No problema, amigo*, ricana Cebolla, tu nous feras découvrir les petits sentiers de randonnée du coin.

— J'ai étudié le terrain avant de venir, mais rassurez-vous, je vous laisserai la conduite opérationnelle de l'attaque. Emmenez-nous à l'intérieur du château et neutralisez les gardes, c'est tout ce que je vous demande.

— Rien que ça… Et une bonne paella pour le dîner ? répliqua Cebolla, le verbe acide, avant de se tourner vers Jane. Et vous mademoiselle, vous comptez vous joindre aussi à nous ?

— Non, je vais repriser vos chaussettes en vous attendant. Je sais aussi faire la vaisselle et le ménage.

D'Estillac sourit pour la première fois. Les yeux de la jeune femme exprimaient la même lueur de défi que Laure.

— Trencavel, il faut intervenir cette nuit.

La voix de Cebolla le ramena à la réalité. L'Espagnol avait posé un dessin des contreforts du château sur le capot de la voiture.

— Les Allemands sont concentrés dans le château et ils ont installé un poste de guet avec un projecteur à mi-chemin. Voilà ce que je propose. Nous allons…

36

Birkenau
Mai 1941

Pour l'occasion, les prisonniers avaient construit une estrade en bois peint qui surplombait le chantier du futur camp. De la voiture officielle jusqu'aux marches, un tapis rouge isolait les bottes cirées du Reichsführer de la gadoue qui, depuis une semaine, avait transformé le paysage en quasi-marécage. L'architecte en charge de la construction suivait d'un œil inquiet la progression d'Himmler, tremblant qu'une particule de boue ne vienne souiller l'uniforme du chef des SS. À son côté, Hess, avec sa veste bavaroise boutonnée jusqu'au col, demeurait silencieux. L'architecte se demandait lequel des deux hommes il craignait le plus. En tout cas, deux hauts dignitaires en visite officielle, ça n'augurait rien de bon. Et en plus, la pluie qui ne cessait pas. On pataugeait dans la boue comme des damnés. Quant au chantier… L'architecte secoua discrètement la tête. Rien n'avançait. À peine, avait-on réussi à éclaircir la forêt et à délimiter un vague quadrilatère où s'entassait le matériel pour construire les futurs cantonnements. À ce rythme-là, tout allait pourrir sur place.

Himmler était monté sur l'estrade, suivi de Hess. Les ouvriers continuaient leur tâche, abrutis de fatigue et de faim. L'architecte avait renoncé à les faire mettre en rang devant le Reichsführer. Trop maigres, trop sales, une véritable armée de gueux.

— Alors qu'en penses-tu, Rudolf ? demanda Himmler en montrant le chantier de la main.

Hess déboutonna sa veste. On étouffait avec toute cette humidité. Il prit son temps avant de répondre. Tout ce qu'on voyait, c'était un immense champ de boue, parsemé de tas de bois où erraient des silhouettes squelettiques.

— Combien ce futur camp doit-il accueillir de prisonniers ?

— Cent mille.

Une longue pratique, en particulier d'Hitler, avait appris à Hess à ne jamais manifester de réaction visible à l'absurdité d'un propos ou à la démesure d'un projet. Depuis longtemps, il avait vite compris que l'impensable n'était pas nazi. Il se contenta donc de poser une autre question :

— Et l'ouverture est prévue pour quand ?

Le regard interrogateur, Himmler se tourna vers l'architecte au garde-à-vous les pieds dans la boue.

— Pour octobre, Reichsführer. Selon vos ordres.

Hess scruta une cohorte de travailleurs forcés, qui grelottaient dans des sortes de pyjamas trop grands pour eux, en poussant des brouettes chargées de cailloux. Himmler se pencha vers son ami.

— Ce sont des soldats polonais faits prisonniers. Plutôt que de les nourrir à ne rien faire, nous les utilisons comme main-d'œuvre. Le problème, c'est qu'ils ne sont pas très résistants. Il faut sans cesse que j'autorise de nouveaux recrutements.

Rudolf hocha lentement la tête. Un des détenus venait de tomber à terre et déjà la boue vorace l'avait recouvert de son linceul gluant. Ni les gardiens, ni les autres prisonniers n'avaient réagi.

— Ici, s'exclama Himmler, va s'élever le camp du futur. Cent soixante hectares, plus de trois cents unités de détention, seize kilomètres de murs de barbelés… Un modèle du genre.

En entendant ce discours, l'architecte fut pris d'une panique intérieure. Six mois, il ne lui restait que six mois pour achever cette réplique de l'enfer sur terre ! sinon, il risquait de finir sa carrière dans le camp d'à côté – Auschwitz –, il s'y passait des abominations.

— Ici, continuait Himmler en s'exaltant, nous allons rééduquer des populations entières par le travail. Des hommes et des femmes par dizaines de milliers vont contribuer à l'édification de notre Grand Reich. Ici le rêve de notre Führer va trouver son véritable envol.

— Un projet à la hauteur des plus nobles ambitions, approuva Hess, mais il y a une chose que je ne comprends pas. Avec quels prisonniers allez-vous remplir ce camp ? Pas des Polonais, au rythme où vous les usez, il n'en restera bientôt plus. Des Français ? Trop risqué, cela mettrait en péril la politique de collaboration avec le gouvernement de Pétain.

— Cherche mieux, répliqua Himmler en souriant.

— Des prisonniers politiques ? Nous les avons tous emprisonnés ou liquidés. Les juifs ?

— Pas encore, annonça le Reichsführer, mais ça viendra. Décidément, Rudolf, tu manques d'imagination ce matin !

D'un geste de la main, Hess congédia l'architecte. Il n'aimait pas qu'on le voie en difficulté. Son mal de tête revenait avec insistance. De nouveau il entendit la voix de Baldr, son guide spirituel.

— *Demande pour la Russie ! Sinon tes oreilles vont geler.*

Le visage de Hess s'éclaircit, c'était donc ça le sens de l'avertissement qu'il lui avait lancé la dernière fois.

— *Oui, Baldr. J'ai compris.*

— *Et ne te laisse pas faire. Tu connais déjà la décision que tu dois prendre.*

— Ça va, Rudolf ?

La voix d'Himmler le sortit de son dialogue intérieur.

— Oui… Juste un vertige. Vas-y, Heinrich, ne me fais pas languir.

— Les Russes ! Nous allons vaincre les Russes. Une fois pour toutes.

Hess le regarda d'un air inquiet.

— Comment ça, tu veux attaquer l'Union soviétique ? Mais tu sais bien que nous ne sommes pas prêts. Rappelle-toi ce qui est arrivé à Napoléon. Envahir l'Est, c'est se jeter tête en avant dans le néant, sauter à pieds joints dans un puits, c'est… un suicide. Il faut négocier un accord avec les Anglais, c'est la seule solution si on veut ensuite vaincre Staline.

— Le temps n'est plus à la négociation, Rudolf, mais à la guerre totale. Désormais il faut en finir avec les Slaves. Voilà pourquoi je fais construire ce camp. Dès les premières semaines de notre attaque éclair, nous aurons des troupeaux entiers de prisonniers russes, sans compter tous ces parasites de juifs qui infectent l'Ukraine : Birkenau réglera le problème.

Incrédule, Hess secoua la tête. Il répéta :

— Envahir la Russie serait de la folie.

— Une folie pour des hommes normaux, oui. Pas pour nous.

Hess recula d'un pas.

— Nous sommes sur le point de nous emparer de la deuxième relique à Montségur.

Un coup de feu claqua. Un des gardiens venait de tirer en l'air pour tenter de faire avancer un groupe de Polonais à bout de forces que la boue menaçait d'ensevelir.

— Quand ? s'exclama Hess avec une impatience qu'Himmler prit pour de l'enthousiasme.

— Quelques jours tout au plus et la swastika sera au Wewelsburg. Maintenant, tu comprends pourquoi nous allons attaquer l'Union soviétique… Et la vaincre.

Désormais le Reichsführer se taisait, il fixait la clairière boueuse, les arbres abattus, les prisonniers hagards, mais il ne les voyait plus. Il contemplait son royaume qui allait sortir de terre, son empire aux racines de sang qui allait faire de lui l'homme le plus puissant du Reich.

Décidément, Baldr avait vraiment raison.

À la différence d'Himmler ou de Goering qui l'un régnait sur les SS, l'autre sur l'armée de l'air, lui, Hess, ne tenait son rang que de sa seule amitié d'Hitler.

Depuis l'entrée en guerre de l'Allemagne, le Führer avait besoin de généraux, d'ingénieurs, de tacticiens, de techniciens… La conquête du pouvoir était terminée, celle du monde avait commencé et Hess n'y avait pas sa part.

Mais plus pour longtemps.

Immédiatement, sa décision fut prise : c'est lui et pas Himmler, qui changerait le cours de l'histoire.

37

Découverte entrée
Montségur
Mai 1941

Un périmètre de sécurité avait été installé dans la cour du château : à l'intérieur un groupe d'archéologues déblayait les gravats, les déposant, morceau par morceau, dans des brouettes que convoyaient avec précaution des soldats. Au pied du donjon, une autre équipe, installée sur de longues tables, les examinait avec soin avant de les trier selon leur taille et leur forme. Ce travail méticuleux impatientait Weistort. Il avait annoncé au Reichsführer la découverte imminente de la cache de Montségur et voulait tenir parole. Accompagné de Tristan, il arpentait le chantier, cravachant ses bottes de cuir et écumant de questions.

— La couche archéologique que nous fouillons, expliqua Erika, correspond bien aux murs abattus du donjon, mais dans leur chute, ils se sont répandus sur une zone très large. Trop large.

— Raison de plus pour faire intervenir la troupe, martela l'Oberführer, et déblayer au plus vite ce tas de ruines. On gagnera du temps. Berlin attend des résultats au plus vite.

— Gagner du temps, c'est justement ce que je cherche en resserrant le champ d'investigation.

— Et comment ? ironisa Weistort. En passant les débris au tamis ?

— En retrouvant, par exemple, les pierres d'angle qui nous permettraient de resituer au sol l'emprise de la tour.

Weistort faillit hausser les épaules, puis se ravisa. L'archéologue avait été la seule à deviner l'emplacement possible de la cache souterraine : il n'avait aucun intérêt à s'opposer frontalement à elle. Mieux valait qu'elle se croie soutenue, mais à condition de l'avoir à l'œil : cette fille, dont la famille avait un pied en argent dans l'aristocratie et un autre en or dans l'industrie, n'adhérait au nazisme que du bout de ses lèvres nacrées, il en était certain. De plus, il avait appris qu'elle avait été conviée à la dernière chasse du gros Goering à Carinhall. Un privilège pour une femme. L'Ogre n'invitait jamais sans raison.

— Je vous fais confiance pour mener à bien cette mission, Frau von Essling, mais, vous en connaissez l'importance… – Il désigna Tristan –, je vous laisse mon ordonnance, il fera la liaison entre nous.

Deux ans de prison avaient appris au Français à maîtriser ses réactions, il se tourna vers l'archéologue et claqua des talons, mais en évitant de la saluer, comme tout SS, par un *Heil Hitler* sonore. Erika haussa un sourcil, scruta Tristan comme si elle venait de le découvrir à l'instant pendant une fouille, puis sans un mot lui fit signe de s'asseoir à côté d'elle. Sur une échelle de 1 à 10, elle vient de m'octroyer 2, songea Tristan qui la regardait trier sans hésitation les débris qu'on lui apportait.

— Vous jugez toujours les hommes avec la même rapidité ?

— Encore plus vite.

Elle avait noué ses cheveux en une queue-de-cheval dont les mèches claires retombaient sur sa nuque. À chaque fois qu'elle jetait une pierre sur le côté, un éclair blond illuminait le regard du Français. La main de l'archéologue s'arrêta brusquement sur un morceau dont la surface était plus lisse et dont l'angle droit avait été conservé.

— La face extérieure a été aplanie au burin. Les marques sont visibles. On vient de trouver un bout de pierre d'angle. Il faut absolument trouver les autres fragments pour la reconstituer. Suivez-moi.

Von Essling se dirigea vers le périmètre protégé où s'activaient *Goebbels* et ses collègues.

— La zone est divisée en quatre parties, chacune fouillée par un groupe d'archéologues. Sur chaque morceau découvert, ils inscrivent un code qui permet d'identifier le lieu de découverte. Et ce bout-là, il se situe…

Elle se retourna vers la partie nord-est et fit circuler le fragment. Le visage déjà en sueur, un des archéologues leva la main.

— C'est moi qui l'ai trouvé.

— Où exactement ?

— Ici.

La position d'origine du débris se situait presque au centre de la zone.

— Désormais vous fouillez uniquement une bande de deux mètres de large le long de l'axe central. Deux groupes, face à face et vous avancez centimètre par centimètre, compris ? Rien ne doit vous échapper.

Elle se tourna vers Tristan.

— Allez donc dire à votre supérieur que je viendrai le voir dans deux heures. Et, pour vous, pas la peine de revenir avant, j'aime travailler sans animal de compagnie.

Elle allait tourner les talons quand le Français l'interpella.

— Les animaux de compagnie ont parfois du flair. Vous avez remarqué l'orientation des signes de taille sur la surface de la pierre ?

— Quel intérêt ?

— Les marques de coups de burin sont toutes orientées de gauche à droite. L'ouvrier qui a dégrossi cette pierre était un gaucher. Une véritable signature. Plutôt utile quand on cherche une pierre précise au milieu de centaines d'autres, non ?

— Vous êtes archéologue ?

— Non, mais j'adorais recevoir des puzzles pour Noël.

Von Essling recula de quelques pas comme si elle voulait le photographier.

— J'ignorais que l'insolence faisait partie des qualités des SS.

— En fait, ce n'est pas la qualité dominante de l'organisation.

— Vous n'employez pas le mot *ordre* comme vos camarades ?

Tristan jugea la pente empruntée par la conversation trop risquée. Mieux valait revenir en arrière.

— Vous avez déjà procédé à des fouilles de salles souterraines ?

— Oui, mais dans la plupart des cas, ce sont soit des citernes qui drainent l'eau de récupération, soit des espaces de stockage de nourriture. L'architecture est fruste, les fonctions élémentaires… Sans grand intérêt.

— Frau von Essling, cria une voix, les autres fragments… Nous venons de les trouver.

Suivie de Tristan, elle se précipita. D'une main experte, *Goebbel*s était en train d'assembler les débris. Les lignes de taille partaient bien de gauche à droite.

— La pierre a dû se briser quand la tour s'est effondrée.

Du regard, Erika tirait une ligne mentale entre l'endroit où les morceaux avaient été découverts et la base de la muraille.

— Parfait, on peut diviser l'espace de fouille par deux, elle se tourna vers le Français, demandez à Weistort de nous fournir des soldats. Maintenant, on déblaye tout jusqu'au rocher.

Malgré la chaleur printanière, les soldats avaient conservé leurs vareuses. Sans doute parce que Weistort ne les lâchait pas du regard. Tout le long de la muraille, la base rocheuse avait été soigneusement mise à nu. Elle brillait comme un miroir, parfaitement plane. Trop même, car à aucun endroit ne se voyait l'ouverture d'une trappe ou les marches d'un escalier. Tristan commençait à avoir un doute. Il s'approcha de von Essling qui supervisait le déblaiement le long de la muraille. Elle fixait les anciennes meurtrières un soldat faisait patiemment tomber les pierres accumulées dans les fentes. Une lueur passa par une des archères et frappa le sol. Après sept cents ans, la lumière traversait à nouveau les murs du château.

— La moitié de la superficie a été dégagée au sol, constata le Français, les chances de trouver l'entrée de la salle se réduisent donc de moitié.

— La voix de son maître est de retour ? répliqua Erika en jetant un œil discret sur Weistort.

— Et vous, vous êtes engagée sur une voie de garage, non ?

— Regardez !

Un large mur maçonné venait d'apparaître. Erika triomphait, mais le colonel la doucha.

— Vu la longueur du mur, descendre jusqu'aux fondations va nous prendre des heures.

— Il n'y a pas d'autres choix, rétorqua la jeune femme d'un ton sec. Vous croyez qu'on a découvert le tombeau de Toutankhamon en une matinée ?

Tristan, lui, observait avec attention les meurtrières qui venaient d'être dégagées.

— Il n'y a rien qui vous frappe ? dit-il. Les archères sont pourtant de taille différente, non ?

— Celle du centre ! Elle est plus courte que les autres, déclara *Goebbels*.

— Une raison fonctionnelle ? interrogea le Français.

Von Essling secoua la tête.

— Aucune.

Le soleil de midi tombait droit sur le château illuminant les murs d'habitude sombres où, durant des mois, les assiégés avaient résisté aux attaques incessantes montées des profondeurs de la vallée. Brusquement Weistort se tourna vers un sous-officier.

— Une Bible, vite.

Pendant que le soldat courait vers les tentes, tous les regards convergeaient vers l'Oberführer.

— Les cathares avaient un Évangile de prédilection et si je ne me trompe pas…

Un claquement de talons et on lui tendit un volume de cuir noir. Pendant quelques instants, on n'entendit que le froissement des feuilles tournées par un gant de cuir, puis la voix hautaine de Weistort cravacha le silence.

— « La lumière luit dans les ténèbres »...

Chacun se tourna vers la meurtrière centrale d'où un rai lumineux se déployait sur le sol comme un serpent immobile.

— ... « Et les ténèbres ne l'ont point reçue. »

Tristan se retourna vers l'épaisseur obscure du mur et montra un point juste à la perpendiculaire de l'endroit où la lumière s'éteignait.

— C'est là qu'il faut creuser.

Pour éviter tout risque de fuite, Weistort avait fait éloigner les archéologues, les cantonnant jusqu'au soir sur l'éperon. Seuls restaient *Goebbels* et Tristan qui, sous la direction de von Essling, démontaient le fragment du mur suspecté d'abriter l'entrée du souterrain.

Armés de burins, ils faisaient sauter le mortier, puis dégageaient chaque pierre tandis que Weistort tournait autour du chantier comme une bête fauve autour de sa proie.

— Nous y sommes, intervint Erika.

Une couche de pierres montées en voûte venait d'apparaître. Posées face contre face, elles formaient un arrondi qui se perdait dans les fondations. Le mortier semblait moins épais. Le burin à la main, *Goebbels* tourna ses lunettes embuées vers Erika qui hocha vivement la tête. Un premier coup de métal attaqua les joints. Tristan s'était relevé pour éviter les éclats de pierre. Tous autour de lui avaient le visage tendu par l'excitation.

Il s'écarta pour s'asseoir sur un tas de pierres. Il repensait à l'attaque nocturne de Montserrat, à Lucia – qu'était-elle devenue ? – aux mois de détention à Montjuic, à sa mort factice au pied des remparts de Castello… Tant d'événements, en apparence imprévisibles, mais qui, tous, convergeaient vers cet instant.

— Arrêtez !

Une des pierres venait de s'effondrer brusquement rebondissant sur ce qui, au bruit, semblait des murs de pierre.

— Et si c'était simplement un puits ? s'interrogea *Goebbels* pessimiste.

— On va vite le savoir, décréta Weistort, faites tomber toutes les pierres pour ouvrir le passage.

Erika s'insurgea :

— En détruisant l'accès, on risque de perdre de précieuses informations pour la compréhension du site…

— Ce qui est précieux est au fond, Frau von Essling.

Un souffle glacé montait de l'entrée que dégageait *Goebbels*.

— Qui a dit que l'enfer était brûlant ? ironisa Tristan en se rapprochant.

Erika descendit une lampe à pétrole dont le halo dévoila une large voûte maçonnée en équilibre instable.

— L'entrée était plus large, à l'époque, constata *Goebbels*, on pouvait y rentrer à plusieurs. Ils ont dû construire cette voûte de dissimulation pendant le siège du château.

— Alors, faites-la tomber, ordonna Weistort.

— Ce ne sera pas difficile, annonça *Goebbels*, elle est déjà bien fissurée, il suffit de desceller une pierre au bon endroit.

Il se pencha et frappa de violents coups de burin le pourtour d'un bloc qui menaçait de chuter. Il eut juste le temps de se retirer que la voûte s'effondra d'un coup révélant un large trou béant. Erika se pencha sur le bord. Il n'y avait plus besoin de la lampe. Le jour pénétrait dans l'ouverture dégagée.

— Il y a un escalier !

À son tour, Tristan se rapprocha. Les dernières marches, jonchées de débris, donnaient sur un large tunnel qui s'enfonçait sous la cour. Comme quand il découvrait un tableau inédit, il eut une flambée d'émotion.

— Dire qu'il y a plus de sept siècles des hommes sont passés par là…

Weistort lui posa sa main de fer sur l'épaule.

— Oui, et vous allez faire pareil.

38

Montségur
Mai 1941

Weistort posta deux gardes devant l'entrée de l'escalier et aboya ses ordres :

— Interdiction de laisser passer quiconque sans mon autorisation !

Il s'était muni d'une lampe torche Kreisel, plus volumineuse que le modèle standard utilisé dans l'armée allemande.

Le faisceau jaune balaya les ténèbres. Puis, le visage exalté, il se tourna vers Erika et Tristan.

— Ressentez-vous cette sensation magique ? Nous allons pénétrer dans un espace inviolé depuis des siècles. Comme Lord Carnarvon et Howard Carter quand ils étaient à deux doigts de découvrir la tombe de Toutankhamon.

Il emprunta les premières marches avec prudence. Les talons de ses bottes claquaient sur la pierre. Le Français et l'Allemande le suivaient au même rythme. Tristan effleura la paroi, elle était humide, presque glissante sous ses doigts.

— Tous les archéologues éprouvent cette excitation quand ils sont sur le point de faire une découverte majeure, dit Erika, et pas seulement Toutankhamon. Sa voix résonnait sur les parois.

— C'est plus que ça. Infiniment plus que ça, ma chère, dit le colonel. Ici, nous n'allons pas trouver un trésor ou de quelconques vestiges, non, nous faisons corps avec un mystère. Nous entrons dans l'indicible. Du moins si ce que nous allons découvrir ressemble à ce que j'ai vu au Tibet.

Tristan restait silencieux, il comprenait parfaitement ce que ressentait le SS. Il y avait quelque chose d'irréel qui planait autour d'eux. Quelque chose gisait dans les entrailles de ce château. Une chose qui surgissait du fond des âges et n'attendait que leur venue pour se réveiller. Ça imprégnait jusqu'à l'air ambiant.

Les secondes s'écoulèrent pendant qu'ils descendaient les marches, puis l'escalier s'arrêta. Le halo de lumière dévoila un couloir de largeur respectable. Au fond, à une vingtaine de mètres pas plus, il y avait une nouvelle ouverture en forme d'arc de cercle.

Weistort s'avança dans le couloir avec prudence. Il savait par expérience le monde souterrain facile à piéger : chausse-trappe sous les pieds, herse à pointe tranchante comme un couperet… Malgré l'excitation de la découverte, il ne baissait pas sa vigilance. Il tenait à être celui qui apporterait la relique sacrée au Reichsführer. Et de préférence en un seul morceau. Erika ne partageait pas ces craintes, elle talonnait le SS, pressée d'arriver au sanctuaire dont elle avait découvert l'entrée.

Le trio arriva au seuil du nouveau passage.

Sous leurs yeux émerveillés surgit une grotte éclaboussée sous la lumière de la torche. Une grotte dont les parois scintillaient de mille stalactites. Weistort ne put s'empêcher de faire danser le faisceau sur les entrelacs de pierre. Une infinité de perles d'eau s'écoulait de la forêt de concrétions et renvoyait une myriade d'éclats oscillants.

Ils pénétrèrent à l'intérieur, subjugués par cette féerie.

La voix de Weistort résonna dans la cathédrale naturelle.

— Magnifique... L'eau a dû s'infiltrer ici depuis des millions d'années.

— Votre nom va entrer dans les annales de la spéléologie, ironisa Tristan.

— Là-bas, sur la droite, contre la paroi ! lança Erika d'une voix tendue.

Le faisceau se porta dans la direction indiquée par l'archéologue allemande.

Deux squelettes étaient assis de chaque côté d'un porche rectangulaire taillé dans la roche. Les crânes étaient figés dans une sinistre grimace, leurs orbites sombres scrutaient avec malveillance les intrus.

Weistort contempla le spectacle macabre d'un air satisfait.

— Non, nous ne sommes plus très loin du but. Au Tibet il y avait aussi des squelettes pour indiquer le chemin du sanctuaire. Ce sont sûrement des victimes sacrificielles. Une pratique courante dans les anciennes civilisations. L'âme des morts est censée empêcher toute tentative d'intrusion des vivants.

Le faisceau s'engouffra dans l'anfractuosité.

— Un nouveau tunnel, dit Erika.

— Non ! fit Tristan, on dirait une salle close. Il y a des madriers au plafond. Attendez… Vous entendez ce grondement ?

Ils baissèrent les yeux. Un bruit de chute et de fracas s'échappait du sol à travers une vieille grille rouillée.

— Une rivière souterraine. On marche sur de l'eau en furie, s'écria l'archéologue.

Mais Tristan ne l'écoutait plus. Il venait de s'arrêter net.

Au fond de la chambre, à moins de dix mètres d'eux, une statue apparut à la lueur de la torche. Elle se dressait face à eux, comme un spectre de pierre.

— Identique à celle du Tibet, fit Weistort.

L'homme aux traits grossièrement taillés jaillissait de la roche comme s'il y avait été emmuré au niveau de la taille. Son visage tordu de douleur les contemplait dans une exclamation muette.

Ses deux bras étaient tendus en avant, comme une supplique. Les mains, paumes ouvertes vers le haut, supportaient chacune une croix gammée.

Ils s'avancèrent avec prudence.

De près, les deux reliques irradiaient un rouge rubis presque phosphorescent.

Tristan ne pouvait s'empêcher de ressentir un étrange malaise à la vue du visage déformé de la statue. C'était comme si elle offrait des cadeaux empoisonnés aux visiteurs. Weistort rompit le silence sépulcral.

— Cette statue est bien antérieure aux cathares. Elle date probablement de plusieurs milliers d'années et pourtant c'est la même civilisation qui les a façonnées d'un bout à l'autre du monde.

— Voilà qui expliquerait pourquoi ils se sont installés à Montségur qui était considéré comme un site sacré, ajouta Erika.

Le chef de l'Ahnenerbe s'avança près de la statue immémoriale et toucha la pierre, comme pour s'assurer de sa réalité. Puis son regard se porta sur les croix gammées.

— Deux swastikas rouges…, fit-il d'un ton perplexe. Étrange, le *Thule Borealis Kulten* n'en mentionnait qu'une.

— Vous l'avez avec vous ? demanda Tristan.

— Non, il est resté en Allemagne, au siège de l'Ahnenerbe.

Weistort intercepta le regard curieux du Français et reprit :

— De toute façon, ça ne vous concerne pas, répliqua-t-il d'une voix irritée.

— C'est tout bonnement incroyable…, murmura von Essling qui observait la statue.

Tristan jeta un coup d'œil de biais à Erika, l'archéologue avait abandonné son air hautain. La fascination se peignait sur son visage. Le Français contempla le mur qui longeait la statue. Il fronça les sourcils et s'approcha de la paroi rocheuse.

— Colonel, vous pouvez éclairer dans cette direction ?

Le faisceau bascula vers Tristan et révéla une inscription gravée dans la roche.

Croiz rog

Crotz rog

Salut cap sinistra

Il passa sa main sur les lettres, elles semblaient avoir été écrites hier.

— Ce n'est pas du latin, pas de l'ancien français, remarqua Erika qui s'était approchée du Français.

— Sûrement de l'occitan, ajouta Tristan. À l'époque on parlait la langue d'oc dans le coin.

— Ne perdez pas votre temps en question linguistique, les coupa le SS, le temps presse.

Weistort ouvrit son sac. Il en sortit une paire de gants qui ressemblait à celle utilisée par les souffleurs de verre pour se protéger du feu.

— Pour la plus grande gloire du Reich…

Au moment où il allait récupérer la première swastika, Tristan cria :

— Non !

Le colonel tourna un visage courroucé dans sa direction.

— Êtes-vous devenu fou ?

Tristan brandit l'index en direction de l'inscription.

— Ça pue le piège.

— Ne soyez pas stupide, il n'y en avait pas au Tibet.

À son tour, Erika se tourna vers Weistort.

— Il a raison. Attendez avant de les prendre.

— Braquez votre torche derrière la statue.

Le faisceau révéla deux chaînes de fer qui partaient du plafond pour s'enfoncer à la base de la jonction de la statue et de la roche.

— Maintenant, éclairez le devant.

Tristan s'accroupit et posa un index sur le haut du bras.

— C'est bien ça. On dirait qu'il y a un mécanisme à l'intérieur de la statue. Les bras sont mobiles. Je pense qu'ils doivent être reliés à ces chaînes.

Il leva la tête et balaya du regard le plafond de pierres. Des poutres de bois entrecroisées étaient disposées sur toute la surface du plafond. Il revint vers l'inscription qu'il effleura du bout des doigts.

— Je prends le pari : si on retire la mauvaise croix, on va finir enseveli sous des tonnes de pierre.

— Alors, il faut décrypter le message, dit Weistort.

— Quelle perspicacité ! ironisa Tristan. Le problème c'est que les inscriptions sont sûrement en occitan médiéval. Une langue perdue que personne ne maîtrise. Il nous faut de l'aide.

— Qui ?

— La fille du propriétaire du château. Laure d'Estillac.

Manoir d'Estillac

Laure poussa un soupir devant le monceau de planches posées contre la porte du grenier de l'aile sud. Le château partait à vau-l'eau et André, le dernier domestique, souffrait trop de ses rhumatismes pour lui donner un coup de main. Cela faisait des semaines qu'elle s'était promis de récupérer la machine à coudre de sa mère pour se confectionner une robe digne de ce nom.

La mercière de Pamiers lui avait échangé un coupon et demi de tissu imprimé, « à la mode de Paris », contre deux vaillantes poules pondeuses extirpées du poulailler du château. À cent douze francs la volaille, la commerçante avait fait une sacrée bonne affaire, mais Laure ne pouvait plus attendre. Chaque fois qu'elle passait devant la vitrine de la boutique, elle voyait apparaître la robe comme par enchantement. Sa mère lui avait légué de bons gènes et des doigts de fée.

Après l'échange, trois jours plus tôt, elle avait culpabilisé, mais le poulailler du château était encore bien garni, personne, même les Allemands, n'avait osé venir opérer une réquisition chez les d'Estillac. Et elle doutait que son père ou André tiennent le compte exact des occupantes.

Elle enleva les planches une par une, impatiente de découvrir le précieux trésor. Elle avait fouillé le manoir de fond en comble, c'était la seule pièce qu'il lui restait à découvrir. Elle posa les bouts de bois sous la fenêtre et jeta un regard machinal en direction du *pog.* À l'idée que ces boches éventraient de plus belle la vieille forteresse incapable de se défendre, sa peau se hérissait.

Mais plus encore, elle s'agaçait elle-même. Le visage du mystérieux Français qui était venu la prévenir, ce Tristan, lui revenait un peu trop souvent en pensées. Il dégageait un charme vénéneux, à la fois dangereux et ironique. Jamais elle n'avait côtoyé ce genre d'homme depuis qu'elle était en âge de s'intéresser au sexe opposé.

Ne fais pas ta bécasse.

Ce douteux personnage était le genre de type à fuir au premier regard. Et en plus, il servait les Allemands.

Laure détacha son regard de l'éperon rocheux et se tourna vers la porte fermée. Elle sortit le passe de son pantalon et enclencha la lourde clé dans la serrure. À sa grande surprise, les gonds avaient été huilés, la porte s'ouvrit dans un chuintement discret. Une odeur d'encaustique et de cire planait dans l'air. Elle poussa l'interrupteur, une ampoule brilla et chassa les ombres.

À son étonnement, le grenier était soigneusement rangé. Une grosse armoire du siècle dernier trônait à côté d'un buffet enveloppé d'une couverture de laine beige. Au milieu de la pièce trônait tout un bric-à-brac de livres, petits meubles cassés, faïences et pots abandonnés, lampes sans abat-jour, tabouret et gros pots de peinture éventrés. Elle s'avança et ferma doucement les yeux, un parfum de cire et d'essence de térébenthine s'insinua dans ses narines. Ressac d'une enfance joyeuse. L'image de sa mère en train de rénover des meubles glanés dans les marchés aux alentours.

Elle ouvrit les yeux, balaya lentement la pièce pour s'arrêter sur la partie du toit située à sa gauche. Son visage s'éclaircit.

La vieille Singer s'offrit à ses yeux, juste en dessous d'un vasistas obstrué, coincé entre deux bureaux aux pieds cassés. Roue sur le côté, chevalet de noyer doré, pédale à courroie d'entraînement, la précieuse machine reposait sagement. Une silhouette familière se détacha dans un recoin ; le mannequin de toile de sa mère, elle s'en servait pour ajuster ses créations.

Laure s'assit devant la machine, puis passa le doigt sous l'aiguille, tout était en place. Elle débloqua le cran d'arrêt de la courroie d'entraînement et appuya sur la pédale.

Rien ne vint. Déçue, elle réessaya une nouvelle fois, mais le mécanisme restait obstinément bloqué. Elle tenta de faire tourner de force la roue, mais la Singer lui tenait tête.

— Ah, non ! Tu ne vas me laisser avec mes tissus sur les bras, s'exclama-t-elle avec agacement.

Elle se pencha et passa sa main sous le tablier pour ouvrir le capot de protection. Ses doigts tâtonnèrent avec impatience et il lui fallut une bonne minute pour déverrouiller la fermeture du bloc mécanique. Le coffret s'ouvrit sous l'effet du ressort détendu.

Elle se figea. À la place du mécanisme, il y avait un petit coffret de bois qui occupait tout le logement soigneusement évidé. Intriguée, elle l'ouvrit d'une main impatiente. L'intérieur était composé d'un amas de fils électriques et de bobines ainsi qu'un petit casque écouteur. Elle extirpa l'appareillage pour l'observer sous toutes les coutures.

— J'ai bien peur que tu ne puisses plus te servir de ta machine à coudre avant longtemps.

Elle sursauta et se retourna d'un bloc.

La voix masculine et familière provenait de la porte. Elle reconnut la silhouette voûtée de son père. Il s'avança d'un pas lent, puis parvenu à deux mètres d'elle il s'arrêta et croisa les bras. Comme pour la gronder quand elle enfant.

— Tu as toujours été trop curieuse.

La jeune femme brandit la manette de l'appareil.

— C'est bien ce que je pense ?

— Je n'ai aucun compte à te rendre, Laure. Sors d'ici.

La jeune femme secoua la tête.

— Pas question. Un appareil de transmission radio dans la machine à coudre de ma mère, ça exige quelques explications.

— Jamais tu n'aurais dû la découvrir. C'est trop dangereux pour toi.

— Tu t'en sers pour quoi ?

Le visage du vieil homme se creusait sous la lumière qui tombait du plafond.

— C'est un appareil de rechange au cas où le premier caché dans la bibliothèque tomberait en panne.

Laure écarquilla les yeux de stupeur.

— Mais je croyais que tu étais partisan du…

— Du Maréchal ? Au début oui, je pensais sincèrement qu'il était le seul à protéger la France des nazis. Mais à l'automne dernier, j'ai compris mon erreur.

Elle se leva de sa chaise et s'avança vers lui, le visage grave.

— De quoi tu parles, papa ?

— Le statut des juifs, le découpage de notre pays en deux… Pétain a trahi la France. Du coup, j'ai réactivé mes contacts dans certains milieux.

— Quels milieux ?

Il prit la main de sa fille et l'entraîna hors du grenier. Dès qu'ils furent sur le palier, il ferma la porte à double tour et inséra la clé dans sa poche.

— Tu oublies que ton vieux père a été colonel dans l'armée française, répondit-il. Je dirige un réseau sur la moitié sud du département. Maintenant oublie ce que tu as vu. Il va se passer des choses suffisamment graves ici pour que tu n'y sois pas mêlée.

— Tu veux parler des fouilles dans le château ?

— Oui. Tu vas faire ta valise et partir chez ta tante à Carcassonne, le temps que les choses se tassent. Le jardinier va t'emmener à la gare de Foix.

Elle secouait la tête.

— Non. Papa, je suis si fière de toi. Comment puis-je t'aider.

Le comte la prit par l'épaule.

— Pars, te dis-je. Tu es jeune, l'avenir t'appartient.

Elle se dégagea.

— Mon avenir ne regarde que moi.

Au moment où il allait répliquer, le grondement du moteur d'un camion résonna sous la fenêtre. Il se posta contre le carreau de la vitre, son visage devint blême.

— Les Allemands !

On entendit des coups frappés à la porte de l'entrée principale. Le père et la fille échangèrent un regard angoissé.

— Je descends voir ce qu'ils veulent. Retourne dans ta chambre.

— Pas question.

Il la foudroya du regard. C'était le portrait craché de sa mère, aussi entêtée qu'elle. Peut-être plus.

— Monsieur !

Ils tournèrent la tête vers l'escalier d'où montait la voix de crécelle du vieux domestique.

D'Estillac se pencha sur la rambarde et aperçut le visage en sueur du serviteur deux étages plus bas.

— Les soldats… Ils veulent voir mademoiselle Laure. Tout de suite.

39

Mer du Nord
10 mai 1941

Le bruit sourd des hélices remontait le long des ailes, longeait le fuselage pour s'incruster dans le cockpit et bourdonner entre les oreilles de Rudolf Hess. Ce trépignement incessant ne le gênait pas, au contraire. Comme pour tout bon aviateur, le ronronnement agressif des moteurs le rassurait, l'apaisait. Il était dans son élément, seul au-dessus de la mer, comme un de ces demi-dieux des sagas nordiques qui fendaient les airs pour voler au plus haut du ciel.

S'il réussissait la mission qu'il s'était choisie, lui aussi deviendrait un des héros immortels de l'Allemagne, un de ces nouveaux paladins du Reich dont la légende égalerait celle des chevaliers de la Table ronde. Cette idée le fit sourire. Lui, Hess, allait frapper un grand coup qui allait lui faire retrouver toute la confiance du Führer. Le sourire se transforma en rire. Oui, très bientôt, tous devraient reconnaître sa supériorité. Comme le lui avait promis Baldr. Cette voix dans son esprit qui le conseillait sur son chemin de vie.

Hess jeta un regard sur la jauge de carburant : sa consommation était conforme aux prévisions. De toute façon, il avait fait installer deux réservoirs supplémentaires sous les ailes du Messerschmitt 110 afin d'être sûr d'atteindre son objectif.

Depuis qu'il avait décollé de Bavière, son plan de vol n'avait connu aucun accroc. Il avait volé dans le sillage des bombardiers qui allaient déverser la mort sur Londres. À distance discrète, il suivait le vol noir des Heinkel et des Stuka qui, maintenant, atteignaient les côtes anglaises. Il augmenta la vitesse pour les rejoindre, se fondre dans leur formation, afin d'éviter d'être repéré par les radars. Un avion isolé en ciel ennemi était une proie tentante pour les Spitfire, les chasseurs britanniques, avides d'ajouter un trophée à leur tableau de chasse.

Il ne leur donnerait pas ce plaisir.

La mer du Nord avait laissé la place à la campagne vallonnée qui s'étendait jusqu'à la banlieue de Londres. La lune éclairait le paysage d'une lueur de glace. À la différence d'Himmler qui voyait dans le soleil le symbole absolu des aryens, Hess pensait, lui, que c'était la lune, la déesse tutélaire des tribus germaniques. Il en avait parlé une fois à Hitler qui était resté indifférent. S'il avait le sens des symboles qui frappaient l'imagination, il n'aimait pas disserter dessus. En tout cas, c'était bien, lui, Hess qui lui avait suggéré d'adopter la croix gammée pour devenir le signe de reconnaissance du parti nazi. Et là aussi, il ne s'était pas trompé.

La vive lumière de la lune l'empêchait de distinguer nettement les constellations. Il alluma un voyant et éclaira un papier où son astrologue avait tracé une carte du ciel.

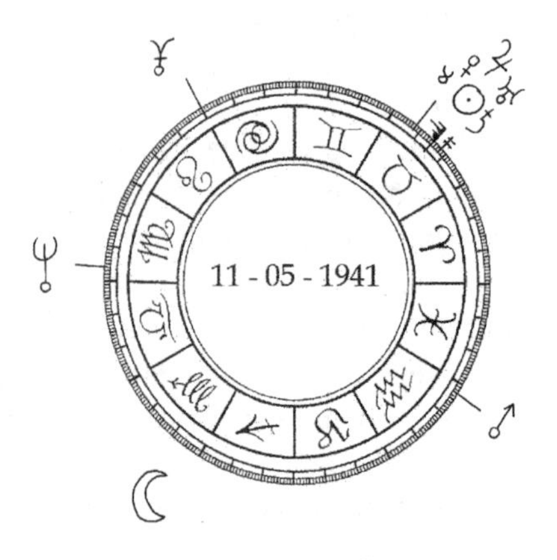

Cette nuit du 10 au 11 mai, un alignement de planètes avait lieu sous le signe du Taureau, symbole de puissance et de victoire. C'était d'ailleurs cette conjonction exceptionnelle qui l'avait décidé à partir à cette date. Ses astrologues étaient formels, il ne pouvait échouer. Il changea son axe de vol pour s'éloigner des bombardiers et foncer direction Nord-Ouest. Désormais, les radars anglais étaient en mesure de le repérer. S'il voulait leur échapper, il devait baisser d'altitude et piquer vers le sol. Le manche à balai vibrait entre ses mains et l'aiguille de l'altimètre s'affolait. Il avait toujours adoré cette sensation. Surgir du ciel et fondre vers la terre comme un oiseau de proie. La campagne anglaise se rapprochait. Il apercevait le damier des champs, la tache sombre des forêts, jusqu'aux villages qui se terraient dans la nuit.

Il stabilisa son altitude de vol, vérifia sa position et respira profondément. Cette nuit, il jouait le plus gros coup de sa carrière : celui qui allait changer le cours de cette guerre.

La lune commençait sa descente vers la mer. La lumière blafarde devenait oblique et teintait les paysages d'une pluie d'argent. Au détour d'une haie, au sortir d'un bois, on s'attendait presque à voir surgir un chevalier en armes en quête d'aventure. Hess avait réduit son altitude au minimum, rasant par moments la cime des arbres. Le meilleur moyen d'échapper aux radars, sauf que le Messerschmitt était tout sauf silencieux. Son vrombissement nocturne allait semer la panique au sol. À regret, Hess reprit de l'altitude pour éviter de se faire accrocher par la défense antiaérienne. Sur la gauche, un projecteur s'alluma et commença de balayer le ciel. Une ville devait être à proximité. Il tira sur le manche et vira plus vers l'ouest : ce n'était pas le moment de se faire abattre comme un vulgaire corbeau. Une première explosion retentit qui fit vibrer la carlingue. Une grappe de flocons noirs éclata dans le ciel. Une batterie antiaérienne venait de le repérer. Il fallait reprendre de l'altitude pour se mettre hors de portée de la DCA anglaise. Une nouvelle salve de détonations déchira la nuit. Il sentit la poussée des moteurs le plaquer contre le siège. Quelques minutes plus tard, il était invisible.

Plus jeune, Hess avait toujours rêvé de voler. Pour lui, l'avion avait été une révélation. Engagé volontaire en 1914, convaincu de devenir un héros, il s'était retrouvé transformé en fantôme de boue dans les tranchées face à Verdun. L'explosion d'un obus qui lui avait profondément labouré les jambes et le dos l'avait sauvé d'une mort lente et sans gloire. Sitôt remis sur pied, il s'était à nouveau précipité pour repartir au front, mais une balle en plein poumon avait rapidement mis un terme à ses ambitions. Écœuré par la guerre au sol, il s'était de nouveau porté volontaire, cette fois pour devenir aviateur. Mais la malchance l'avait poursuivi et son avion s'était écrasé durant un entraînement. Quand il s'élança à nouveau dans les airs, une semaine plus tard l'armistice était signé. Une véritable malédiction. Hess ne s'en était jamais vraiment remis surtout quand il voyait Goering à la parade, bardé de décorations pour avoir abattu vingt-deux avions ennemis. Mais il savait être patient.

Et aujourd'hui, il allait saisir sa revanche.

La lumière du jour remplaçait petit à petit celle de la lune. Désormais Hess pouvait mieux se repérer. Au sol, le paysage venait de changer. Les champs bordés de haies, les bois touffus, avaient laissé la place à un enchevêtrement de collines encaissées recouvertes de landes. L'Écosse venait de faire son apparition. Hess se pencha vers la vitre de son cockpit, les yeux fiévreux d'insomnie. La vieille terre celtique, constellée de châteaux et de mythes, l'avait toujours fasciné et il comptait bien ajouter une légende de plus à cette région d'exception.

Un reflet blanc apparut à l'horizon : la mer d'Irlande. Sur ses genoux, il avait déployé une carte qu'il consultait dans l'aube grise. Après avoir contourné Londres par l'est – pour brouiller les pistes – il avait ensuite obliqué vers le couchant, traversant l'Angleterre en diagonale. Malgré quelques tirs de la défense aérienne, il n'avait sans doute pas été repéré. Désormais, il longeait les côtes pour mieux s'orienter. D'après ses calculs, il était à moins de deux heures de sa cible. Il tapota la jauge de carburant. Il lui restait encore un réservoir supplémentaire de disponible. Largement suffisant pour atteindre son objectif que lui seul connaissait : le village d'Eaglesham. Si Hess réussissait son coup, ce nom entrerait dans l'histoire.

— *Tu seras reçu comme un roi ! Désormais tes oreilles ne gèleront plus.*

Son esprit bourdonna, son regard se voila. Baldr avait parfois la fâcheuse habitude de lui parler sans prévenir.

— *Tu es l'envoyé de la paix, la gloire rejaillira sur toi pour les siècles des siècles.*

— *Merci Baldr, mais je dois me concentrer pour piloter l'avion. On se parlera à mon arrivée.*

Le bruit des hélices résonna à nouveau dans la cabine. Baldr avait disparu.

Pour résister à l'excitation qui le gagnait, Hess se concentra sur les informations dont il disposait. Depuis plusieurs semaines, les services secrets du Reich multipliaient les rapports alarmistes sur les revers politiques de Churchill. Les bombardements incessants qui transformaient Londres en enfer étaient en train de briser l'esprit de résistance des Britanniques. Au Parlement, des députés, de plus en plus nombreux, perdaient espoir. Et si à Buckingham Palace, on se taisait, on espérait une trêve rapide. Le Bulldog, comme l'appelaient ses adversaires, risquait de perdre bientôt la majorité et un nom, pour le remplacer, commençait de circuler : Lord Halifax.

Hess avait aussitôt consulté ses astrologues qui étaient unanimes : les planètes annonçaient un destin politique exceptionnel à ce pacifiste convaincu qui rongeait son frein à Washington où Churchill l'avait relégué comme ambassadeur ! Pragmatique et isolationniste, Halifax voulait rompre avec la guerre à outrance et proposer aux Allemands un accord : à eux la possession de l'Europe, aux Anglais la domination de l'Orient et de l'Afrique.

L'arrivée probable d'Halifax aux commandes avait décidé Hess à frapper un grand coup. Restait cependant à trouver comment entrer en contact avec le futur Premier ministre… Il n'avait pas mis longtemps à trouver. Depuis des années, et en toute discrétion, le ministère allemand des Affaires étrangères fichait toute personnalité britannique susceptible de sympathie nazie. L'ex-roi Édouard VII bénéficiait d'un dossier complet et il existait même la copie d'un film où l'on voyait les enfants royaux faire le salut nazi[1]. Bien d'autres noms figuraient dans ce fichier : anticommunistes notoires, membres conservateurs du Parlement, aristocrates de renom… Et parmi eux, un nom prestigieux avait aussitôt suscité l'attention de Hess : Lord Hamilton. Il l'avait rencontré lors des Jeux olympiques

1. Ce film a ressurgi en 2015 : on y voit la future reine d'Angleterre, Élisabeth II, faire le salut nazi en 1933. Âgée de six ans, elle n'était bien sûr pas consciente de la portée politique de son geste.

de 1936. L'homme s'était révélé particulièrement amical et n'avait pas caché son admiration pour l'Allemagne d'Hitler. Et voilà que dans la fiche, régulièrement tenue à jour par les diplomates allemands, Hess apprenait qu'il était aussi un proche de Lord Halifax...

La mer d'Irlande s'était recouverte d'un voile gris de brouillard qui montait à l'assaut des côtes. Il n'était plus qu'à une heure – peut-être un peu moins – de sa cible : le manoir d'Hamilton qui avait en plus le grand avantage de disposer d'une piste d'atterrissage... Hess se rapprocha du sol. Désormais, il ne craignait plus d'être repéré. Il lui fallait obliquer vers l'est. La campagne écossaise défilait sous les ailes. Hess fixait le compas qui indiquait sa direction. S'il gardait le cap, il devrait apercevoir les deux repères qu'il avait entourés de rouge sur ses cartes. Il se rapprocha encore du sol pour éviter les bancs de brume. Les toits d'ardoise des fermes scintillaient de rosée et d'un coup, il les vit : deux lacs aux eaux vertes qui encadraient une route en ligne droite. Eaglesham était au bout. Pour s'alléger, il largua ses deux réservoirs supplémentaires. Au dernier moment, il fit un crochet pour éviter le village. À l'altitude à laquelle il volait, les deux croix noires qui ornaient chaque côté de la carlingue étaient visibles à l'œil nu. Mieux valait se poser en toute discrétion. La piste apparut. D'un coup, Hess comprit son erreur, jamais le Messerschmitt ne pourrait atterrir : le ruban de goudron qu'il survolait était bien trop court, tout juste bon pour un simple avion de tourisme. Il reprit de l'altitude pour prendre une décision. Il n'y en avait pourtant qu'une : il fallait sauter en parachute.

Dans la grange de Floors Farm, Dave McLean posa sa fourche contre le mur. Son dos comme ses bras réclamaient une pause. Depuis l'aube, il charriait du foin sans arrêt. Il se laissa tomber sur un billot de bois recouvert de sciure et sortit sa blague à tabac. Voilà qui lui ferait oublier ses courbatures. Une fois sa cigarette roulée, il sortit de la grange. Hors de question de fumer juste à côté d'un tas de foin qui montait jusqu'à la charpente : un coup à tout cramer en moins de deux ! Au moment où il s'apprêtait à tourner la molette de son briquet à essence, une explosion fit voler une pluie de tuiles juste au-dessus de sa tête. Il roula au sol pour se protéger, avant de se relever, les membres tremblants. Juste derrière la grange, le ciel venait de s'enflammer dans un panache incandescent. Tandis que des débris de métal retombaient au sol, une odeur âcre d'essence brûlée envahissait la cour.

— Par le sang du Christ…, balbutia Dave incrédule.

Dans le ciel, juste au-dessus de lui, une corolle blanche venait de s'ouvrir comme une apparition divine. Dave se précipita dans la grange avant de sortir la fourche à la main. Le parachute gisait déjà sur le pavé de la cour tandis qu'un homme défaisait son harnais. Il s'avança en boitillant.

— Je suis...

Il n'eut pas le temps d'en dire plus.

Les dents luisantes de la fourche étaient déjà sur sa gorge.

40

Montségur
Grotte
Mai 1941

Laure d'Estillac jeta un regard méprisant au SS qui l'avait accompagnée jusqu'à l'entrée de la grotte. Tristan arriva vers elle d'un pas rapide et fit un signe au garde.

— Retournez garder l'entrée, ordre du colonel. Je m'occupe d'elle.

Le SS ne broncha pas.

— Allez voir votre supérieur, si vous ne me croyez pas, s'agaça Tristan.

L'Allemand marmonna une insulte et tourna les talons. Tristan le regarda s'éloigner avant de s'adresser à la jeune femme :

— Très aimable à vous d'être venue. Vous n'allez pas le regretter.

— J'avais le choix ? rétorqua Laure, le regard hostile. Tandis que vous, on dirait que ça vous plaît de trahir votre pays.

Il répliqua d'un ton sec :

— Il s'agit seulement d'une quête. Je ne suis ni un soldat, ni un flic et je ne partage en rien leur idéologie, croyez-moi. Quant à la fibre patriotique, il y a belle lurette qu'elle ne vibre plus.

— Et vous croyez me convaincre ?

Il haussa les épaules et indiqua l'intérieur de la grotte.

— Oh, non... Mais je vous conseille de vous presser. Le colonel n'aime pas attendre ses invités.

Elle le suivit dans la grotte et son air revêche disparut dans l'instant. Jamais elle n'aurait pu imaginer qu'une telle splendeur puisse exister dans les profondeurs du château qu'elle avait arpenté de long en large depuis son enfance.

— Incroyable..., murmura-t-elle. Comment avez-vous découvert cet endroit ?

— Si je vous disais qu'il est question d'un jeu de piste qui a commencé il y a deux ans dans un monastère espagnol du nom de Montserrat ?

Elle ne répondit pas et bougeait la tête dans tous les sens, éblouie par la beauté du monde souterrain.

— Et ce n'est pas fini, ajouta Tristan qui pointa du doigt le renfoncement creusé dans la roche où se dressait la statue.

Juste avant l'entrée du sanctuaire, elle sursauta, elle venait de marcher sur une grille au sol. Elle se pencha. Un grondement montait des ténèbres.

— Une rivière souterraine, précisa Tristan, elle court sous toute la grotte.

Quand Laure releva la tête, les silhouettes des deux Allemands se découpaient dans le halo de la torche.

— Ah, enfin ! lança Weistort sur un ton pressant. Nous avons besoin de vos lumières, dépêchez-vous.

Laure pénétra dans le sanctuaire, dévorée malgré elle par la curiosité. Erika l'observait avec froideur, comme si elle trouvait sa présence incongrue.

— Ce sont les cathares qui ont sculpté cette statue ? interrogea la jeune femme.

— Non, elle a probablement été façonnée il y a des milliers d'années, répondit Weistort. Mais il semble que vos hérétiques y aient ajouté un mécanisme. Une sorte de piège infernal pour empêcher de récupérer la relique. C'est en tout cas ce que croit ce cher Tristan.

Elle s'approcha des mains de la statue et aperçut les deux swastikas.

— Des croix gammées ? Ne me dites pas qu'il y avait des cathares nazis ! Quelle abomination, moi qui avais toujours admiré leur cause.

— Les croix sont, elles aussi, d'une époque antérieure, expliqua Tristan avec bienveillance.

À la différence des deux Allemands dont les visages étaient en train de se fermer.

En guise de réponse, Weistort la saisit par le bras et la plaça devant les deux inscriptions.

— Je me moque de vos commentaires. Traduisez, puisqu'il paraît que vous connaissez cette langue.

— Je ne connais pas cette langue, je la vis. Ma famille est l'une des plus vieilles de la région. J'ai eu des ancêtres cathares brûlés en bas du château.

Le nazi esquissa un mince sourire.

— Condoléances, maintenant traduisez.

Croiz rog

Crotz rog

Salut cap sinistra

— Vous me faites mal ! fit Laure en essayant de se libérer, pas question que je vous aide à quoi que ce soit.

Le colonel la lâcha, puis sortit un Luger de son étui de ceinture.

— Je vais compter jusqu'à cinq…

Tristan voulut s'interposer, mais Weistort braqua son arme dans sa direction.

— Restez à votre place !

Le SS pivota et colla le canon du Luger sur la tempe de Laure. Une expression de panique traversa le visage de la jeune femme.

— Je vous écoute, fit le chef de l'Ahnenerbe d'une voix subitement onctueuse.

Laure observa les inscriptions d'un œil attentif, mais elle semblait hésiter.

— Si l'on excepte les deux symboles différents – la croix gammée et le scorpion – les deux messages exprіment la même chose. Il est question d'une croix : *Croiz* en ancien français et *Crotz* en occitan. Quant à *Rog*, le mot désigne la couleur rouge. Et pour la troisième ligne, *salut cap sinistra*, on pourrait traduire par : « le salut de la tête gauche ».

— Parfait..., fit Weistort. Le symbole de la swastika indique la bonne croix. La première.

Tristan secoua la tête.

— Je ne comprends pas pourquoi ils se seraient donné autant de mal pour cacher la relique et livrer une énigme aussi facile à identifier. Une croix est désignée par un terme occitan, donc cathare, la seconde par un mot dans la langue de l'ennemi.

Pour la seconde fois depuis qu'il avait trouvé l'emplacement du donjon originel dans le château, Erika accorda un regard intéressé à Tristan.

— Il a raison, colonel, la clé est sans doute dans le scorpion. Pourquoi ont-ils choisi ce symbole ?

Weistort s'impatienta.

— Nous perdons un temps précieux !

Tristan avait croisé les bras, son esprit tournait au maximum.

— Le scorpion est un symbole astrologique, mais les cathares n'y croyaient absolument pas. C'est aussi un symbole de danger, de mort, de venin, de maléfice...

— Comme le nazisme, ironisa Laure, vous êtes sur la bonne piste.

Excédé, Weistort la repoussa brutalement contre la statue.

— Un autre commentaire de ce genre et je vous abats sur-le-champ.

Erika, elle, scrutait la roche.

— Le scorpion… Le scorpion… Remettons-nous dans le contexte de l'époque. Les cathares se battaient contre des croisés venus du Nord et l'Église catholique…

Tristan frappa brusquement du poing sur la paroi.

— Ça y est ! L'Orient ! Dès sa naissance, le christianisme doit se battre contre l'hérésie. En Judée, en Syrie, en Égypte…

— Je ne vous suis pas, dit Erika.

— Pour désigner les hérétiques, les premiers chrétiens les traitaient de scorpions : l'animal mortel du désert. L'hérétique se cache sous la pierre de l'Église et sa croyance est venimeuse pour les fidèles. Du coup, tous ceux qui étaient persécutés par la nouvelle foi se reconnaissaient entre eux par le signe du scorpion.

Il s'approcha de la statue avant de continuer :

— Si on suit cette logique, la bonne croix serait donc celle du scorpion.

— Pas forcément, ajouta Erika, ça peut être aussi une façon d'induire les intrus en erreur : la swastika n'était pas non plus un symbole utilisé par l'Église.

— Et la troisième inscription ? Vous en faites quoi ? fit Laure. *Salut cap sinistra*, le salut de la tête gauche.

Erika se posta contre la statue et passa sa main sur la pierre. Ses doigts remontèrent sur le buste, puis vers les épaules pour s'arrêter en lisière du cou.

Elle poussa une exclamation.

— Il y a une séparation, très fine, qui court tout le long du cou.

Sans attendre de réaction, elle prit la tête de la statue entre ses mains et la fit pivoter sur la gauche. Un cliquetis grinçant s'échappa de la statue. L'une des chaînes qui couraient le long du mur se tendit d'un coup.

— Le salut... La tête tournée sur la gauche apporte le salut. Très astucieux, le mécanisme doit être à double détente, fit von Essling, je suppose que si l'on retire la bonne croix, la seconde chaîne se bloquera elle aussi.

— Reste à savoir quelle est la bonne.

— Celle des hérétiques..., dit Tristan.

— Je n'en suis pas convaincue, répliqua l'archéologue, l'autre choix se justifie tout autant. Les cathares qui ont inventé cette énigme savaient ce qu'ils faisaient, rendre fous ceux qui voulaient la résoudre.

Weistort sortit de son silence.

— Il n'y a qu'une façon de la savoir : nos amis français vont trancher. Erika, revenez vers moi et vous deux restez à côté de la statue.

Les Allemands s'écartèrent du sanctuaire, laissant Tristan et Laure côte à côte.

— Tristan, puisque vous êtes si sûr de vous, à vous de jouer.

— Et si je me trompe ?

— Nous perdons la croix et vous mourrez. Dépêchez-vous !

Tristan scruta quelques secondes le visage angoissé de Laure avant de lancer :

— Si vous la libérez, je vous obéirai.

Le SS éclata d'un rire sonore.

— Alors maintenant, on joue les preux chevaliers ? Si romantique, si français…

— À vous de choisir. Mais vous l'avez dit : le temps presse.

L'Allemand hésita quelques instants, puis fit un signe de tête à Laure.

— D'accord. Reculez.

Laure se tourna vers Tristan.

— Merci… Vous n'êtes pas si salaud, après tout.

— Barrez-vous avant que je change d'avis.

La jeune femme rejoignit le colonel et Erika pendant que Tristan s'était approché des mains de la statue.

Les deux croix semblaient le narguer.

Celle du scorpion ou celle de la swastika ?

Tristan sentait presque la sueur couler des pores de sa peau. La quête touchait à sa fin. Et peut-être sa vie aussi.

Il ferma les yeux.

Ceux qui avaient imaginé ce piège infernal étaient des cathares. Ils ne raisonnaient pas comme leurs ennemis.

Pense comme eux.

Tout était inversé. Ils croyaient que le monde était dirigé par le diable et non pas par Dieu. La réalité n'était qu'illusion et perdre la vie était une délivrance. Ils n'avaient pas peur de mourir, eux. À la différence de leurs adversaires de Rome.

La peur... La peur n'est qu'illusion.

Son esprit faisait bloc.

S'il avait peur, c'est qu'il pensait comme un croisé.

Je ne dois pas avoir peur. Je suis un cathare, un parfait. Le piège est une illusion. Oui !

Le piège était trop évident. Les chaînes… Le plafond au-dessus de lui avec ces tonnes de rochers prêts à se déverser sur lui. Et à ses pieds, le gouffre sous la grille de fer. L'enfer.

Tout ce décor était conçu pour impressionner les indésirables. Leur faire perdre la raison. Les cathares misaient sur les terreurs religieuses des croisés. Les catholiques savaient qu'avec un mauvais choix ils iraient en enfer. Tandis qu'avec la bonne croix, rien ne se déclencherait : ils ressortiraient victorieux pour conquérir le monde avec le pouvoir de la relique. Ivres de leur bon droit.

Comme les nazis.

Tristan ouvrit les yeux.

Mais oui !

Les cathares jouaient sur la peur.

C'était si évident. Il avait compris le piège. Il n'y en avait pas.

Sans hésiter il avança sa main au-dessus de celle de la croix gammée du scorpion. Il ferma à nouveau les yeux. Puis, d'un geste rapide il la retira de la main de pierre. Un nouveau cliquetis se produisit dans la statue et cette fois la seconde chaîne se tendit dans un grincement sinistre. Puis le silence.

Tristan soupesa la relique, elle était lourde comme du plomb. Il la retrouvera et vit une croix gravée, de la taille d'une pièce de monnaie. Une croix… Le symbole du Christ. Il sourit en silence. Il avait réussi.

— Félicitations, Tristan ! Vite, apportez la swastika.

La voix de Weistort résonnait dans toute la grotte. Erika et Laure semblaient soulagées.

Tristan tourna les talons, la relique à la main. Il marchait lentement de peur qu'un autre mécanisme ne se déclenche. Mais tout était calme.

À l'entrée du sanctuaire, Weistort tendait une main avide.

— Je me demande si je ne vais pas vous embaucher à l'Anhenerbe. Je dirai au Reichsführer que…

Il ne put finir sa phrase.

Une rafale de mitraillette retentit dans le boyau d'entrée.

41

Montségur
Grotte
Mai 1941

Soudain un grondement sourd retentit à l'autre bout du couloir. On entendait des cris et des détonations. Le chef de l'Ahnenerbe sortit son Luger et tira au hasard en direction de l'entrée. Une voix en allemand surgit du couloir.

— Ne tirez pas ! C'est Werner.

Weistort baissa son arme. L'un des SS en faction arriva en hurlant dans la salle. Le devant de sa vareuse se teintait de rouge.

— On est attaqués, tout un commando. Ils ont surgi de nulle part.

— Où est l'autre garde ?

Les yeux affolés, le SS secoua la tête.

— Je ne sais pas... Tout est allé très vite.

Weistort s'empara de son pistolet-mitrailleur et inspecta le chargeur.

— Et presque plus de cartouches. Nos agresseurs vont nous prendre comme des rats.

Tristan se rapprocha, la swastika sacrée serrée dans la main.

— La relique, vite ! cria Weistort.

Sans un mot, le Français s'exécuta.

Le cœur battant, Laure s'était plaquée contre l'une des parois de la grotte. C'était son père qui venait la chercher, elle en était certaine. Il fallait qu'elle puisse l'aider. Mais comment ?

À son tour, le garde blessé s'était appuyé contre le rocher. Il avait du mal à respirer. Il tentait d'arrêter la vie qui le quittait en plaquant sa main sur la blessure, mais le sang giclait entre ses doigts.

— Il reste une... chance. La sirène d'alerte est déclenchée. Hans à l'entrée… Il ne se... rendra pas. Les renforts…

Il s'effondra.

— On ne va pas tenir longtemps avec nos munitions, s'exclama Weistort.

Erika s'empara du pistolet, souillé de sang du garde et se mit en position de tir face à l'entrée. Un étrange sourire barrait son visage.

— Ça vous fait rire ? s'étonna le colonel.

— L'ironie de la situation… Mourir dans ce trou au fin fond de la France. Tout ça pour récupérer une croix gammée alors qu'on en a des millions en Allemagne…

Un tir de mitraillette retentit à nouveau, suivi d'un hurlement. Des pas résonnèrent dans le boyau. Weistort tira au jugé.

— Cessez le feu, on a un marché à vous proposer, cria une voix inconnue.

— Quel marché ? hurla Weistort. Vous n'avez aucune chance ! Mes hommes vont arriver d'un moment à l'autre.

Il envoya une autre rafale pour ponctuer sa tirade.

— Peut-être, mais pas à temps pour vous sauver. Il suffit que je balance une grenade et vous serez transformés en charpie. Laissez-moi entrer, sans armes.

Tristan se tourna vers le colonel.

— Ça ne coûte rien, Weistort. Et on gagnera du temps.

— Il a raison, dit Erika.

Le chef de l'Ahnenerbe hocha la tête.

— D'accord, approchez ! Les mains en l'air.

Quelques secondes s'écoulèrent, puis une silhouette apparut à la lueur des torches. Malorley s'avança au centre de la pièce, les bras levés.

Avant de parler, il fixa longuement le SS.

— Si vous me donnez la relique, je vous promets la vie sauve. Bien que ce ne soit pas l'envie qui me manque de vous tuer. Je vous suis à la trace depuis longtemps…

Le chef de l'Ahnenerbe se figea.

— Qui êtes-vous ? On se connaît ?

Malorley lui planta un regard de haine dans les yeux.

— On s'est croisé en novembre 1938. Berlin. Vous sortiez d'une librairie et moi je devais y entrer. Vous ne vous souvenez pas de moi, c'est normal, vous étiez ivre de vous-même.

— 1938...

— Je vais vous rafraîchir la mémoire. Durant la nuit de Cristal, vous avez assassiné l'un de mes amis.

Le professeur Neumann, un homme de profonde culture et de grand savoir. Il tenait une librairie non loin de la synagogue. Ça vous revient ?

Weistort répliqua aussitôt :

— Un juif ! Ce ne sont pas des êtres humains, comment voulez-vous que je m'en souvienne...

— Vraiment ? Pourtant, à l'époque ce *juif* avait une grande valeur à vos yeux. Vous lui avez volé un livre. Le *Thule Borealis Kulten*.

— Vous… Vous savez…

— Je suis arrivé trop tard. Je n'ai pas pu le sauver, mais il a eu le temps de me parler.

Le SS recula d'un pas. Il n'aimait pas les fantômes surgis du passé.

— Une fois que vous m'aurez remis la relique, ajouta Malorley, vous me donnerez aussi le livre. Et vos amis auront la vie sauve.

— Je ne l'ai pas, imbécile ! Le *Borealis* est en lieu sûr en Allemagne. Jamais vous ne le récupérerez, à moins d'envahir le Reich. Et vous en êtes loin !

Un sourire tentateur passa sur le visage de Malorley.

— Pas si je récupère la relique !

Un bruit pressé de pas retentit : d'Estillac apparut, le souffle court. Derrière lui, se tenaient Cebolla et deux de ses hommes, mitraillette à la main.

— Où est ma fille, Laure ?

— Je suis là, papa.

Elle n'eut pas le temps d'avancer. Erika venait de lui coller son arme contre les côtes, côté cœur.

— Eh bien, il me semble que nous avons une monnaie d'échange, fit Weistort, l'air triomphant.

De longues secondes silencieuses s'écoulèrent. Puis il y eut un curieux sifflement suivi d'un chuintement strident.

— Fumigènes, à terre, *amigos* ! hurla Cebolla qui venait d'envoyer des grenades dans la grotte.

Des volutes de fumée grise jaillissaient du sol. Aussitôt des coups de feu retentirent. Tristan se rua vers le sanctuaire. D'Estillac, lui, voulut se précipiter vers sa fille, mais Weistort, d'une rafale, le faucha en plein élan.

— Non, hurla Laure échappant à l'étreinte d'Erika.

À son tour, Malorley tira à plusieurs reprises sur la silhouette de Weistort qui s'estompait derrière la fumée. L'Allemand tomba à la renverse, et lâcha la swastika. Erika jeta son arme pour saisir la relique, puis rampa vers un angle mort.

Au sol, indifférente au chaos, Laure tenait la tête de son père entre ses mains, glissant ses mains dans ses cheveux comme si elle tentait de réveiller un enfant. Malorley se jeta à ses côtés.

— Vous ne pouvez plus rien faire, venez.

De nouveaux tirs retentirent, plus nourris vers l'entrée.

— *Los Alemanes*, ils arrivent, s'écria Cebolla, faut plus traîner.

Malorley arracha Laure au cadavre de son père et la dirigea vers les Espagnols.

— Si je ne suis pas revenu dans cinq minutes, foutez le camp ! Moi il faut que je retrouve la relique.

Il se retourna vers le sanctuaire. La fumée ressemblait de plus en plus à la brume. Il entendait sous lui un bruit de torrent rugir comme une bête se débattant dans des boyaux souterrains. L'enfer ne pouvait être pire. En s'avançant, il buta sur le corps de Weistort. Un gémissement lui répondit. Le SS n'était pas mort. Il résista au plaisir de lui coller une balle dans la tête. Un instant le fantôme de Neumann dansa devant ses yeux, mais il ne lui restait pas assez de balles dans son chargeur. Il avança d'un pas scrutant les volutes de fumée. Il avait vu une femme s'emparer de la relique et rouler au sol. Elle avait rampé… Il se baissa. Oui, elle était là, tapie contre le rocher comme un serpent venimeux.

Erika vit un homme se relever et la viser. Elle serra la relique contre sa poitrine. Un réflexe idiot, se dit-elle, mais elle n'eut pas le temps d'y penser. Tristan venait de surgir face à l'Anglais. Son corps faisait écran et la protégeait. Elle voulut se lever pour fuir, mais d'un coup la fumée s'épaissit dans le sanctuaire. Tristan et son adversaire ne furent plus que deux ombres bientôt avalées par la brume.

Cebolla tenait Laure par les épaules. Il jeta un regard inquiet vers l'entrée de la caverne où les détonations s'intensifiaient.

— Mes hommes, dehors, ne vont plus tenir longtemps. Il faut fuir.

Laure tenta de se dégager.

— On ne peut pas le laisser…

Malorley surgit comme s'il remontait des enfers. Cebolla s'avança.

— Foutons le camp vite.

L'Anglais ne répondit pas, il n'arrivait plus à discerner quoi que ce soit. Il se laissa emporter. Sa mission était terminée.

42

Montségur
Mai 1941

Ils dévalaient la pente à perdre haleine, tentant d'éviter les deux taches de lumière jaune qui dansaient autour d'eux. La sirène du château hurlait de plus belle. Les balles des mitrailleuses allemandes se remirent à déchiqueter les arbustes autour d'eux. Un des Espagnols hurla et tomba à terre, fauché par une rafale dans le dos. Ils n'étaient plus que quatre du commando initial. Malorley, Jane, Laure et le chef du groupe espagnol. Des deux maquisards qui restaient pour couvrir leurs arrières et empêcher les SS de foncer sur eux, il n'en restait plus qu'un. L'Anglais avançait en boitillant, il s'était tordu la cheville à peine sorti de l'enceinte du château.

— À couvert contre le muret ! cria Cebolla qui courait dix mètres devant eux.

Malorley et les deux jeunes femmes se jetèrent contre un bloc de pierres sèches. En contrebas, le chemin quittait la protection de la rocaille et des buissons pour laisser place à un champ de pâturage où dansaient à nouveau les faisceaux inquisiteurs.

Laure restait recroquevillée et tremblait comme une feuille, anéantie par la mort de son père. Jane se colla contre elle et lui prit le visage entre ses mains.

— On va s'en sortir. Je te le promets.

La lune illuminait le visage de Laure en larmes.

— Je… Je ne peux plus bouger. Partez…

— Pas question.

Jane se tourna vers Malorley.

— On ne peut pas rester ici. Ils vont nous trouver.

— Vous croyez que j'ai envie de passer la nuit sur la colline ? répliqua Malorley qui se massait la cheville pour tenter d'apaiser la douleur.

Il se tourna vers l'Espagnol.

— Eh l'oignon ! Il nous reste quoi comme option ?

— On est coincés. Tant qu'ils tiennent avec leur maudit projecteur, ils peuvent nous tirer comme des lapins. Et on est obligé de passer par ce chemin pour rejoindre mes camarades en bas.

Cebolla prit ses jumelles et tentait d'inspecter la route en contrebas du pré. Les rayons lunaires procuraient à peine de quoi distinguer la forme noire qui ressemblait à un camion.

Soudain, il aperçut en direction de Montferrier trois paires de phares qui ondulaient sur la départementale et qui venaient dans la direction des maquisards.

— *Caliente… Muy caliente.* À coup sûr ce sont des gendarmes français appelés en renfort. J'ai demandé à mes hommes de couper des arbres pour faire un barrage sur la route, mais ça ne les arrêtera pas très longtemps.

— Et on est pris en étau avec les boches là-haut, dit Malorley, c'est la merde...

— Il faut que l'un d'entre nous monte sur l'éperon rocheux en amont et flingue les projos du poste de guet. Ça nous laissera le temps de traverser le pré et rejoindre le camion. Vu votre cheville, je vais m'en charger.

Jane s'était dressée d'un bond et avait pris le fusil de l'Espagnol.

— C'est à moi de m'en charger.

— Pas question, s'exclama Malorley, je...

Le maquisard secoua la tête.

— *No señora*. C'est trop dangereux, il reste des Allemands là-haut et il faut viser juste.

Les rafales de mitrailleuse recommençaient de plus belle. Les balles éclataient les cailloux à moins d'un mètre du groupe.

— J'ai été championne de tir avant-guerre, poursuivit Jane sur un ton assuré. Et vous... *Señor* ? Vu l'épaisseur des verres de vos lunettes, je doute que vous soyez la meilleure gâchette d'Espagne.

Malorley haussa le ton.

— Je vous l'interdis. Ne désobéissez pas !

— C'est pas nouveau, non ? Je suis la seule à pouvoir les atteindre. Et je cours vite, très vite. Je serai de retour bien avant vous au camion.

L'Espagnol la jaugea d'un regard attristé.

— Vous n'aurez pas le temps de nous rejoindre.

Elle arma le fusil et le mit en bandoulière.

— Vous ne m'avez jamais vue courir au lycée. Un vrai bolide.

— Bon… Si nous partons avant vous, deux de mes hommes vous attendront. Ils connaissent le coin comme leur poche et pourront peut-être s'enfuir avec vous à travers les bois.

— Ça tombe bien, j'adore le camping sauvage.

Les rafales de mitrailleuse avaient cessé, les halos jaunes dansaient à nouveau sur le pré, comme s'ils étaient animés d'une vie propre. L'un d'entre eux les frôlait de plus en plus près.

Laure se mit à hurler. Malorley la coucha à terre pour qu'elle ne se fasse pas repérer.

— Les Allemands ne veulent pas gaspiller leurs balles, remarqua l'Espagnol. Ils attendent l'arrivée des renforts. Ils savent qu'on est coincé.

Jane attendit que la tache de lumière change de direction et se précipita dans l'ombre du chemin.

— Jane, non ! cria Malorley en se levant pour la rattraper.

La douleur le cloua au sol.

La jeune femme fit brusquement demi-tour, arriva à son niveau et prit son visage entre ses mains.

— Cette fois, ce n'est plus professionnel, dit-elle d'une voix douce.

Elle plaqua ses lèvres sur les siennes. Le baiser fut tendre et sembla durer une éternité pour Malorley. Puis, avant même qu'il ne puisse comprendre, elle s'était levée, le regard espiègle.

— Pour la suite, il faudra m'inviter à dîner, ajouta-t-elle. Dans le meilleur restaurant de Londres.

— Vous êtes folle, je…

Cebolla la regarda grimper le sentier et disparaître dans les ténèbres.

— *¡ Qué valiente !* J'ai connu des femmes comme elle pendant la guerre civile, des combattantes dans l'armée républicaine. Votre agent est faite du même acier.

Puis il se tourna vers Laure qui sanglotait dans son coin.

— Quant à elle…

Malorley s'approcha de la fille de Trencavel et posa sa main sur son avant-bras.

— Calmez-vous, Jane va…

— Ne me touchez pas ! explosa-t-elle en dégageant sa main comme si c'était un serpent. Foutez-moi le camp ! Tous !

— Elle fait une crise de nerfs, laissons-la reprendre des forces, murmura l'Anglais à Cebolla.

Ce dernier secoua la tête d'un air agacé. Il s'accroupit devant elle et la prit par les épaules.

— Votre père aurait eu honte de vous, *señorita* !

— Imbécile ! Vous le connaissiez à peine ! répliqua-t-elle d'un ton rageur.

Sans prévenir Cebolla la gifla à la volée.

— Il n'y a que deux personnes qui m'ont traité d'imbécile dans ma vie. *Mi madre*, qu'elle repose en paix, et un petit colonel communiste. Il a fini dans un fossé, une balle entre les deux yeux. Vous devriez prendre exemple sur l'autre *señorita* qui risque sa vie pour sauver la vôtre.

Des ronronnements de moteurs de camions résonnaient dans la nuit.

Cebolla reprit ses jumelles et scruta la route.

— Les camions sont en approche du barrage. Si Jane ne réussit pas son coup, il faudra se séparer et fuir par les sentiers, et vu votre cheville je ne donne pas cher de votre peau.

Laure, pendant ce temps, ravalait ses larmes et regardait fixement le pré qui s'étendait sous ses yeux.

— Le *prats dels cremats…*

— Quoi ? demanda Malorley.

La jeune femme semblait avoir repris ses esprits, elle articulait d'une voix lente.

— Ici ont péri, brûlés vifs, plus de deux cents cathares survivants du siège, dont des femmes, des adolescents et des vieillards. Les chroniques racontent qu'il fallut un jour et une nuit pour tous les brûler. Et dire qu'on va peut-être mourir ici alors que…

Deux coups de feu retentirent coup sur coup.

Les taches de lumière disparurent du pré comme par enchantement. Les rafales de mitrailleuse se déchaînèrent à nouveau. Cebolla se leva d'un bond.

— Elle a réussi. *¡ Estupendo !*

Malorley se leva, attrapa sa gibecière qu'il passa autour de son cou et grimaça. La douleur ne le lâchait pas. Laure se redressa à son tour et sans un mot le prit par l'avant-bras.

— Merci, mais je vais essayer de m'en sortir seul, dit l'Anglais.

Elle secoua la tête en reniflant.

— Autant que je serve à quelque chose, appuyez-vous sur moi.

Malorley tourna la tête et jeta un regard sur le sentier qui montait vers le *pog*. Il écarquillait les yeux pour apercevoir Jane. En vain.

— Elle reviendra, j'en suis sûre, le rassura la jeune femme.

— Il faut y aller ! cria l'Espagnol.

Ils jaillirent des buissons et dévalèrent la pente du pré tandis que les balles hurlaient de partout.

— On va y arriver ! Ils tirent au hasard.

Soutenu par Laure, Malorley arrivait à avancer mieux qu'il ne l'espérait.

Arrivés à la moitié du pré, un hululement retentit au-dessus d'eux.

— Mortier ! À terre !

Les trois fuyards se plaquèrent au sol. Une explosion retentit derrière. L'obus souleva une gerbe de terre et d'herbe brûlée qui les gifla.

— On repart !

Les vêtements maculés de boue, Malorley et Laure se relevèrent avec peine. Devant eux, à l'orée du bois qui longeait la route, deux hommes leur faisaient de grands signes.

Un obus hurla à nouveau dans la nuit, mais ils avaient déjà atteint la lisière. La déflagration les rata une fois de plus.

Les deux maquisards vinrent à la rencontre de leur chef et aidèrent les trois rescapés à monter à l'arrière du camion.

— *Jefe !* On a posé des charges contre des gros arbres juste après le prochain tournant, sur la route de Fougax, dit l'un d'entre eux, un petit homme au visage strié de rides noires. Dès qu'on le franchira on les fera exploser, les gendarmes ne pourront plus nous suivre. Ça va les bloquer pour un bon bout de temps.

— Si on ne se fait pas réduire en miettes avec leurs maudits obus, maugréa Cebolla.

Une nouvelle explosion pulvérisa un arbre à quelques mètres d'eux. Ils ressentirent le souffle jusqu'à l'intérieur du véhicule.

— On doit partir, cria l'un des maquisards, la prochaine ne va pas nous rater. Et si c'est pas *una bomba*, ce sont les gendarmes qui vont nous cueillir comme des poires bien mûres.

— Attendez encore, ordonna l'Anglais qui avait dégagé la bâche du camion et braquait ses jumelles sur le pré.

— Désolé, *señor*, trop dangereux, répliqua Cebolla.

Puis se tournant vers l'un de ses hommes :

— Pacho, va attendre la fille. Si elle arrive, partez au refuge des Monts d'Olmes, les Allemands ne vous trouveront pas là-bas.

Le maquisard hocha la tête et fila vers le pré, son pistolet-mitrailleur à la main.

Aussitôt démarré, le moteur rugit et fit trembler tout le camion. Les roues patinèrent quelques courtes secondes dans la boue, puis le véhicule s'engagea sur la route dans la direction opposée à celle du barrage improvisé.

— Non, arrêtez-le ! hurla Malorley, ballotté dans le camion, les mains crispées sur ses jumelles, là-bas dans le pré. C'est Jane ! Elle a réussi !

Laure se colla contre lui, au-dessus de la ridelle en s'accrochant à la bâche. Cebolla frappa contre la tôle qui séparait l'arrière du camion de la cabine du chauffeur.

— Pepe ! Stop !

Le camion pila net.

La silhouette de Jane se dessinait dans l'oculaire.

La jeune femme dévalait le talus et n'avait plus d'arme sur elle.

Le cœur de l'Anglais bondit dans sa poitrine.

— Elle va y arriver !

Jane courait à toute vitesse, alors que surgissaient derrière elle deux silhouettes. Armées.

— Les Allemands !

— Vas-y, bon sang ! s'époumona Malorley, les mains agrippées aux montants du camion.

Elle avait parcouru plus des trois quarts de la distance quand une nouvelle explosion retentit.

Sous la force du souffle, la jeune femme fut projetée en avant en vol plané comme si elle avait buté sur un obstacle invisible.

— Non ! cria l'Anglais.

Il vit la jeune femme tenter de se relever, tendre un bras vers le ciel noir, mais elle retomba aussitôt. Malorley serrait ses jumelles comme s'il voulait les broyer. Il était en rage, spectateur impuissant.

— Elle a été blessée. Il faut aller la chercher !

L'Espagnol posa sa main sur son épaule.

— On n'aura pas le temps. Il ne reste que Pacho pour la sauver. Si elle est encore en vie.

— Pas question, jeta Malorley en se dégageant. Si vous n'avez pas le courage j'irai. J'en prends la responsabilité, c'est moi qui commande cette expédition.

L'homme du SOE s'apprêtait à descendre quand il sentit le contact d'un objet dur contre l'arrière de son crâne.

— Non, *señor*. Je reprends les rênes, dit Cebolla, le poing crispé sur la crosse de son pistolet.

Avant même que l'Anglais ne puisse répondre, l'Espagnol lui assena un coup sur la tête. Malorley s'effondra sur le plancher. Puis sous les yeux médusés de Laure, Cebolla frappa contre la cabine.

— *Vaya*, Pedro !

Un peu plus haut, sur le pré des cathares, Jane gisait les bras en croix. Incapable de se relever, elle n'entendait plus rien, le souffle de l'explosion avait déchiré ses tympans.

Maintenant tout était si calme, si silencieux.

Elle était étendue sur le dos, la nuque posée sur l'herbe fraîche, à l'endroit précis où, des siècles auparavant, deux cents innocents s'étaient calcinés dans la nuit. Jane contemplait le ciel d'encre piqueté d'éclats argentés. Elle ne ressentait aucune douleur. Son esprit s'effilochait sous la voûte étoilée.

Troisième partie

Frédéric Barberousse,
L'Empereur Frédéric,
Dans la pénombre douce
De son château magique,

De sa vie immortelle
Il dort maintenant là :
Sur son trône il sommeille,
Tout n'est que calme plat.

Il a tiré sous terre
La majesté du Reich ;
Un jour, à la lumière
Il la ramènera.

Der alte Barbarossa. Friedrich Rückert.
Poème appris dans toutes les écoles du Reich

43

Berghof
Mai 1941

À la sortie de Salzbourg, après avoir remonté la vallée de la Salzach, la Mercedes officielle ralentit pour emprunter les premiers lacets des Alpes bavaroises. Assis sur le siège arrière, Joseph Goebbels ferma les yeux. Il avait toujours eu horreur de la montagne. Ses plateaux dénudés, ses pics enneigés le glaçaient de dégoût, lui, le Berlinois d'adoption qui ne savait vivre que dans le rythme incessant de la capitale. Malheureusement, le Führer avait des goûts absolument opposés : il ne jurait que par la pureté des montagnes et s'extasiait sur la limpidité du ciel d'altitude. Une passion qui l'avait amené à se faire construire une villégiature alpestre, le Berghof, où, dès la belle saison, il s'installait avec ses proches. Dès lors, il s'adonnait avec passion aux longues promenades et surtout aux discussions enflammées sous les étoiles. Goebbels secoua la tête. Les monologues sans fin d'Hitler face au ciel étaient sa hantise : lui qui trépignait dès qu'il ne pouvait pas parler devait supporter, des heures durant, les envolées lyriques du chef, glorifiant l'alimentation végétarienne ou célébrant les opéras de Wagner.

— Nous arrivons à Berchtesgaden, monsieur.

Joseph répondit à l'annonce du chauffeur par un bref hochement de tête. Ne jamais s'épancher avec le personnel, c'était une règle. Surtout qu'il soupçonnait Himmler d'entretenir un réseau d'informateurs dans son entourage. Rien d'étonnant d'ailleurs, le chef de la SS et de la Gestapo était un paranoïaque qui passait son temps à espionner tous ses anciens camarades devenus dignitaires du régime. Rien que la semaine dernière, tout Berlin avait bruissé d'une folle rumeur : après avoir collectionné les tableaux, les statues... Goering aurait une nouvelle passion, les soutiens-gorge dont il remplirait des vitrines entières[1]. On faisait même circuler une photo. Pour Goebbels, pas de doute, c'était Himmler qui était derrière ces bruits répétés : une tentative de plus d'affaiblir le chef de la Luftwaffe afin de le supplanter dans la confiance d'Hitler.

Les pneus crissèrent sur le chemin raviné qui montait à la villa du Führer. Joseph plissa les yeux en voyant l'immense façade blanche qui reflétait le soleil. Les portes-fenêtres étaient grandes ouvertes. Hitler devait ruminer sa colère sur la terrasse. Cette fois, Himmler et Goering risquaient de passer un mauvais moment. Le Nabot, comme le surnommaient les autres dignitaires, haussa les épaules de mépris. Comment le patron de la Luftwaffe avait-il pu laisser Hess s'enfuir

1. Cette collection particulière fut retrouvée par les Alliés en 1945.

en avion ? Comment le chef de la SS, qui surveillait tout le monde, avait-il pu ne rien voir ? Négligence coupable ou complicité avérée ? Sans compter qu'Himmler et Hess partageaient une passion commune pour un occultisme fumeux dont il était grand temps de purifier le nazisme.

La voiture s'arrêta devant le poste de garde. Un sous-officier en sortit qui fit le tour de la voiture. À la vue du ministre de la Propagande, il claqua des talons. Joseph sourit : Goering empêtré dans ses fantasmes érotiques, Himmler dans ses errances ésotériques, Hess en fuite en pays ennemi… Il sentait que ce séjour au Berghof allait finir par lui faire aimer la montagne.

Assis dans un fauteuil en osier, le visage assombri par un chapeau bavarois, Hitler contemplait le massif de l'Obersalzberg qui se découpait dans le couchant. Il ne se lassait pas de sa vue, pas seulement pour sa beauté sauvage, mais aussi en raison de sa légende fascinante. L'empereur Frédéric Barberousse y dormirait d'un sommeil profond dans une salle secrète nichée dans les entrailles de la montagne. Selon la prophétie, le jour où les corbeaux chuteront des cieux, alors il se réveillera et rétablira son empire pour les mille prochaines années. Hitler ne pouvait que s'identifier au mythique empereur. La première fois qu'il était venu dans la région, c'était au début des années 1920, alors qu'il n'était qu'un agitateur politique parmi d'autres et que le parti nazi n'était qu'un groupuscule énervé. Son mentor, Dietrich Eckhart, lui avait conseillé de reprendre des forces au grand air, à la montagne, loin des miasmes de Munich.

— *Je t'emmène voir la montagne du vieil empereur. La montagne magique.*

Il était tombé sous le charme, presque envoûté. Le signe du destin. De son destin. Un jour, lui aussi, transformerait la légende en réalité. Des années plus tard, il s'était fait construire son nid d'aigle, le Berghof, son refuge. De toutes ses demeures officielles, c'est celle qu'il préférait. C'est au Berghof qu'il avait pris toutes les décisions majeures pour l'Allemagne. Et l'Europe… il se plaisait à croire qu'en face, dans l'Obersalzberg, le vieil empereur le guidait silencieusement dans ses choix. Et l'apaisait.

Mais cette fois, il n'arrivait pas à trouver la sérénité. La colère le dévorait. Contre son plus ancien ami qui l'avait trahi.

— Mon Führer, ils sont arrivés.

La voix de son secrétaire Martin Bormann le sortit de ses pensées.

Il se tourna vers lui. Comme toujours quand la colère le gagnait, sa main droite était agitée de brefs soubresauts que son entourage évitait de remarquer.

— Ils sont tous là ?

— Le Feldmarschall Goering et le Reichsführer Himmler attendent pour entrer, mon Führer. Comme il s'agit d'un conseil restreint, je n'ai convoqué ni le chef d'état-major Keitel, ni Albert Speer.

— Et Goebbels ?

— Il vient d'arriver à l'instant.

Hitler se leva et se dirigea vers le grand salon. Malgré le soleil qui frappait aux vitres, un feu brûlait dans la cheminée en marbre rouge. Un cadeau de Mussolini. Le Führer monta les trois marches qui séparaient la pièce en deux pour aller s'installer dans l'angle gauche à l'opposé de la table de travail où s'entassaient les cartes de l'est de l'Europe. C'était son coin préféré : un divan, deux vieux fauteuils et une table basse au bois usé. Fonctionnalité et sobriété. Il posa son chapeau orné d'une plume – un symbole bavarois dont il avait horreur, mais il fallait bien sacrifier à la couleur locale – et se plongea dans la contemplation du plafond à caissons. Les poutres s'alignaient dans une symétrie parfaite. Exactement ce qu'il fallait pour sa réflexion. Dans son repaire du Berghof, rien ne devait le détourner de son rêve intérieur. Des lignes pures et claires, de larges fenêtres pour laisser passer la lumière, un mobilier épuré… Derrière lui se tenait Bormann silencieux. Pour rien au monde, il n'aurait interrompu la méditation du Führer et puis faire attendre Goebbels, Himmler et Goering, les inquiéter, voilà qui était jouissif. Les trois grands fauves du Reich, quand ils étaient au Berghof, devaient apprendre à se comporter en animaux domestiques : crainte et soumission.

Hitler était toujours plongé dans sa rêverie. Le dos contre le feu, les mains posées sur les accoudoirs, les yeux mi-clos, il ressemblait à un félin endormi, mais Bormann savait qu'il se préparait à dévorer ses proies.

— Faites entrer Goering. Seul.

Les lourdes bottes du Feldmarschall frappèrent le marbre comme un marteau de forgeron. L'Ogre a encore grossi, pensa le maître du Reich, en entendant son haleine s'essouffler en montant les marches.

— Mon Führer !

— Asseyez-vous, Hermann.

C'était un des secrets d'Hitler : malgré la colère qui bouillonnait en lui, sa voix, elle, était capable de donner le change, mais ça ne durait jamais. Goering portait son uniforme de chef de la Luftwaffe, tout encombré de décorations qui tintaient au moindre mouvement. Son front était en sueur et ses yeux rougis clignaient sans cesse. La peur, plus encore que les excès, se lisait sur son visage. Hitler croisa ses mains sur sa poitrine et l'interrogea :

— Donc, un avion peut traverser l'Allemagne, de la Bavière à la mer du Nord, franchir la Manche, traverser l'Angleterre et atterrir en Écosse, sans que vous soyez informé ?

— Mon Führer, permettez-moi d'être précis : Hess a employé un avion non enregistré officiellement. Un avion prototype, sur lequel, je le précise, il s'entraînait depuis plusieurs semaines.

— L'information est certaine ? se rembrunit Hitler.

— Absolument. La sécurité de la Luftwaffe a interrogé les mécaniciens en charge de la maintenance de l'appareil. Tous les témoignages concordent.

— Plusieurs semaines, répéta le Führer. Vous voulez dire qu'il a délibérément préparé sa fuite ?

— Tout le laisse à penser, répondit Goering, mais… Ce n'est pas moi le responsable de sa surveillance.

Le regard noir, Hitler se tourna vers Bormann.

— Faites venir Himmler et Goebbels.

De nouveau, un bruit de bottes, mais plus rapide. Himmler claqua des talons avant de s'incliner. Joseph, lui, montait encore les escaliers, handicapé par sa jambe raide.

— Heinrich, comment se fait-il que les agissements criminels de Hess n'aient pas été détectés ?

— Mon Führer, il s'agit d'un des plus hauts responsables politiques du pays, répliqua le chef de la SS. La police n'a pas vocation à le surveiller.

Goering s'esclaffa.

— Voyons, Heinrich, nous avons tous une fiche à notre nom dans vos services ! Une fiche soigneusement mise à jour par vos soins. Chaque rumeur, le moindre ragot, y est consigné. J'en sais quelque chose ! Il est impossible que vous n'ayez pas été mis au courant des préparatifs de fuite de Hess.

— Je vous rappelle, Hermann, qu'il a pris son envol à partir d'un aéroport de la Luftwaffe, difficile de croire que vous, vous ne soyez pas au courant.

Après avoir jeté un œil rapide sur Goebbels, Hitler aboya :

— Bormann, le rapport !

Le secrétaire sortit un mémo de sa poche et lut :

— D'après nos informations, Hess a décollé d'un aéroport bavarois, hier, prétextant un vol d'entraînement. L'avion, un Messerschmitt 110, était équipé, à sa demande, de deux réservoirs supplémentaires. Comme il testait régulièrement cet appareil en accord avec l'usine de production, sa demande, quoique étonnante, n'a pas attiré l'attention des techniciens.

Hitler faillit bondir de son fauteuil.

— Il est intolérable que des responsables de l'effort d'armement allemand se soient rendus complices de…

Il balbutia tandis que sa main frappait rageusement la table. Désormais, la colère le submergeait, l'empêchant de terminer sa phrase.

— Mon Führer, nous sommes en train de procéder à leur arrestation sous couvert d'une convocation à une réunion de travail à Berlin, précisa Himmler.

— Et je suppose qu'ils vont avoir un accident durant leur voyage ? ricana l'Ogre.

— Bormann, continuez.

— L'avion a traversé l'Allemagne jusqu'à la mer du Nord avant de se joindre à un vol de bombardiers en direction de Londres. C'est là que nous perdons sa trace sur nos radars.

— Hess était bien informé, remarqua Himmler en nettoyant ses lunettes rondes, mais bien sûr je ne mets en cause personne.

Furieux, Goering lui lança un regard aussi sombre qu'un ciel d'orage.

— Ce matin, reprit Bormann, nos réseaux d'informateurs en Angleterre nous ont appris que l'avion de Hess s'était écrasé au sud-ouest de l'Écosse, à quelques kilomètres de Glasgow, près du village d'Eaglesham.

— Un accident ? demanda Goebbels.

— Nous l'ignorons, comme d'ailleurs la raison pour laquelle il survolait l'Écosse. En revanche, Hess a réussi à actionner son parachute. Il a atterri sain et sauf.

— Malheureusement, conclut Himmler.

Hitler se mit à hurler :

— Il a été de tous les combats, il a partagé ma cellule, il dirigeait le parti, il avait toute ma confiance ! Pourquoi ? Pourquoi une telle trahison ?

— La raison de ce voyage, moi, je vais vous la donner, s'écria Goering, Hess est un dingue qui s'imagine avoir un grand destin en se faisant tirer des horoscopes et en entendant des voix. Il entretient une armée d'astrologues qui passent leur temps à tirer des plans sur la comète. Rappelez-vous, quand il nous avait annoncé que Churchill allait perdre le pouvoir, c'était écrit dans les astres selon lui... Un dingue, l'esprit ravagé par l'occulte. Il n'est pas le seul d'ailleurs.

— Il est fort possible, renchérit Goebbels, qu'à force de fréquenter des illuminés, Hess ait fini par sombrer dans une forme de folie. Ce qui expliquerait son geste. Il se sera cru investi d'une mission divine, celle de faire la paix entre notre pays et l'Angleterre.

— Vous croyez ? s'étonna Hitler.

— Bien sûr et je ne doute pas qu'un psychiatre de renom ne puisse l'affirmer publiquement. Notre camarade Hess, si dévoué à votre cause, mon Führer, a mentalement succombé au poids de ses responsabilités. Une victime, pas un coupable.

— Si Hess est déclaré fou, reprit Goering, son geste n'est plus politique, mais pathologique, cela change tout.

— Surtout, si le diagnostic a été posé depuis plusieurs mois, renchérit Goebbels, si nous sommes d'accord, je vais envoyer un communiqué en ce sens à tous les journaux allemands comme européens.

Après un instant de silence, le Nabot reprit :

— De la bonne propagande, voilà ce qu'il nous faut ! Et puis, il est aussi temps de faire le ménage dans nos rangs. Il faut en finir avec tous ceux qui croient que l'on gagne la guerre avec des horoscopes, des rituels ou que sais-je encore... C'est une déviation de l'esprit allemand que nous ne pouvons plus tolérer !

Goering tourna son regard vers Himmler. Un sourire flasque montait lentement de son menton empâté.

— Je suis tout à fait d'accord avec Joseph. Donnez des ordres, mon Führer, qu'on en finisse avec ces perversions insensées.

La voix posée d'Himmler surprit tout le monde.

— C'est déjà fait. Mes SS ont arrêté le groupe d'astrologues qui travaillaient pour Hess. Ils vont parler. Très vite.

Hitler, que la tension rendait fébrile, se décrispa d'un coup.

— Heureusement que vous êtes là, Heinrich.

En même temps que les visages du Nabot et de l'Ogre se fermaient, furieux de voir Himmler s'en sortir ainsi, un aide de camp ouvrit la porte du salon et se glissa comme une ombre près de la table de la réunion.

— On demande le Reichsführer au téléphone. C'est urgent.

Goering siffla comme un serpent :

— Allez-y, Heinrich, je suis sûr que les astrologues ont beaucoup de choses à vous dire. Vous croyez qu'ils savent déjà comme ils vont mourir ? Que disent les astres ? Pendaison ou peloton d'exécution ?

Himmler secoua la tête.

— Ni l'un, ni l'autre. Nous allons bientôt créer un nouveau camp de concentration à Birkenau. Ils feront l'ouverture.

L'aide de camp lui tendit le combiné.

— Reichsführer ?

Himmler reconnut la voix empressée d'Erika von Essling.

— Nous l'avons !

44

Berlin
Juin 1941

Tristan regarda par la fenêtre de la chambre. Ils étaient toujours là. Garés de l'autre côté de la rue, ils surveillaient l'entrée de l'hôtel. Toutes les heures le Français les voyait sortir pour arpenter le trottoir. Deux molosses, aux mâchoires aussi carrées que leurs épaules, pires que des chiens de garde. Irrité, Tristan s'écarta de la fenêtre et retourna s'asseoir sur le lit. Il avait mal dormi. Un sommeil zébré d'images violentes où revenaient sans cesse les deux croix gammées, Weistort gisant à terre dans son sang, le bruit métallique des balles qui ricochaient… Une véritable danse macabre.

Après la découverte de la swastika et l'attaque du commando, tout était allé très vite. Un avion Heinkel de la Luftwaffe les avait récupérés, Erika et lui, sur un aérodrome militaire à Pamiers. Weistort, lui, avait été transféré à l'hôpital de Foix dans un état critique.

Leur avion avait fait escale à Chalon-sur-Saône pour refaire le plein, avec interdiction de sortir de l'appareil, et ensuite vol direct jusqu'à Berlin. À peine descendus à Tempelhof on les avait séparés. Erika et la relique dans une voiture, lui dans une autre, conduite par deux agents de la Gestapo.

Ils étaient toujours en bas.

En attendant sans doute que se décide son sort.

Weistort hors d'état de témoigner, seule Erika pouvait encore le sauver, mais elle l'avait quitté sans un mot.

Il s'avança devant le miroir de la chambre. Un instant, il contempla son visage rendu plus fatigué encore par une barbe déjà piquante. Il avait du mal à se reconnaître. Son regard s'était durci, son corps durement aminci, il semblait tout droit revenu des enfers. Il se demanda ce qu'était devenue Laure. Durant l'affrontement, dans la caverne, elle s'était volatilisée. Même si elle était vivante, il ne la reverrait jamais. Le jour où il l'avait rencontrée sur l'éperon de Montségur, avec son verbe haut et son regard gris, lui semblait désormais à des années-lumière. Il se contempla encore dans le miroir, puis releva la tête. L'heure n'était plus au passé.

Il avait fait ce qu'il devait.

Un coup retentit. Instinctivement, Tristan recula. Il y avait peu de chance qu'on lui apporte le petit déjeuner en chambre. Il saisit sa chemise et la passa rapidement. À nouveau, on frappa. Si les types de la Gestapo venaient le chercher, ils ne se seraient pas embarrassés de politesse. Tristan respira profondément et fit tourner la poignée.

Erika se tenait devant lui.

Il eut presque du mal à la reconnaître. L'archéologue avait disparu. Plus de pantalon en toile grise, de vareuse tachée de la boue des fouilles, mais une jupe galbée et un chemisier qui rendait hommage à des formes jusque-là insoupçonnées. Stupéfait, Tristan restait immobile dans l'embrasure de la porte.

— Tu vas me laisser entrer ?

Le tutoiement aussi était nouveau. Le Français s'écarta tandis que Erika von Essling se dirigeait vers le miroir où elle rajusta sa coiffure. Là aussi, les tresses avaient disparu au profit de mèches blondes qui virevoltaient dans le cou.

— Jusque-là mon séjour à Berlin était plutôt gris…, commença Tristan en tentant de reprendre ses esprits.

Mais Erika ne l'écoutait pas. Elle regardait par la fenêtre. Un des gestapistes venait de quitter la voiture pour se diriger vers un café au coin de la rue.

— Il va passer un coup de fil. Nous avons peu de temps.

— Peu de temps pour quoi ?

Son regard avait changé. Ses yeux en amande le fixaient avec une attention inédite comme si elle voyait en lui quelque chose qu'il ignorait.

— Dans la grotte, pourquoi m'as-tu sauvée ?

Tristan visualisa le moment précis où il lui avait évité la mort. Pourquoi s'était-il jeté en travers de la fatalité ? Il n'y avait qu'une réponse, mais le moment n'était pas venu. Von Essling se rapprocha.

— Weistort était hors jeu. Il suffisait que je meure et tu retrouvais ta liberté. La Française t'aurait aidé à t'enfuir.

Tristan croisa les bras et la regarda, légèrement désabusé.

— Quelle liberté ? Celle de se terrer comme un rat dans les montagnes ariégeoises en attendant une hypothétique défaite allemande ? En compagnie de maquisards pouilleux ? Celle de se faire traquer par la gendarmerie française et un régiment de SS ivres de vengeance ? Merci, mais j'ai déjà donné pendant mon séjour en Espagne. J'aspire à une vie plus… gratifiante.

Elle s'approcha un peu plus de lui, les yeux brillants.

— Même une vie aux couleurs du national-socialisme ?

— Je suis sûr que cette chambre est truffée de micros par tes amis de la Gestapo. Mais je m'en tape. Je vomis les idéologies, ma belle. Elles promettent toutes le paradis et n'apportent que l'enfer. Nazisme, communisme, libéralisme, socialisme, anarchisme, patriotisme… Je fais des éruptions de boutons quand j'entends un mot qui finit par *isme*.

— Les nazis veulent construire un monde nouveau. Une grande Europe est en train de naître et ils auront besoin de tous.

— Tu diras ça aux juifs, je doute qu'ils apprécient l'avenir radieux promis par ton Führer.

Ils étaient à quelques centimètres l'un de l'autre. Tristan se pencha à son oreille et continua dans un murmure :

— Je me contrefous de ta grande Europe, de ton Hitler, de Pétain, de Staline et de tous ceux d'en face.

Je veux juste tirer mon épingle du jeu. Je vous ai aidés à retrouver votre foutue relique. J'attends en retour une récompense à la hauteur.

— Ça a au moins le mérite de la franchise, fit-elle avec un sourire ironique.

Elle leva la main. Ses doigts effleurèrent la joue de Tristan.

— Pour la récompense, je peux t'en accorder une…

Elle le regarda intensément, puis dégrafa le premier bouton de son chemisier. Un petit bouton en nacre dont le reflet brilla un instant comme un clin d'œil du destin.

— Assez pour que tu me dises pourquoi tu m'as sauvée ?

Les mains de Tristan se posèrent délicatement sur sa taille. Sous la jupe, la chair était comme une promesse chaude, vivante. Une sensation qu'il croyait avoir oubliée.

L'échancrure du chemisier s'était accentuée. Sous la finesse du tissu, on devinait la coupole des seins dressée comme à l'assaut du ciel. Il avança ses lèvres. La peau, à l'intersection de la poitrine, avait une douceur frémissante pareille à l'écume d'une vague d'été. Tristan sentit les doigts d'Erika plonger dans ses cheveux tandis que sa respiration s'accélérait. La chambre n'existait plus. Lieu, temps, tout s'éloignait. Comme dans les anciens contes, une brume magique avait dû envahir le monde pour les dissimuler aux regards. Tristan remonta sa bouche vers le visage d'Erika, longea le cou avant d'embrasser ses joues subitement fiévreuses. À son tour, elle fit sauter les boutons de sa chemise, glissant la paume de ses mains le long du corps à la peau tannée.

Sous ses doigts, elle sentait la chaleur revenir comme si Tristan reprenait vie sous ses caresses. Elle descendit plus bas.

Son regard prit un air espiègle que Tristan ne lui avait jamais connu.

— Je crois que j'ai ma réponse.

Tristan la prit dans ses bras et l'embrassa avec passion. Ses mains se firent plus pressantes, plus audacieuses. Le désir devenait brûlure. Cela faisait plus d'un an qu'il n'avait pas touché une femme et celle qu'il avait contre lui était d'une sensualité surprenante.

Erika poussa un long soupir et ce soupir l'embrasa.

Elle frémissait sous les caresses et en quelques secondes ils se retrouvèrent enlacés sur le lit. Leurs vêtements s'éparpillèrent pour laisser place à deux corps fiévreux et impatients.

Quand il se réveilla le matin, le jour était déjà avancé. L'esprit embué, il se retourna dans les draps, les mains à la recherche de son amante.

Le lit était vide tout autour de lui.

Erika avait disparu. Envolée.

Pendant quelques secondes, il se demanda s'il n'avait pas rêvé cette nuit magique. Il s'assit sur le bord du lit, les muscles courbaturés, et contempla la chambre dans laquelle il se trouvait. Plutôt sa prison.

Un picotement désagréable parcourut sa nuque. Il se demanda si l'offrande d'Erika n'était pas le cadeau offert au condamné avant son exécution.

La porte qui s'ouvrit avec fracas lui apporta une réponse.

Deux hommes en imperméable de cuir noir surgirent dans la pièce. Ils se plantèrent devant lui, mains dans les poches, visages fermés. L'un des deux lui balança son pantalon sur les draps froissés.

— Toi, le Français, tu nous suis.

45

Écosse
Mai 1941

Malgré le bandeau sur ses yeux et les menottes aux poignets, Hess n'avait pas mis longtemps à comprendre qu'enfin on l'exfiltrait. Il était temps. Le ronronnement mesuré du moteur, le tissu délicat des sièges… C'était bien une voiture de luxe, rien à voir avec la banquette humide du camion qui l'avait transporté, après son crash, à la prison la plus proche. Durant trois jours, on l'avait laissé croupir dans une cellule exiguë comme un vulgaire voleur de poules. Un médecin était passé pour lui bander sa cheville qui s'était foulée lors de son atterrissage forcé, puis on lui avait donné un costume trop large, une paire de chaussures sans lacet et on avait fini par l'interroger. Hess en était resté stupéfait. Un sous-officier mal rasé avait posé une machine à écrire sur la table, allumé une cigarette, avant de lui demander, d'une voix traînante, son identité.

— Rudolf Hess.

Sans broncher, le militaire avait tapé son nom, posé quelques questions de routine, écrasé sa cigarette avant de disparaître sans un mot. Et durant deux jours, à part un gardien qui apportait les repas, Hess était resté seul. Puis d'un coup, tout s'était emballé. Un barbier était apparu, suivi d'un coiffeur – le tout sous la surveillance d'hommes armés – et on lui avait apporté un costume en tweed et une paire de souliers vernis. Il avait à peine fini de les lacer qu'il s'était retrouvé aveugle et entravé dans une voiture qui fonçait dans la nuit.

Sous son bandeau, Hess se sentait gonflé à bloc. Sa véritable mission commençait désormais. Dans quelques heures, dans quelques minutes, il serait reçu officiellement et là… Il faillit éclater d'un rire mauvais en pensant à ce soldat, ce sous-fifre, qui avait noté son nom sans réagir. En voilà un qui devait s'en mordre les doigts. En Allemagne, on l'aurait déjà exécuté. Il imaginait la stupéfaction, dans les rangs du gouvernement anglais. Quoi, Hess ? Le proche parmi les proches du Führer ? Ici, dans notre pays ? La panique avait dû les gagner. S'ils avaient pris autant de temps pour réagir, c'était qu'ils étaient tétanisés. Qui envoyer pour négocier avec lui ? Churchill ? Il était sur le point de perdre le pouvoir. Alors son successeur ? Oui, Lord Halifax. Hess n'en ferait qu'une bouchée. Il apportait la paix : toute l'Angleterre allait l'adorer. Peut-être même qu'il serait reçu à Buckingham. Ses astrologues ne l'avaient pas prévu, mais désormais tout était possible… La tête de Goebbels et de Goering quand ils le verraient, lui, Hess assis à côté du roi !

La voiture s'arrêta. Une portière claqua. Et une main gantée le guida pour sortir.

— Ôtez-lui son bandeau et ses menottes.

L'aube venait de se lever. Hess se frotta les yeux. Il était debout devant le porche d'une vieille église flanquée d'une tour grise qui surplombait un cimetière. Les croix, rongées par le lichen, semblaient oubliées depuis des siècles. Plus bas, on entendait le grondement lointain d'un torrent. Décidément, les Anglais ont le sens de la mise en scène ! songea Hess. Un officier lui fit signe de s'avancer. Il attendit quelques secondes pour ne pas donner l'impression d'obéir, puis traversa le parvis. Un instant, il se demanda si ce n'était pas un traquenard. Et si les autorités britanniques avaient tenu son atterrissage top secret ? Si le gouvernement de Churchill, pour ne pas perdre la face et le pouvoir, avait pris la décision de l'éliminer ? Quoi de mieux qu'une église perdue dans la campagne ? Peut-être y avait-il une crypte ? Et il finirait là sous une dalle, à jamais anonyme…

— Quelqu'un vous attend.

Au milieu de la nef, une table barrait le passage. Deux chaises étaient disposées de part et d'autre. Hess toussa. Des cierges devaient brûler quelque part. Il n'aimait pas cette odeur rance de religion. Une porte grinça. Rudolf se retourna. Une silhouette massive apparut suivie d'une main lourde qui écrasa un cigare dans le bénitier le plus proche. Le confident du Führer comprit avant même que la voix ne résonne sous la voûte.

— Croyez-vous en Dieu, mister Hess ?

Churchill venait d'entrer en scène.

Un nouveau cigare surgit aux lèvres du Bulldog, suivi de la flamme fugitive d'une allumette. Hess comme Hitler ne fumait pas, ne buvait pas et limitait drastiquement sa consommation de viandes. La discipline et le respect du corps étaient essentiels quand on fondait une nouvelle civilisation destinée à durer mille ans. L'Empire britannique, lui, s'il était à l'image de son dirigeant, n'en avait plus pour longtemps. En plus de détruire ses poumons, à grandes bouffées de havane, le Premier ministre faisait visiblement subir une lourde pression à son foie, si l'on en jugeait par les veinules éclatées de ses yeux et la couperose qui montait à l'assaut de son nez. Un alcoolique, pensa Hess.

— Vous ne répondez pas à ma question ? reprit Churchill.

— Personnellement je ne crois pas en Dieu. En revanche, je crois au destin. Et aujourd'hui le destin est allemand.

Le Bulldog s'était assis. Hess pouvait entendre sa respiration, bruyante et rapide.

— Et c'est ce *destin* qui vous a fait sauter en parachute au-dessus de l'Écosse ?

— Absolument.

— Ce n'est absolument pas l'avis de votre patron.

Churchill fit signe à l'officier de s'approcher. Il posa un paquet de journaux allemands sur la table.

— Depuis votre envol spectaculaire d'Allemagne, vous faites les gros titres. Regardez.

Rudolf les balaya du regard, puis haussa les épaules. Il s'y attendait. Bien sûr, ni le parti nazi, ni Hitler ne pouvaient admettre publiquement la réalité de sa mission.

— « Hess est-il fou ? », lut Churchill. « Hess atteint d'aliénation mentale ? » Votre ami Goebbels est en train de préparer l'opinion. Aujourd'hui, on vous suspecte de folie, demain on en apportera les preuves. Le Nabot ne va pas se priver d'une occasion de se débarrasser de vous.

— Effectivement nous préparons l'opinion, mais pour tout autre chose. Et à ce jeu-là, nous sommes beaucoup plus forts que vous.

— Si vous parlez de vos *amis*, comme Goering et Himmler, ils sont surtout beaucoup plus forts que vous et ils vont s'empresser de prendre la place encore chaude que vous avez laissée auprès du Führer. Vous êtes terminé, mister Hess.

— C'est vous qui êtes fini comme Premier ministre, Herr Churchill.

Les deux hommes se regardaient comme des joueurs de poker, cherchant à savoir qui bluffait l'autre. Ce fut Winston qui, le premier, abattit ses cartes.

— Voici la première page du *Times* de demain. Je dois avouer que j'apprécie particulièrement le titre : « Rudolf Hess demande l'asile politique au Royaume-Uni. » L'ami intime d'Hitler fuyant la dictature de son pays, pour se réfugier dans la meilleure des démocraties, le monde entier va se régaler…

— … Surtout quand il va savoir que je suis venu, au nom du Führer, pour apporter la paix.

Winston leva une paupière lourde de sommeil.

— La paix, vous ?

— Oui, une paix qui garantit votre Empire. Du Canada aux Indes, en passant par l'Afrique.

— Et à vous, l'Europe c'est ça ?

— À l'Angleterre, la suprématie sur les mers, au Reich le pouvoir sur la terre.

Le Bulldog aboya d'un coup :

— Jamais.

Hess ricana.

— Ne me dites pas que vous vous préoccupez du sort de l'Europe ? Les Français, vous les méprisez, les Tchèques, les Polonais, vous les ignorez… Non, si vous refusez la paix, c'est uniquement pour conserver votre pouvoir.

— Nous, les Anglais, adorons médire de nos amis. Mais ils restent nos amis. J'ai été élu par le peuple pour gagner cette guerre.

— Et que dira le peuple quand il comprendra que ses enfants meurent sous les bombardements uniquement pour qu'un vieil alcoolique puisse continuer à écluser son whisky au 10 Downing Street ?

Churchill se leva, ralluma son cigare, puis appela l'officier en faction à la porte.

— Vous pouvez raccompagner mister Hess à sa résidence habituelle.

Rudolf se dressa à son tour.

— Vous refusez ma proposition ?

— Elle n'a jamais existé.

— Alors vous perdrez la guerre. L'Angleterre est seule.

Churchill prit un air rusé.

— Sauf si votre grand Führer se met en tête d'attaquer la Russie comme le fit Napoléon avant lui… Il y aura alors un second front.

Une ombre passa sur le visage de Hess, mais il ne répondit pas. Même s'il le voulait, il ne pouvait pas trahir son Führer. Churchill appellerait dans la minute Staline pour lui en parler. Il essaya de se mettre en contact télépathique avec Babr, mais le Dieu restait étrangement muet.

— Vous avez peut-être des informations à me communiquer à ce sujet ? insista le Premier ministre britannique.

Hess secoua la tête.

— Notre chef et Staline ont signé un pacte de non-agression. Le Führer respecte toujours ses promesses.

— Bien sûr ! éclata de rire Churchill. Comme à Munich quand il nous avait promis la paix après l'invasion de la Tchécoslovaquie. Mon prédécesseur, Chamberlain, en fait encore des poussées d'eczéma quand il repense à la façon dont il a été roulé.

Le Bulldog toussa avant de reprendre d'un ton rogue :

— Bon, j'ai assez perdu mon temps. Nous vous transférerons bientôt dans une prison plus digne de votre rang. Sans doute la tour de Londres. Avec un peu de chance, une bombe de votre ami Goering nous débarrassera de vous.

L'officier posa la main sur l'épaule de Hess. La rencontre était terminée.

— Ce ne sont pas les bombardements de la Luftwaffe qui détruiront Londres, lança l'Allemand, ulcéré.

Tout en se dirigeant vers la porte d'un pas pesant, Winston haussa les épaules.

— Ça je le sais déjà.

Hess tremblait de colère.

— Non, c'est une arme autrement puissante ! éructa-t-il. Une arme venue du fond des âges. Une arme invincible qui mettra à genoux l'Angleterre et terrassera le monde entier.

Churchill s'arrêta net. Il sentait un picotement dans sa nuque. Un signe qu'il ne connaissait que trop bien. Il le ressentait chaque fois qu'il courait à la catastrophe.

— Vous bluffez, mister Hess. Une telle arme n'existe pas.

— Vous avez raison, Herr Churchill, elle n'existe pas... Encore. Mais nous sommes en train de la créer. Plus exactement de la recréer.

— Pour la première fois, depuis des années, je vais croire les journaux allemands : vous êtes bien fou !

— Cette arme est composée de quatre éléments, nous en avons déjà récupéré un, bientôt le prochain sera en notre possession.

— Et vous l'avez récupéré où ?

— Au Tibet en 1939.

Winston se figea. Le picotement dans la nuque s'était propagé à son cerveau et un nom venait de surgir : Malorley !

— Et depuis, nous avons vaincu la Pologne, la France, la Norvège, la Grèce...

— Ça suffit !

Hess planta son regard gris dans celui vacillant de Churchill.

— C'est vous le fou si vous refusez la paix.

La voiture banalisée du Premier ministre traversait la campagne en direction de l'aéroport militaire le plus proche. Un avion civil, sans plan de vol officiel, l'attendait pour le ramener à Londres en toute discrétion. La brume se levait lentement. De ses doigts boudinés, Winston essuya la buée de la vitre puis posa son front brûlant contre le verre glacé. Depuis qu'il avait quitté Hess, il avait la sensation d'avoir la tête prise dans un étau de feu. Tout se mélangeait dans son esprit. Malorley, le Tibet et ce château en ruine dans le sud de la France, comment s'appelait-il déjà ? Bientôt la ligne sombre de la piste apparut au milieu de la lande. La voiture se gara devant un hangar d'où s'échappait le bruissement sourd d'une hélice.

— L'avion est prêt, monsieur le Premier ministre. Nous serons à Londres dans…

— Trouvez-moi un téléphone. Immédiatement !

On le conduisit vers un hangar camouflé. Au fond, dans un bureau en bois brut, un technicien stupéfait se mit au garde-à-vous.

— Laissez-moi seul.

Une secrétaire répondit à la troisième sonnerie.

— SOE, bureau de la section F.

— Ici le Premier ministre, passez-moi Buck !

Winston n'eut pas longtemps à attendre.

— Buckmaster, à votre service, monsieur.

— Malorley, a-t-on des nouvelles ?

— Oui, monsieur mais…

— Ne me faites pas attendre.

— Je suis désolé, mais le réseau de résistants français qui assurait sa logistique de réception a été découvert. Ses membres ont tous été arrêtés.

— Ce qui signifie ?

— Nous les avons perdus, monsieur.

46

Château de Wewelsburg
Mai 1941

Le salon de réception du Reichsführer ressemblait à une salle de bal comme Erika n'en avait vu qu'en Italie. Long et parqueté, on s'attendait presque à voir des danseurs surgir d'une porte au son entraînant d'une valse. Un rêve, car quand Himmler recevait dans son château des brumes, aucune musique ne résonnait entre les vieux murs pas plus qu'on ne trouvait de quoi boire sur les tables toujours frugalement servies. Pourtant, en regardant le visage des dignitaires SS invités à la soirée, Erika se disait que certains, à la trogne déjà flamboyante, avaient dû prendre leurs précautions…

La jeune femme n'avait aucun plaisir à se trouver au milieu de ce troupeau de mâles arrogants. Elle voulait partir sur-le-champ et retrouver Tristan dans sa chambre. Jamais elle n'avait connu une telle ivresse. Le Français était moins beau que ses rares amants précédents, mais il était infiniment plus séduisant. Doux et ardent à la fois, il ne l'avait pas aimée comme un objet de conquête. Et elle avait éprouvé plus que du plaisir en sa compagnie. L'idée que les hommes de la Gestapo puissent torturer le corps de Tristan la hérissa. Il fallait absolument qu'elle parle à nouveau de lui à Himmler.

Elle chassa Tristan de ses pensées et se rapprocha d'un coin du salon un peu moins fréquenté. C'était son habitude dans les soirées depuis quelque temps. Mais cette fois, la décoration du mur n'avait rien à voir avec celle du palais du maréchal Goering. Son regard s'arrêta sur un fouet de cuir noir suspendu à un mur blanchi à la chaux. Il ressemblait à un serpent venimeux qui ondulait à la verticale. Il ne ressemblait pas à celui que possédait son père, mais il évoquait les mêmes sensations. Souffrance, douleur et humiliation. Son père, lui, utilisait un knout, une corde tressée pourvue de nœuds, destinée à mater les paysans moujiks. C'était même son instrument pédagogique par excellence avec ses serviteurs. Pas seulement ses serviteurs.

Elle détourna son regard de l'objet abhorré et s'aperçut qu'un des invités présents, un Hauptsturmführer, la fixait avec intensité. L'alcool, sans doute ingurgité avec générosité, illuminait ses joues de vermeil, faisant ressortir les nombreuses cicatrices qui tailladaient son faciès de soudard.

— Otto Skorzeny, annonça Himmler qui venait d'arriver avec le SS, il est membre de la garde personnelle du Führer. Un de nos officiers les plus prometteurs.

Le capitaine s'inclina devant Erika.

— Et si vous avez été troublée par ces cicatrices, ajouta Himmler, comme beaucoup de femmes d'ailleurs, sachez qu'elles sont le témoignage des nombreux duels au sabre que le capitaine a disputés dans sa tumultueuse jeunesse.

— J'ai manipulé des crânes rongés par la lèpre, d'autres défoncés à coups de pierre, certains brûlés vifs, répliqua Erika, ces griffures de chats ne risquent pas de m'impressionner.

Décontenancé et vexé, Skorzeny ne sut que claquer des talons avant de disparaître.

— Vous savez parler aux hommes, commenta le Reichsführer. Quelle dureté, vous êtes l'exemple parfait de la féminité aryenne telle que je l'imagine. Vous feriez de beaux enfants, forts et impitoyables pour la SS.

Erika faillit s'étrangler en entendant les paroles du maître des lieux, mais elle demeura de marbre. Blanche et froide.

— Il faut remercier mon père. C'est lui qui m'a inculqué ces valeurs.

Mon salopard de père.

C'est lui qui lui avait fait découvrir ce qu'était la douleur et comment la surmonter. Lui qui lui avait appris à donner la mort. Elle chassa l'image du tortionnaire de son esprit et continua :

— À propos d'homme, je souhaiterais savoir ce que devient le Français, Tristan, qui m'a permis d'identifier ce que vous désiriez tant ?

— Je sais que vous vous souciez de son sort, remarqua Himmler, alors sachez que nous aussi. On s'en occupera comme il convient plus tard. Ne faites pas preuve de sentimentalisme. C'est mauvais pour la santé.

Le ton froid fit frémir von Essling. Il savait. Himmler reprit :

— Mais je ne vous ai pas encore félicitée pour le remarquable travail effectué dans le château de Montségur.

Sans lui laisser le temps de répondre, Himmler la prit par le bras.

— Le Führer, à qui j'ai annoncé votre découverte, a été frappé de la similitude du nom de Montségur avec celui de Montsalvat, le château du Graal, dans le *Parsifal* de Wagner.

— J'ignorais que le Führer s'intéressait à ces…

Le Reichsführer la coupa.

— Vous ignorez beaucoup de choses sur le Führer. Suivez-moi.

Quittant la grande salle, ils empruntèrent un escalier qui donnait sur un palier gardé par des SS en uniforme de parade. À la vue d'Himmler, ils ouvrirent la porte sur un long couloir dallé. Erika remarqua que les murs étaient aveugles des deux côtés, comme pour un souterrain.

— Il n'y a qu'un seul accès, précisa Himmler, la sécurité doit être totale.

Et il montra une porte, unique, au bout du corridor.

— Une raison particulière ? s'étonna von Essling.

— Oui, c'est la chambre d'Hitler.

Himmler sortit une clé en bronze qu'il introduisit dans la serrure.

— Quand j'ai conçu le Wewelsburg, le Führer a accepté d'avoir une chambre dans le château, mais à une condition : il n'y viendrait qu'après la victoire finale. Un pacte d'honneur entre la SS et lui. De quoi nous galvaniser encore plus pour triompher de tous nos ennemis.

Le Reichsführer s'écarta pour laisser entrer von Essling.

— En attendant, nous l'avons aménagée selon les directives précises du Führer. C'est sans doute l'endroit qui est le plus à son image. Nous l'avons nommé Barberousse.

— Comme l'empereur germanique, pourquoi ?

— C'est le modèle du Führer.

Himmler prit un ton de confidence :

— Et je suis certain qu'il en est la réincarnation.

En entrant, Erika fut frappée par la sobriété du lieu. Une ambiance monacale régnait dans la pièce. Une seule fenêtre ombragée de lourds rideaux, un lit de camp spartiate, une table en bois rustique sur laquelle reposait une partition manuscrite.

— Offert par la famille de Wagner. Vous savez que Hitler est un de leurs intimes ? Durant sa détention en 1924, c'est eux qui lui ont fourni le papier avec lequel il a écrit *Mein Kampf*. Sans compter que les enfants de la famille l'adorent, ils l'appellent oncle Wolf !

— Tonton Loup ? drôle de surnom !

Le chef de la SS ne releva pas.

— Quant à la canne que vous voyez près du lit, c'est celle de Nietzsche. Offerte par la sœur du philosophe en reconnaissance de ce que le Führer a fait pour l'Allemagne.

Erika allait répliquer que la sœur de l'auteur de *Zarathoustra* était surtout connue pour avoir honteusement trafiqué les textes de son frère afin qu'ils correspondent à l'idéologie nazie, mais elle se retint, impressionnée par la profonde bibliothèque qui occupait la majeure partie de la pièce.

— Sur les seize mille volumes qui constituent sa collection privée, Hitler a choisi de réunir ici ses livres préférés.

Von Essling se rapprocha. Une série de reliures identiques occupait toute une étagère. Sur chaque dos était gravée une double initiale : A.H.

— Il s'agit d'une des premières traductions de Shakespeare en allemand. Le plus grand dramaturge de tous les temps selon notre Führer.

— Un Anglais ?

— Hitler est un lecteur au-dessus de bien des préjugés. Regardez, par exemple, l'étagère près de la fenêtre.

Là, il ne s'agissait plus de livres finement reliés, mais de volumes dépareillés aux dos écornés et jaunis.

— Ce sont les volumes que le Führer a achetés à Vienne quand il était étudiant aux Beaux-Arts[1]. À l'époque, il se privait de repas pour pouvoir s'acheter de quoi lire. Sans doute les livres auxquels il tient le plus.

---

1. Hitler a passé à deux reprises le concours d'entrée aux Beaux-Arts à Vienne, en vain.

Malgré l'usure des titres, Erika réussit à en déchiffrer certains.

— *Les Prophéties de Nostradamus expliquées... Les morts sont vivants...* Parsifal, *le message révélé...*

— Vous voyez que l'intérêt d'Hitler pour les aspects occultes de l'œuvre de Wagner remonte à loin.

— De là à s'intéresser aux tables tournantes et aux prédictions d'un astrologue de la Renaissance...

Himmler se rapprocha pour lui parler au plus près.

— C'est justement ce qui fait la force du Führer, il est au-delà du bien et du mal, de la vérité et du mensonge, il dépasse toutes les limites et vous devriez en faire autant.

Un instant Erika s'inquiéta. Le Reichsführer était tout près d'elle. Lui faisait-il une proposition ? Mais non, il s'exaltait lui-même tant il était convaincu de la puissance du génie de son maître. Et surtout, il voulait la convaincre.

— Regardez le parquet.

Une à une les lattes vernies se retiraient dévoilant un plancher translucide qui surplombait une pièce circulaire bâtie en pierre apparente. L'œil d'un projecteur s'alluma, puis deux, trois, quatre... révélant chaque fois une croix gammée profondément creusée dans la pierre.

— C'est moi qui les ai fait installer directement sous la chambre du Führer. C'est là que prennent place les swastikas sacrées.

Du doigt, Himmler désigna une des croix gravées dans la roche.

— À l'est, nous avons placé la swastika rapportée du Tibet. Au sud, celle que vous avez trouvée à Montségur.

Fascinée, von Essling contemplait ce symbole qui ressemblait à un serpent en train de se nourrir de ses propres anneaux.

— À chaque nouvelle swastika, l'Allemagne progresse, comme une vague inexorable. D'abord l'Europe, bientôt la Russie…

— Vous pensez que ces *objets* ont vraiment le pouvoir de faire gagner la guerre ? interrogea Erika.

— Vous souvenez-vous de la salle au feu perpétuel, lors de votre première visite au Wewelsburg ?

Gênée, Erika acquiesça silencieusement. Elle préférait ne pas en parler. Le hurlement lancinant du prisonnier brûlé vif résonnait encore dans ses oreilles.

— Au Tibet, à Montségur… Partout où ces croix ont été déposées, elles n'ont conservé leur pouvoir que parce qu'elles étaient les réceptacles des pires souffrances humaines.

Le *prats dels cremats,* pensa l'archéologue, ce lieu maudit où des centaines de victimes avaient péri dans un brasier digne de l'enfer.

— Mais avec le temps, leur puissance s'est affaiblie, il faut donc les recharger en énergie.

— Que comptez-vous faire ?

— Vous avez l'air surprise ? C'est pourtant l'archéologie qui nous a révélé ces tombes de rois qui se faisaient ensevelir avec leurs serviteurs que l'on tuait pour l'occasion.

— Un rite barbare !

— Non, un savoir ancestral perdu. Celui de la race suprême qui ne peut vivre et s'accroître qu'en immolant tout ce qui lui est inférieur. Regardez bien la croix que vous avez ramenée de Montségur. Sept siècles qu'elle n'a pas eu sa part de sacrifices. Elle a soif de douleur.

Sous leurs pieds, une porte s'ouvrit. Deux gardes pénétrèrent dans la crypte portant avec eux un jeune homme nu ligoté sur une chaise. Ils le posèrent devant la fosse centrale puis un autre garde arriva en poussant de sa mitraillette une femme, nue elle aussi.

— Deux militants communistes, annonça le Reichsführer, des fanatiques. Irrécupérables.

— Ils sont amants ? interrogea Erika, alors que la femme s'était jetée au cou de son compagnon prisonnier.

— Justement.

Un soldat l'arracha à son étreinte et lui donna l'ordre de rester debout à un mètre de la fosse.

— Savez-vous que les ethnologues de l'Ahnenerbe ont trouvé une constante dans les sacrifices humains des grandes civilisations ?

Erika secoua la tête. Face à la jeune communiste, le SS venait de dégainer une dague qu'il remit à la femme tout en la menaçant avec son Luger.

— Les victimes étaient toutes volontaires. Voilà pourquoi nous n'allons pas tuer ce couple, l'un d'entre eux va décider le faire.

— Mais ils n'ont aucune raison.

Himmler les observait comme s'ils n'étaient que les cobayes d'une expérience de laboratoire.

— Si, l'amour ! Ce sentiment méprisable… Le soldat est en train de proposer à la femme le choix suivant. Soit elle exécute elle-même l'homme de sa vie et elle est sauvée. Soit elle refuse et elle sera violée, puis torturée à mort sous les yeux de son compagnon. Elle a dix secondes pour prendre sa décision.

— C'est ignoble, murmura Erika.

— Ne mettez pas d'affectif, répondit Himmler, il n'y a aucun sadisme de ma part. Pour moi ce ne sont pas des êtres humains, je ne vois donc pas où se trouve le problème moral…

Figée, von Essling regardait la femme prendre la dague et la serrer dans sa main. Elle pleurait en tremblant, incapable de bouger. Le SS s'approcha d'elle et lui colla le pistolet sur la tempe.

— Le garde est en train d'égrener les secondes, commenta Himmler d'une voix neutre. Imaginez ce qui se passe dans l'esprit de cette femme... Elle est déchirée entre deux choix incompatibles.

La malheureuse s'approcha de son compagnon et brandit son poignard devant lui. L'homme semblait l'encourager.

Erika jeta un regard à la dérobée à Himmler, l'homme aux fines lunettes semblait hypnotisé par le spectacle. Sa lèvre supérieure frémissait.

Soudain, la malheureuse retourna la dague contre elle et se perça la poitrine. Elle oscilla quelques secondes puis son corps s'écroula sur la swastika. À la stupéfaction d'Erika, le Reichsführer émit un petit rire de satisfaction.

— Exactement ce que nous prévoyions. Elle a été incapable de se décider et elle a préféré se suicider. C'est bien la preuve de son appartenance à une race inférieure. Quelle faiblesse de caractère, mais au moins leur mort nous a été utile. Ah, ce n'est pas tout à fait terminé.

Le garde traîna le corps de la femme contre le sol et le jeta dans la fosse circulaire. Puis, aidé d'un autre garde qui venait d'arriver, ils prirent l'homme sur la chaise et le jetèrent lui aussi à son tour.

— Vous voyez, je ne suis pas un monstre. Il mourra à côté de sa bien-aimée. De faim et de soif.

Les gardes repoussaient la dalle sur le trou.

Erika ne bougea pas, tétanisée par la barbarie de l'acte qui venait de s'accomplir devant elle. Ce n'était pas un hasard si Himmler l'avait conviée à cette atrocité. Il la testait. Manifester le moindre signe de répulsion, c'était signer son arrêt de mort. Mais, il y avait autre chose qui l'écœurait, et cette chose malsaine était tapie au fond d'elle. Elle avait été happée par cette swastika qui se gorgeait de sang. Ce n'était plus un serpent lové sur lui-même qu'elle apercevait, mais une bête. Une bête issue des ténèbres, qui avait fasciné toutes les mythologies, cette bête qu'il fallait alimenter sans cesse…

— Frau von Essling ?

Le ton interrogatif d'Himmler la ramena brusquement à elle.

— Excusez-moi, Reichsführer, un moment d'inattention.

— De fascination, plutôt. Tous ceux qui ont vu les swastikas sacrées connaissent cette sensation. Vous imaginez ce qui se passera quand les quatre seront là…

L'archéologue fixa du regard les deux croix encore vides. Elle se sentit prise de vertige.

— … Sauf que désormais ce n'est plus Weistort qui les trouvera, mais vous.

47

Côte de la Méditerranée
Mai 1941

La lune montante scintillait au-dessus de la crique, diffusant un soupçon de clarté sur la côte et ses alentours. Les vagues venaient s'échouer doucement sur le rivage, les unes après les autres avec une régularité de métronome. La minuscule plage était recouverte d'algues noires et malodorantes. Elles remontaient en tas compacts contre les cabanes de bois éventrées, tristes vestiges de l'activité balnéaire florissante d'avant-guerre.

Assis sur un ponton désaffecté creusé dans la rocaille, Malorley posa sa gibecière entre ses jambes et consulta sa montre avec appréhension. Puis, il reprit ses jumelles pour scruter les flots sombres. Rien. Pas une lumière au large. Uniquement la Méditerranée à perte de vue, si calme, si désespérément vide. Il enragea, c'était trop stupide. S'en être tiré pour se retrouver abandonné sur cette plage ! Le voyage depuis Montségur avait été éprouvant, mais relativement court compte tenu des chemins de traverse empruntés pour éviter les contrôles éventuels de la gendarmerie.

Ils avaient quitté l'Ariège une heure après l'exfiltration du château, puis le camion était entré dans les Pyrénées-Orientales via la route de Prades. Le chauffeur avait préféré contourner Perpignan par des routes à moitié défoncées et fonça pour s'arrêter dans une crique nichée près de Collioure. Malorley n'avait pratiquement pas ouvert la bouche du trajet, hanté par la dernière vision qu'il avait eue de Jane sur le pré.

— Toujours rien ? demanda Laure, adossée contre la porte d'une guérite à moitié défoncée.

— Triton jaune se fait attendre, murmura le chef du SOE, deux heures de retard.

— Triton jaune… Encore un nom de code ridicule inventé par radio Londres, ironisa Cebolla qui s'affairait dans un petit canot attaché à un anneau rouillé pendant que son camarade à casquette déposait une paire de rames sur le ponton.

— Triton correspond aux modèles des sous-marins de la Navy. La couleur indique le type de mission, en l'occurrence nous récupérer.

— L'aube va se lever dans une heure, on ne va pas pouvoir rester ici plus longtemps, maugréa l'Espagnol, il va falloir filer dans l'arrière-pays, du côté de Montauriol pour se planquer.

Laure d'Estillac se rapprocha de l'agent du SOE.

— Et votre cheville ?

— Formidable, lança-t-il d'un ton qui se voulait enjoué, je l'ai ligaturée entre deux planchettes de cageot. Je peux m'entraîner pour les prochains JO.

L'un des maquisards se mit à chanter une sorte de complainte. Les paroles s'envolaient sous la lune.

— *Cállate coño*, gronda Cebolla à son camarade, on va se faire repérer !

— C'est du catalan, non ? demanda Laure.

— Oui... Carles vient de Gérone.

— Que disent les paroles ?

Il sourit dans la semi-obscurité.

— Je ne sais pas si je dois traduire devant une demoiselle...

— Ça va, je suis majeure...

L'Espagnol désigna du doigt des points de lumière qui brillaient sur une colline sur leur droite.

— Vous voyez là-bas, le village ? C'est Collioure. La chanson de Carles l'évoque ou plus exactement le château qui le domine. La traduction donne : tout là-haut sur la montagne, il y a Collioure de mes couilles. Les gendarmes nous y cassent les reins...

La jeune femme secoua la tête.

— Je ne comprends pas.

— On l'appelle le château royal. On y a passé cinq mois juste après notre arrivée en France en 1939. Et je peux vous dire qu'il n'y avait rien de royal dans l'hospitalité. Un vrai bagne, on nous a entassés comme du bétail. Au menu, travaux forcés, bastonnade et rationnement. Quatre de mes camarades y sont morts d'épuisement.

Malorley avait tendu l'oreille tout en continuant d'observer la mer.

— Je croyais que la France était votre alliée à l'époque.

— Une bien curieuse alliée. Elle nous a ouvert ses frontières pour échapper à Franco, mais pas question de laisser en liberté une armée en déroute avec son cortège de familles apeurées. Elle nous a internés dans des parcs à bestiaux où notre sort dépendait de l'humanité des commandants. À Collioure, manque de chance, c'était le capitaine Raulet qui officiait. Un légionnaire, admirateur du Caudillo.

— *Hijo de puta*, cracha Carles.

Cebolla tapa sur l'épaule de son camarade.

— Avec mes compagnons on s'est évadés de cet enfer pour se réfugier en Ariège. Revenir dans le coin me rend très nerveux. D'autant qu'à quelques kilomètres c'est mon pays et je…

— Il est là, l'interrompit Malorley. Le sous-marin vient d'arriver !

Laure et les deux Espagnols tournèrent la tête dans la direction indiquée par l'Anglais.

Sur les flots sombres, à bonne distance du rivage, une lumière jaune clignotait à intervalles réguliers. Malorley saisit sa gibecière puis braqua sa torche et envoya un bref message en morse pour indiquer leur présence.

— On y va ! cria Cebolla. Le paquebot est prêt !

Les deux Espagnols s'installèrent aux rames pendant que l'Anglais et la Française s'asseyaient devant. Ils ramaient comme des damnés en poussant des cris sourds. Il fallut dix bonnes minutes pour que le canot atteigne le point de rendez-vous.

Devant eux se dessinait une forme longue, noire et effilée qui oscillait sur les eaux ténébreuses. De la proue à la poupe, elle devait faire presque cent mètres de long, jaugea Malorley impressionné. Il en avait déjà vu un modèle sur les quais de Portsmouth avant le début de la guerre. De vraies bêtes de proie. Au milieu de la structure se dressait le kiosque surmonté d'une antenne. Debout sur l'étroite passerelle circulaire, un homme en gros pull à col roulé bleu marine inspectait les alentours avec des jumelles. Plus bas, sur le pont, trois matelots se tenaient à côté du canon de 102 mm arrimé au plancher de métal. Ils faisaient des signes d'encouragement aux occupants du canot.

L'esquif accosta en tanguant le flanc du prédateur d'acier. Cebolla lança une corde à l'un des marins qui l'attrapa de justesse. Le canot se stabilisa d'un coup.

— On croyait que vous n'arriveriez jamais ! lança Malorley.

— Nous aussi ! répondit le sous-officier qui noua la corde à une tête d'amarrage, on s'est fait accrocher par deux U-Boots[1] en quittant l'île de Malte, il a fallu zigzaguer pour les semer. Montez !

— Deux secondes, matelot, nous devons saluer nos amis.

Malorley et Laure se retournèrent vers l'Espagnol.

— Si vous avez des nouvelles de Jane, envoyez-moi un message par radio, dit l'Anglais d'une voix tendue.

L'Espagnol le regarda avec tristesse.

— Il ne faut plus espérer, *señor*, je t'ai dit que mon camarade n'avait pas pu la rejoindre sur le pré.

— On ne sait jamais, promets-moi !

— Oui… En échange, fais-moi aussi une promesse.

1. Sous-marins allemands.

— Ça dépend. Laquelle ?

— L'Anglais, si par chance, un jour ton pays arrive à vaincre les nazis, tu diras à Churchill que notre véritable combat ne fera que commencer. Nous rentrerons alors en Espagne pour chasser Franco. Il faudra que l'Angleterre nous aide.

Malorley serra longuement la main du guérillero.

— Et mettre des anarchistes à sa place ? Je ne suis pas certain que notre Premier ministre voie ça d'un très bon œil. Mais promis, je ferai passer le message.

— Dépêchez-vous, lança l'officier du haut de son kiosque. Je ne veux pas traîner dans les parages, on nous a signalé un patrouilleur de la marine française du côté de Port-Vendres.

Alors que Malorley grimpait sur la coque, aidé par un marin, l'Espagnol prit Laure par les épaules.

— *Señorita*, votre père était un vrai salopard !

— Quoi ? répliqua la jeune femme sidérée.

— Un salopard d'aristo, mais qui avait des *cojones* grosses comme ça, fit-il en agitant ses mains comme s'il soupesait des noix de coco. C'était un honneur de se battre à ses côtés. J'espère que vous serez digne de lui et continuerez le combat à sa place.

Elle exprima son émotion en l'étreignant à son tour, puis elle rejoignit le sous-marin, hissée par deux marins. L'amarre fut détachée et le canot commença à s'éloigner du submersible.

— Je ferai tout pour, cria Laure à l'Espagnol qui avait repris les rames.

L'agent du SOE observa l'esquif disparaître dans la nuit. Un sentiment de profonde compassion monta en lui. Ces hommes, qu'il ne reverrait probablement jamais, retournaient se battre dans un pays hostile, motivés uniquement par une espérance insensée : se préparer pour une nouvelle guerre sur une autre terre. Leur propre terre. Celle qui les avait rejetés et ne voulait plus d'eux.

Malorley et Laure jetèrent un dernier regard à la silhouette du bateau, puis ils se dirigèrent vers le kiosque.

Soudain une sirène hurla dans la nuit.

Derrière l'éperon rocheux qui bordait la crique surgit la proue d'une masse noire surmontée d'un énorme projecteur.

— Navire en vue ! hurla l'officier dans le quart.

À peine avait-il sonné l'alerte qu'un coup de canon retentit en provenance du mystérieux navire. Une explosion à une centaine de mètres du sous-marin souleva une immense gerbe d'eau salée qui les aspergea comme une pluie tropicale.

— Marine nationale, premier avertissement, tonna un porte-voix dans la nuit. Coupez votre moteur pour inspection à bord !

Le faisceau du projecteur du navire remontait à toute vitesse les flots dans leur direction.

— Plongée ! hurla l'officier de quart dans un micro, puis il se tourna vers Malorley et Laure trempés jusqu'aux os. Grouillez sinon je vous jette par-dessus bord !

Une sonnerie stridente jaillit des entrailles du submersible.

Les deux nouveaux venus s'engouffrèrent dans l'ouverture béante et descendirent par une échelle de fer. Ils atterrirent dans le poste de commandement du vaisseau bondé de marins qui s'activaient dans tous les sens. L'officier se glissa derrière eux et verrouilla à toute vitesse le volant de la porte étanche du kiosque. Une odeur forte d'huile de machine et de sueur âcre imprégnait l'atmosphère confinée.

— Plongée trente mètres, hurla l'officier, puis se tournant vers le couple, agrippez-vous aux lanières en cuir, ça va tanguer.

Le capitaine avait descendu l'axe central du périscope et tournoyait en tous sens, l'œil droit collé sur l'oculaire.

— Un patrouilleur côtier, pas question de tomber entre leurs mains, ils ne feront pas de cadeau après Mers el-Kébir[1]. Inclinaison maximale, lieutenant !

Son adjoint appuya sur un gros bouton rouge.

Une nouvelle déflagration fit trembler toute la coque, le vaisseau pencha sur tribord. Malorley et Laure s'accrochèrent de justesse aux sangles qui pendaient du plafond de fer. Dans un mouvement de coordination parfaite les hommes d'équipage entamaient leur ballet mécanique. Sous l'œil admiratif de Laure qui se demandait comment ils pouvaient s'y retrouver au milieu de cette forêt de valves, manettes, jauges et cadrans en tout genre.

— Tracez la route au 160, lança le commandant à l'officier navigateur qui faisait virevolter un compas et une équerre sur une carte marine plaquée au mur.

---

1. Destruction par les Anglais de la flotte française basée dans le port de Mers el-Kébir, en Algérie, le 3 juillet 1940.

Soudain le plancher s'inclina vers l'avant. Malorley eut un brusque haut-le-cœur qui le fit déraper. Aussitôt il s'accrocha à sa gibecière. L'officier en col roulé le rattrapa sans paraître gêné par le tangage incessant.

— Je manque à tous mes devoirs, lieutenant commander Richard Peacock, bienvenue à bord du *Tetrarch*. Vous êtes désormais en territoire anglais. Du moins pour le moment, si ce damné patrouilleur ne nous balance pas des grenades sous-marines.

— Vous ne pouvez pas savoir à quel point cela me fait plaisir de retrouver la mère patrie, répondit Malorley qui oscillait comme un pantin accroché à des ficelles invisibles. Quelle est notre route ?

— Direction Gibraltar, en évitant les Italiens qui quadrillent tout le secteur entre les Baléares et la péninsule espagnole.

— Nous arriverons dans combien de temps ?

— Une dizaine d'heures si tout se passe bien. Ensuite vous prendrez un avion pour Londres, via Lisbonne. Si tout va bien vous serez à Piccadilly Circus dans deux jours.

Un nouveau grondement se propagea à travers les parois d'acier. Ils valsèrent, cette fois dans l'autre sens. Ça vibrait de partout. Un jet d'eau fusa d'un tuyau ondulé au-dessus de leur tête sans que le commandant s'en inquiète. Un marin se précipita sur la fuite avec un chiffon et une clé à molette.

Laure lança un regard inquiet à Malorley qui ne bronchait pas, mais n'en menait pas plus large.

— Je vais avoir pas mal de travail dans les heures qui viennent, reprit le commandant d'un air soucieux en se tournant vers les agents du SOE, ne le prenez pas mal, mais vous m'encombrez. Profitez-en pour aller vous reposer dans ma cabine, il y a deux couchettes.

— Merci, je crois que je vais m'écrouler, fit Laure d'un ton épuisé.

— Désolé pour la promiscuité, mademoiselle, répondit Peacock, cette baleine est longue comme trois terrains de tennis, mais ses entrailles sont remplies par les moteurs, les batteries et les systèmes d'armement. L'homme n'est qu'un invité sur ce genre de bâtiment. Ici, le confort est aussi essentiel qu'un rouge à lèvres pour un amiral de la Navy.

Il donna encore quelques indications à un contremaître qui contrôlait un manomètre aussi gros qu'une horloge. Celui-ci quitta son poste et leur fit signe de le suivre. Ou plutôt de descendre, car le Triton continuait sa plongée dans les profondeurs.

Ils traversèrent plusieurs compartiments aux parois tapissées de réseaux inextricables de câbles et de tuyaux de toutes tailles. Au fur et à mesure qu'ils s'avançaient le ronronnement des moteurs diesel se transformait en une vibration sourde et puissante. Comme la respiration d'un animal gigantesque.

Ils arrivèrent enfin devant la minuscule cabine du commandant qui jouxtait le mess des officiers. Deux lits superposés s'agglutinaient contre une table de chevet et une chaise en fer vissées directement au plancher.

— Nous vous réveillerons deux heures avant notre arrivée, dit le contremaître d'une voix affable. Si nous ne coulons pas entre-temps…

Il hocha la tête et disparut dans le tréfonds du navire.

Un grondement beaucoup plus puissant que le précédent les fit valser contre la paroi qui les séparait du mess. Un grincement sinistre se propagea tout autour d'eux comme si le vaisseau se tordait sur lui-même. Malorley lança un regard inquiet à Laure espérant qu'elle ne piquerait pas une nouvelle crise de nerfs.

— J'espère que vous n'êtes pas claustrophobe…

— Si la question est : allez-vous fondre en larmes comme à Montségur ? La réponse est non. Mais je ne suis pas calme pour autant. Mourir noyée dans ce cercueil d'acier me terrifie.

Le vaisseau revint à l'horizontale, Laure grimpa sur la couchette du haut pendant que Malorley s'assit sur celle de dessous. Il déposa avec précaution sa gibecière à côté de l'oreiller et s'allongea de tout son long, ses pieds dépassaient et il se demandait si le lit n'intégrait pas des sangles pour empêcher de basculer.

La voix de Laure lui parvint du haut de la couchette.

— Au fait, vous aviez fait la promesse à mon père de vous occuper de moi.

— Et je m'en acquitte. Vous êtes saine et sauve. Et chaque heure qui passe vous met à l'abri des nazis.

— Il n'y a pas que ça. Je veux revenir dans mon pays, et cette fois en tant que combattante. Je veux venger mon père.

— Je ne sais pas si…

— Vous avez perdu Jane, elle s'est sacrifiée. Je prends sa place. Le compte y est.

Malorley croisa les bras derrière sa tête.

— Vous n'y arriverez pas, l'entraînement est impitoyable, on élimine 90 % des postulants et les chances de survie sont infimes pour les agents envoyés sur le terrain. En revanche, je peux m'arranger pour vous trouver un poste dans nos services. Vous avez un profil qui…

La jeune femme sauta d'un bond de sa couchette pour s'agenouiller à son niveau.

— Ni secrétaire, ni infirmière ou alors, je rentre en France par le premier bateau de pêche.

Il bâilla longuement pour la décourager, mais elle ne bougeait pas, le visage résolu.

— Bon, j'étudierai la question à notre arrivée à Londres, finit-il par lâcher à contrecœur.

— J'ai votre parole ?

— Oui, et même celle des autres, comme disait Pétain.

Satisfaite, elle remonta sur son lit.

Malorley sentait la fatigue le gagner. Le visage de Jane dansait devant ses yeux rougis. Il pria encore une fois le ciel qu'elle ait eu le temps d'avaler sa capsule de cyanure.

En pertes humaines, le bilan de la mission était effroyable. Il avait perdu quasiment tout son commando, sans compter d'Estillac. Si seulement Churchill lui avait donné plus d'hommes il aurait pu éviter toute cette boucherie.

— Malorley…

L'Anglais sentit l'irritation monter en lui.

— J'ai sommeil.

— Ce Tristan, le collabo qui travaillait pour les Allemands…

— Oui… Dommage que je n'aie pas pu le descendre dans la grotte, répliqua Malorley. Je déteste ces Français qui souillent leur drapeau.

La voix de Laure se fit plus hésitante. Elle revoyait son visage quand il était venu la voir au manoir.

— Dans la caverne, il nous a quand même laissés partir alors qu'il aurait très bien pu nous livrer aux Allemands.

— Oui, j'ai remarqué aussi. Mais c'est à cause de lui que les nazis ont remporté la mise.

— Pourtant, il avait une étrange expression sur son visage, non ? Comme s'il voulait nous dire quelque chose ?

L'officier du SOE préféra ne pas répondre et se glissa sous la couverture de laine rêche signée aux armes de la Navy.

— Allez savoir, même chez les ordures subsiste parfois un fond d'humanité. Bonne nuit !

Sans attendre de réponse il éteignit la lumière. La cabine plongea dans l'obscurité, seule brillait une petite veilleuse rouge au plafond.

Un autre grondement retentit, la chair du Triton hurla à nouveau.

Malorley se recroquevilla sur lui-même, son dos collé à la paroi de métal. Savoir que quelques centimètres de fer le séparaient de millions de tonnes d'eau glacée le terrifiait.

Il sombra dans un sommeil sombre et abyssal.

48

Berlin
8 Prinz-Albrecht-Straße
Mai 1941

L'édifice haut et massif qui abritait le siège de la *Geheime Staatspolizei*, la Gestapo, n'avait pas toujours été synonyme de peur et de cruauté. Avant avril 1933, il abritait un magnifique musée des arts décoratifs où se pressaient les Berlinois pour découvrir une vaste collection d'œuvres d'art réputée dans toute l'Europe. Mais, depuis l'arrivée au pouvoir d'Hitler, les salles d'exposition avaient été transformées en salles de torture, les robes somptueuses à dentelle des belles du XIXe siècle étaient remplacées par les imperméables en cuir noir et les carnets de croquis d'artistes laissaient place aux registres de prisonniers martyrisés.

La Gestapo était devenue, au fil des ans, un organisme tentaculaire et bureaucratique redoutable. Sous la responsabilité suprême d'Himmler, une armée d'agents compétents et dévoués, quinze mille huit cents officiers, travaillaient avec enthousiasme pour anéantir les innombrables ennemis du Reich : communistes, juifs, libéraux, démocrates, catholiques et protestants récalcitrants, résistants… En résumé tous ceux qui ne partageaient pas la foi dans le national-socialisme triomphant. Et il y en avait beaucoup. Pour arriver à abattre cette tâche colossale, on y exerçait une foule de métiers : policier, espion, comptable, spécialiste d'interrogatoire, secrétaire, statisticien, chauffeur, décrypteur de code. Il y avait même des médecins et infirmiers appointés pour s'assurer de la survie des prisonniers interrogés dans les sinistres sous-sols.

Si le 8 Prinz-Albrecht-Straße n'abritait pas toute cette armée de fonctionnaires de la Gestapo, disséminée dans toute l'Allemagne et l'Europe occupée, il présentait la particularité d'héberger à la fois des directions administratives et des services de répression. Le rond-de-cuir et le bourreau se côtoyaient chaque midi à la cantine en toute simplicité…

Détenu dans une cellule située au quatrième étage du bâtiment, Tristan, lui, se demandait toujours ce qu'il faisait là à répondre depuis plus de deux heures aux questions d'un policier. Il était épuisé et à bout de nerfs. Ce n'était pas du tout ce à quoi il s'attendait comme accueil depuis son arrivée à Berlin.

— Et cette jeune fille ? demanda d'une voix douce le policier assis en face de lui. Cette Laure d'Estillac. Je vois dans le rapport que son père était le responsable d'un réseau de résistance composé d'une bande de dangereux communistes espagnols.

L'officier accrochait les syllabes et hésitait sur les liaisons, mais son français restait parfaitement audible.

Le ton semblait presque courtois. Comme s'il était embarrassé de reposer les mêmes questions.

— Pour la énième fois, s'irrita Tristan, je ne la connaissais pas. Ni elle ni les membres du commando.

Il se massa les tempes avec agacement, un mal de tête insidieux persistait depuis son arrestation dans la chambre d'hôtel. Cela faisait maintenant presque vingt-quatre heures qu'il croupissait dans cette cellule de catégorie supérieure : huit mètres carrés avec lit, matelas, toilettes. En comparaison de son cachot à Barcelone, c'était le grand luxe. On lui avait même fourni deux repas chauds depuis son arrivée, à croire que la sinistre réputation des geôles nazies était usurpée.

Il leva les yeux sur le flic qui ne cessait de triturer le dossier posé sur la table en fer apportée pour l'interrogatoire. La soixantaine, le visage marqué et couperosé, les traits râpeux, pas vraiment le profil de l'aryen idéal. Le commissaire Drexler s'était présenté très poliment, trop peut-être, et n'en finissait pas de le bombarder de questions depuis presque trois heures.

— Bien ennuyeux tout cela, vous l'avez laissée filer…, fit-il en joignant ses doigts comme pour une prière.

Cette fois il avait l'air d'un bon gros moine patelin.

Tristan frappa la table du poing.

— Je ne suis pas comme vous à la Gestapo, je n'assassine pas ceux dont la tête ne me revient pas.

— Qui vous a dit que j'assassinais les gens ? répondit le flic sur un ton placide. Je suis commissaire à la Kripo, pas à la Gestapo. Mon travail consiste à traquer les criminels en tous genres. Je donne un coup de main à mes collègues sur votre dossier.

L'officier sortit un paquet de cigarettes de sa poche et s'en alluma une.

— Et moi je ne suis pas un truand, je me tue à vous expliquer que j'ai aidé le colonel Weistort dans une mission stratégique pour le Reich. Bon sang ! Combien de temps je vais rester ici ? explosa Tristan en se levant d'un bond.

Le flic haussa les épaules.

— Asseyez-vous... Le temps qu'il faudra, mon ami. Savez-vous pourquoi on m'a appelé en urgence pour que je vous interroge personnellement, outre le fait que peu de cadres de mon département maîtrisent votre langue ?

— Je ne sais pas, une passion cachée pour l'archéologie ?

— Nullement, le *violoniste* m'apprécie pour une raison très précise.

— Le violoniste ? Vous faites aussi partie de l'orchestre symphonique de Berlin, ironisa Tristan.

Le policier se pencha au-dessus de la table.

— C'est l'un des surnoms de l'Obergruppenführer Reinhard Heydrich, directeur du RSHA[1] et bras droit d'Himmler. Un virtuose de l'archet, entre autres qualités...

Le policier plongea son regard dans celui de Tristan et ajouta sur un ton dénué de toute animosité :

— Je suis le meilleur pour détecter les menteurs.

---

1. *Reichssicherheitshauptamt* : Office central de sécurité, organisme qui regroupe tous les services de police, de sécurité intérieure et de contre-espionnage du Reich.

Tristan ne broncha pas, laissant de longues secondes s'écouler dans le silence. Il reprit d'un ton calme :

— Dans ma longue carrière, j'ai dû mettre sur le gril un bon millier de délinquants. Je donne souvent un coup de main à mes collègues de la Gestapo, des gens efficaces, mais pas très portés sur la psychologie. Il suffit de descendre dans les caves de cet immeuble pour s'en rendre compte.

— Je vous crois sur parole, répliqua Tristan. Ces derniers jours ont été éprouvants, je préférerais un séjour dans une ville thermale pour me refaire une santé, il paraît que l'Allemagne s'en fait une spécialité. Avec les camps de prisonniers naturellement…

Les sourcils du policier frémirent.

— Je ne vous conseille pas de faire de l'humour. Avec moi ça peut aller, pas avec mes collègues. Et votre passé pendant la guerre d'Espagne ne plaide pas en votre faveur. Avouez que c'est quand même curieux, le commando du château était aussi composé d'anciens républicains.

— J'étais juste dans le mauvais camp, OK ? Quant à ces types je ne les connaissais pas. Et je vous signale que le colonel Weistort, lui, n'avait cure de mon passé.

Le policier replongea son nez dans le dossier.

— Oui, mais il n'est pas là pour témoigner en votre faveur. C'est bien triste.

— Bon sang, appelez Erika von Essling, elle vous confirmera mes dires.

Le commissaire Drexler le regarda un long moment sans rien dire, plissa les yeux, puis continua :

— Vous n'avez aucune sympathie particulière pour le national-socialisme et l'Allemagne, c'est marqué dans le rapport, annoté par le colonel Weistort en personne. Quelles sont vos véritables motivations ?

— Survivre. Pour la trentième fois ! Survivre. Mon pays, la France, est vaincue, l'Angleterre est à genoux, je déteste Staline et ses copains, et l'Allemagne vole de victoire en victoire. Il faut que je vous fasse un dessin ? Je me range du côté du vainqueur. C'est à la mode en ce moment dans tous les pays que vous occupez.

— Ce que j'aime en vous c'est votre idéalisme.

— Je laisse l'idéalisme aux révolutionnaires, aux patriotes et aux imbéciles.

Le commissaire gratta son épais menton, et prit le dossier de Tristan.

— Merci pour votre collaboration, je vais être franc, vous ne m'avez convaincu qu'à moitié. Il subsiste trop de zones d'ombre. Or un policier déteste l'obscurité, il aime le jour, la clarté, le soleil… La lumière aveuglante de la vérité.

— Navré de ne pas vous avoir ébloui, maugréa le Français. Quelle est la suite des événements ?

Drexler poussa un soupir et se leva pesamment.

— Je vais appeler immédiatement le violoniste et lui faire part de mes impressions. À partir de là, il n'y aura que deux options. Soit je reviens continuer notre petite conversation et chasser ces petits nuages noirs qui obscurcissent l'horizon. Pour vous, l'issue la plus favorable. Soit, il décide de vous confier aux mains de la Gestapo et vous irez visiter leurs geôles… souterraines. Ou peut-être qu'ils vous embarqueront hors de la ville pour vous exécuter dans une forêt voisine. J'ai vu passer une circulaire à ce sujet, la gestion des cadavres ici devient un véritable casse-tête…

Tristan sentit sa gorge se serrer. Drexler frappa contre la porte et se retourna dans sa direction.

— Je pars déjeuner. Vous voulez manger quelque chose ?

— Je ne suis pas certain d'avoir de l'appétit après ce que vous venez de me raconter.

La porte s'ouvrit, le commissaire passa dans le couloir et lança d'une voix presque chaleureuse :

— Ils ont un délicieux schnitzel aux champignons à la cantine des officiers. À votre place j'accepterais, ce sera peut-être votre dernier vrai repas.

— Mettez-vous-le où je pense ! cria le prisonnier en balançant sa chaise dans sa direction.

Elle se fracassa contre la porte en fer juste au moment où celle-ci se referma.

Tristan se posta devant la fenêtre pour calmer son angoisse. De gros cumulus joufflus défilaient à toute allure dans le ciel azuré au-dessus de la ville. Le souffle du vent frappait les vitres plombées avec force. Il avait l'impression qu'elles allaient exploser à tout moment. Comme lui.

Depuis combien de temps n'avait-il pas eu un instant de sérénité dans sa courte vie ? La dernière fois, c'était quand il s'était caché en Catalogne, ça n'avait pas duré longtemps d'ailleurs. Il laissa traîner son regard sur les façades des immeubles qui faisaient face. Derrière ces fenêtres, il y avait des hommes, des femmes, des enfants… Tous bien aryens, évidemment, bien obéissants à leur Führer bien-aimé. Le soir ils devaient se retrouver en famille, à dîner et à plaisanter. Il les méprisait et pourtant il les enviait. Lui avait choisi une autre voie, solitaire, il y a très longtemps.

Et maintenant ce chemin allait peut-être s'arrêter brutalement. L'image des SS égorgés par les Espagnols dans le château ressurgit dans sa mémoire. Même ces salopards devaient avoir des proches pour pleurer leurs morts.

Et lui, personne ne le pleurerait.

Il avait trop joué avec sa chance.

Plus il réfléchissait aux dernières paroles menaçantes du flic allemand, plus l'issue se précisait. Il ne l'avait pas convaincu de sa bonne foi. Direction le sous-sol…

L'idée de se faire torturer le glaça. Mourir, oui, ça faisait partie des options dans la vie qu'il s'était choisie. Mais se faire mutiler, lacérer, écorcher, brûler...

Il resta une bonne dizaine de minutes les yeux tournés vers le ciel. La fuite était inenvisageable, il devait y avoir des centaines et des centaines de flics dans l'édifice colossal. Ses chances de s'en sortir équivalaient à celles d'un ver de terre dans une volière.

Il baissa son regard sur la cour pavée, quatre étages au-dessous de lui. Une troisième solution se dessinait. Une solution non envisagée par le policier. Un vol plané. À cette hauteur, il n'avait aucune chance de survivre.

Tristan passa un index sur le mastic craquelé qui collait aux parois de la fenêtre. L'enlever ne serait pas un problème, en revanche les barreaux semblaient impossibles à desceller. Impossible de se jeter dans la cour. Il revint vers le centre de sa cellule et se mit à réfléchir à toute allure. Il ne possédait aucun objet coupant pour se trancher les veines et même si c'était le cas cela demanderait des heures avant de mourir.

Il baissa les yeux sur ses chaussures. Pas de lacets, on les lui avait enlevés avant de l'incarcérer.

Soudain des bruits de bottes résonnèrent dans le couloir.

Kripo ou Gestapo ?

Des exclamations gutturales jaillirent derrière la porte. Ce n'était pas la voix de Drexler.

Le cerveau en feu, il ramassa la chaise et la serra entre ses mains. Une arme dérisoire, mais ils ne l'embarqueraient pas si facilement.

La porte s'ouvrit dans un grincement sinistre. Deux hommes apparurent dans un jet de lumière blanche. Ils portaient des imperméables de cuir noir.

Tristan comprit tout de suite.

49

Banlieue de Berlin
Mai 1941

En un instant, Tristan se retrouva dans les couloirs désertés par les matons habituels. Il trébucha au passage d'une grille : on ne lui avait pas laissé le temps d'enfiler correctement ses chaussures.

— Par là.

Ils descendirent à grand bruit un escalier de métal qui n'avait pas dû servir depuis des années. À chaque palier, une veilleuse grésillait péniblement.

— À droite.

Tristan se retrouva dans une cour étroite encombrée de déchets. Une odeur musquée le prit à la gorge. Des rats. Brusquement éclairée par un jet de torche, une porte en bois, barrée par une poutre métallique. Un des hommes la fit rapidement pivoter.

— Vite.

Dehors, des phares allumés attendaient. Juste avant de le jeter à l'arrière de la voiture, un bandeau s'abattit sur ses yeux. Une main frappa la carrosserie et la voiture démarra.

Berlin
Siège de l'Ahnenerbe

— Vous ne vous attendiez pas à ça ?

Von Essling hésita avant de s'avancer sur le gazon impeccable qui menait jusqu'au perron d'entrée : cinq doubles colonnes blanches qui soutenaient une vaste terrasse sur laquelle ouvraient des fenêtres à la française. La demeure, d'une blancheur immaculée, ne ressemblait en rien à un institut de recherche.

— N'hésitez pas à faire le tour, ajouta Himmler tout sourire sous sa fine moustache.

Un instant, Erika eut l'impression d'être une épouse à laquelle on faisait visiter son futur foyer. Pourtant, elle longea la façade, passa derrière les deux dernières colonnes et bifurqua sur le côté. Un pavillon en saillie s'avançait dans le parc suivi d'une serre qui arrondissait l'angle vers la façade arrière. En jetant un œil, elle aperçut un haut fronton frôlé par les branches touffues d'un chêne.

— Nous l'avons bien sûr réquisitionnée. Avant une famille d'aristocrates occupaient les lieux. Des décadents. Désormais, c'est ici que se joue le destin du peuple allemand… Et le vôtre.

Banlieue de Berlin

La voiture venait de ralentir. Un nouveau virage. Le visage enfoncé dans le cuir du siège, Tristan avait du mal à respirer. Un de ses gardiens avait ouvert une vitre. L'air froid rampait sous sa chemise, glaçait son épiderme, comme un avant-goût de la mort qui allait arriver. Le véhicule accéléra à nouveau. Combien de temps lui restait-il ? Une heure ? Plus ? Il avait déjà été exécuté une fois, mais là il ne se relèverait pas. Il en savait trop. De Montserrat à Montségur, le chemin secret qu'il avait retrouvé allait disparaître. Et lui aussi. Sans trace et sans autre histoire qu'une simple image dans la mémoire de Lucia ou Laure. Quant à Erika… La voiture ralentit à nouveau. Il entendit le vent souffler dans les branches d'un arbre. Un bois, pensa Tristan. Dans quelques minutes, on le ferait sortir, puis marcher.

Direction, un de ces étangs silencieux qui entouraient Berlin.

Même pas besoin d'une balle, un sac suffirait, et des pierres.

Siège de l'Ahnenerbe

D'après ce que découvrait Erika, le bâtiment et ses annexes se divisaient en sections de recherche chacune consacrée à un domaine scientifique précis. Dans une des salles, toute en boiserie, qui donnaient sur l'arrière de la demeure, des archivistes classaient avec soin une bibliothèque privée qui venait juste d'arriver de Norvège.

— Nous disposons de commandos SS spécialisés dans la récupération de documents précieux et d'œuvres d'art, précisa le Reichsführer. Là, il s'agit d'une commande d'un de nos chercheurs, spécialiste en écriture ancienne. Il déchiffre des inscriptions runiques tout autour de la mer du Nord et de la mer Baltique. Une recherche prioritaire : les runes sont l'alphabet sacré des Germains.

— Une commande ? s'étonna von Essling qui, durant toute sa carrière d'archéologue, avait dû remplir des monceaux de paperasse pour obtenir une pelle ou une pioche supplémentaire.

— Il avait besoin de cette bibliothèque, nous l'avons transférée, répondit sobrement Himmler. Si nous allions visiter la section archéologie ? Vous connaissez Carnac ?

— Bien sûr, le sanctuaire mégalithique en Bretagne.

— Des centaines de pierres levées, s'enthousiasma Himmler. Une forêt de granit. Et encore nous n'en connaissons qu'une partie. Regardez !

Ils venaient d'entrer dans une pièce aux murs de liège tapissés de photographies. Sur la plupart, on voyait des mégalithes couchés au sol qui venaient juste d'être dégagés de leur couverture de lichen et de bruyère.

— Nos chercheurs ont retrouvé des dizaines de mégalithes abattus, puis enfouis. Nous les mesurons, établissons leur orientation, puis les cartographions avec précision.

Erika se pencha sur le plan parsemé de croix rouges et noires.

— Vous avez trouvé d'autres vestiges archéologiques sur le site ? Pierres taillées, fragments de poteries ?

— Oui, mais c'est sans importance, répondit le Reichsführer, Carnac est d'abord un observatoire astronomique. Le plus ancien d'Europe.

Von Essling avait déjà entendu parler de cette théorie, qu'aucune recherche n'avait jamais confirmée. Himmler tapota du doigt une des photos :

— Et nous allons le prouver.

Il se tourna vers elle en souriant à nouveau.

— On continue la visite ?

Berlin

La voiture ne s'était pas arrêtée. Désormais elle roulait sur une route pavée dont Tristan ressentait la trépidation caractéristique. Un de ses gardiens avait posé la main sur sa nuque. La vitesse avait diminué et on entendait l'écho du moteur renvoyé par des murs d'habitation. Cette fois, ils étaient de retour à Berlin. Le Français tendait l'oreille pour saisir un bruit, une parole, mais les vitres semblaient désormais fermées. Peut-être le conduisait-on dans une autre prison ? Son interrogation s'arrêta là. Un brusque coup de frein lui fit heurter la banquette arrière. Une portière claqua, aussitôt suivie de la même voix hurlante qu'à la prison :

— Descends !

Siège de l'Ahnenerbe

Ils étaient montés à l'étage dans la suite de pièces qui donnaient sur la terrasse. Par la porte-fenêtre largement ouverte, Erika aperçut un homme à la barbe fournie qui sculptait un visage.

— Je vous présente le capitaine Schäfer, annonça le Reichsführer, c'est lui qui a dirigé l'expédition au Tibet. Un héros de la SS.

L'officier rabattit les mèches blondes qui lui tombaient sur le front dévoilant un regard délavé presque blanc. Himmler s'inclina vers Erika pour la présenter :

— Frau von Essling, l'archéologue qui a mené l'opération Montségur.

À son tour Schäfer s'inclina.

— Bravo pour la réussite de votre mission. Dommage pour Weistort. J'étais avec lui, dans la vallée du Yarlung, et disons qu'il s'est montré particulièrement efficace.

— Frau von Essling va remplacer le colonel Weistort à la tête de l'Ahnenerbe. Temporairement. Le temps qu'il revienne de son coma.

Erika fronça les sourcils. Elle n'avait pas encore accepté l'offre du Reichsführer. Quant à Schäfer, si cette nomination le surprenait, il n'en montra rien. Au contraire, il prit Erika par le bras.

— Durant mon voyage au Tibet, j'ai relevé les mensurations faciales de plusieurs centaines de Tibétains et j'en suis venu à la conclusion qu'en fait ce peuple était double. D'un côté, des paysans, des nomades, bref des classes inférieures, issues des invasions mongoles, de l'autre…

Délicatement, il posa la main sur le visage qu'il était en train de sculpter.

— … La race des maîtres. Celle qui dirige le Tibet. Un menton effilé, des pommettes non saillantes, un front haut qui dégage le regard… Bref des aryens.

Himmler intervint :

— Ces travaux vont nous permettre d'établir des preuves anatomiques irréfutables d'appartenance à la race aryenne et ainsi de préparer une future sélection rigoureuse.

Il jeta un coup d'œil à sa montre.

— Mon cher Schäfer, nous allons vous laisser. Je dois montrer une chose essentielle à cette chère Erika.

Ils s'éloignèrent pour gagner un couloir qui les mena dans un ancien oratoire aux murs décorés de fresques nordiques et éclairé par des vitraux frappés du sceau de la SS. Au centre, se dressait un autel, protégé par des parois de verre, sur lequel était posé un livre de cuir rouge.

Ils s'approchèrent et Himmler posa sa main sur la paroi translucide.

— Le *Thule Borealis Kulten*. C'est grâce à lui que tout a commencé…

Il s'arrêta de parler pour enlever ses lunettes et les essuyer méticuleusement. Rien ne semblait plus important comme si le monde entier dépendait subitement de ce simple geste.

— Vous ne m'avez pas dit si vous acceptiez de succéder provisoirement à Weistort ?

— Vous avez des nouvelles ?

— Il a été transféré dans un hôpital de la SS en périphérie de Berlin. Il est toujours dans le coma. J'ai besoin de vous pour le remplacer. Alors ?

La jeune femme savait que cette question n'attendait qu'une seule réponse.

— La réponse est oui.

Himmler chaussa ses lunettes et dit, dans un sourire :

— Je m'en félicite. Bientôt c'est vous qui étudierez ce livre. En attendant, suivez-moi, nous allons assister à une petite cérémonie.

Une main anonyme venait d'arracher le bandeau sur les yeux de Tristan tandis qu'une autre enfonçait l'orifice froid d'un pistolet dans son dos. Ils étaient dans un sous-bois. Le Français avançait mécaniquement sur une allée de sable qui crissait sous ses pas. À travers les feuillages, une trouée apparut révélant le gazon luisant d'un parc. Comme il s'approchait, escorté de ses deux gardiens, il voyait se clarifier la façade d'une demeure à deux étages dont le dernier pourvu d'un long balcon. Un fronton, percé d'une fenêtre circulaire, semblait surveiller le parc.

— Plus vite. On t'attend.

Devant la façade, venait de prendre place un groupe de SS en uniforme de parade. Casques luisants, gants blancs et fusil à l'épaule. Instinctivement, Tristan ralentit. C'était la seconde fois qu'il se trouvait face à un peloton d'exécution. Un officier marchait à pas lents sur le gravier examinant avec soin armes et uniformes.

Tristan grimaça.

À la différence des Espagnols, les Allemands y mettent les formes.

Soudain il vit les soldats et l'officier se raidir. Un homme en uniforme de SS sortait de la porte principale de la demeure en marchant d'un pas vif.

Un claquement unanime de talons retentit pour saluer l'arrivée de l'officier supérieur dans la cour d'honneur.

Tristan le reconnut tout de suite. C'était le seul dignitaire nazi à porter des lunettes.

Himmler en personne s'était donc déplacé exprès pour l'envoyer à la mort.

Quel honneur.

Son cœur s'emballa.

Elle !

Erika venait d'apparaître à son tour. Elle aussi venait assister au spectacle. Quelle femme pouvait-elle être pour coucher avec lui la veille et assister à sa mort le lendemain ?

Il bomba le torse et redressa son cou. Son regard se détourna des soldats du peloton pour se concentrer sur celui d'Erika. Avec mépris. Il n'allait pas lui offrir sa peur en cadeau…

Himmler s'approcha du peloton et fit un signe à l'officier qui composait la garde.

— Tout est prêt ?

— Oui Reichsführer.

— Alors exécution.

Tristan ferma les yeux. Cette fois, il n'y aurait pas d'échappatoire, pas de rémission. Il se raidit instinctivement comme si ses muscles tendus allaient le protéger de la morsure des balles.

D'un coup, les soldats présentèrent les armes tandis qu'au fronton, juste au-dessus d'Erika, se déployait le drapeau de l'Allemagne nazie.

— Musique !

À l'angle de l'institut surgit une fanfare en grand uniforme qui jouait le *Horst Wessel Lied*, l'hymne du parti nazi. Tristan ouvrit les yeux. Les fusils étaient abaissés, Erika se tenait juste à côté du maître des SS et le contemplait en souriant.

Himmler salua et s'avança vers Tristan. D'un geste lent, il sortit de sa poche un écrin en velours noir frappé d'une swastika rouge. La musique s'arrêta instantanément, remplacée par un roulement de tambour qui dura une éternité pour Tristan. Puis le silence revint. La voix d'Himmler s'éleva tout d'un coup :

— Au nom de notre Führer Adolf Hitler…

Il fit jouer le montant supérieur du boîtier et sortit une petite croix pattée noire en métal accrochée à un ruban sombre.

— …. Je vous décore de la croix de Fer, pour les services que vous avez rendus au Reich…

Tristan sentit son esprit vaciller. Il n'était pas exécuté, mais honoré ! Avec la plus prestigieuse médaille attribuée à titre militaire.

Himmler épingla la décoration sur le revers de la veste fripée de Tristan et ajouta d'une voix presque menaçante :

— … Et ceux que vous allez lui rendre.

50

Quelque part en Europe
22 juin 1941

Les deux lignes argentées ondulaient sous les rayons de la lune pour disparaître dans la bouche béante du tunnel. Couchée contre le tronc d'un sapin, à la lisière du bois qui effleurait presque la voie ferrée, Laure d'Estillac sentait son cœur accélérer. Il ne lui restait plus que dix minutes avant l'arrivée du train. Juste le temps de fixer la charge et de retourner dans sa cachette. Elle pestait contre elle-même. Une demi-heure, elle avait perdu une demi-heure dans ce bout de forêt avant de trouver l'entrée de ce maudit tunnel.

La nuit était calme autour d'elle, mais sa nervosité atteignait son point maximal. À côté de l'entrée du tunnel, il y avait une sorte de guérite surmontée d'un projecteur. Tout paraissait désert. Aucune lumière ne filtrait. D'après le plan, il s'agissait d'un poste de contrôle abandonné par l'ennemi. Elle n'avait plus le temps de vérifier.

Je me calme. Je respire lentement.

Elle se concentra sur les battements de son cœur et fit le vide en elle. Une technique apprise par son instructeur pendant les cours de sabotage à l'école d'instruction de Glenmore Loch, en Écosse.

Au-dessus d'elle, perché sur la branche d'un sapin, un hibou ou une chouette – elle n'avait jamais su faire la différence – hululait dans la nuit.

Laure posa son pistolet Walther PP6 contre le tronc de l'arbre et prit son sac à dos rempli d'explosifs. Un frisson remonta le long de son dos.

Et si ça explose !

Qu'est-ce que je fous là... À jouer la résistante alors que je pourrais être tranquille dans un lit.

Son cerveau recommençait à s'emballer.

Arrête tes conneries... Il faut allumer la cordelette. Respire. Respire.

Elle l'ouvrit sans avoir besoin de lumière et tâta l'intérieur pour vérifier que tout y était.

Charge, détonateur, cordelette, pince... J'ai rien oublié ? C'est bon.

Satisfaite, elle laissa la boîte à piston d'allumage de mèche à terre et accrocha le sac autour de son cou.

Go !

Son cœur bondit à nouveau. La jeune femme se faufila à toute vitesse hors de la lisière du bois. Il n'y avait qu'une dizaine de mètres jusqu'à la voie. Elle atteignit rapidement le ballast et se coucha devant le point de jonction de deux rails. Là où on lui avait appris à poser les charges. Elle sortit mécaniquement l'explosif et le plaqua sur une traverse de jonction, le talon d'Achille des voies ferrées. Les automatismes revenaient.

Ses mains transpiraient, elle n'arrivait pas à fixer la charge. Ses doigts tremblaient. Soudain le rail se mit à vibrer.

Et merde ! Le train est là. Je ne vais pas y arriver. Il faut que je me barre.

Une rage sourde l'envahit. Si, il fallait qu'elle y arrive. Elle ravala sa salive. C'était pas le moment d'abandonner.

Elle ne put s'empêcher de glisser un œil vers le tunnel. Il y avait quelque chose de menaçant dans cette ouverture ténébreuse. Comme si le train allait surgir d'un coup et l'écraser sur les rails.

Calme-toi, il est à des kilomètres.

Elle finit par fixer la charge. D'un geste vif, elle inséra le détonateur et noua la cordelette d'allumage électrique. Au moment où elle se releva, la pince coupante tomba du sac et cogna l'un des rails dans un bruit métallique.

Elle jura à voix basse et se baissa pour la ramasser.

Soudain un flash blanc déchira la nuit.

Le projecteur de la guérite s'était allumé et inondait de lumière la voie ferrée.

— *Halt !*

Laure se figea comme une statue.

— *Achtung !*

Des bruits de botte crissèrent sur le gravier.

C'est pas possible. L'endroit devait être abandonné.

Elle tâta la poche de sa veste et se maudit. Le pistolet ! Elle l'avait laissé dans le bois.

Une rafale de mitraillette jaillit et fit voler la terre autour d'elle.

— *Halt !*

Elle ne pouvait plus bouger. Échec et mat.

Trois hommes surgirent dans son champ de vision. Trois soldats allemands, casqués, mitraillettes braquées sur elle. Elle leva les bras, dépitée.

— *Ein Sabotage !* hurla l'un d'entre eux.

— Non… Je plante des carottes, répondit Laure consciente de l'incongruité de sa réponse.

L'un d'entre eux se plaça derrière elle et la fouilla en la palpant. Ses mains grimpèrent le long de ses cuisses.

Elle restait les bras en l'air, le regard en colère.

— Vous croyez que…

Elle ne put terminer sa phrase. Le soldat avait abattu la crosse de son arme sur sa nuque. Elle plongea dans les ténèbres et s'affaissa sur la voie ferrée.

Laure se réveilla brutalement, son crâne hurlait. Ses paupières s'ouvrirent avec lenteur.

Une douce lumière nappait la chambre rococo dans laquelle elle se trouvait. Elle se redressa d'un coup. Elle était toujours vêtue de sa veste de combat et de ses brodequins à semelle en caoutchouc.

Un homme de haute taille, la barbe courte soigneusement taillée, se tenait debout contre le linteau de la cheminée. Il fumait une pipe et l'observait d'un air curieux.

— Rassurez-vous, la douleur va s'estomper d'ici deux jours. J'ai été matraqué deux fois lors de stages commando dans le même centre d'entraînement que le vôtre.

La voix lui était familière.

Laure cligna des yeux plusieurs fois. Elle le reconnut. Mais il avait changé d'uniforme.

— Commander !

Malorley s'approcha d'elle.

— En revanche pour la bosse, vous la garderez une bonne semaine.

— Je ne comprends pas… Le centre d'entraînement, balbutia la jeune femme. Où suis-je ?

— Dans un hôtel particulier, au centre de Londres. Vos instructeurs vous ont emmenée ici. Remerciez-les, ils ont eu la pudeur de vous laisser votre tenue de combat.

Il souriait en curant sa pipe.

— Ah oui, comme c'est dommage, vous avez échoué à votre examen de sabotage. Vous n'avez pas vérifié la présence des gardes à côté du tunnel.

— J'ai perdu du temps dans la forêt.

— Les indications étaient faussées pour vous faire perdre du temps. Un test classique, histoire de mesurer votre concentration en stress intense. Le temps… Voilà un luxe que l'on ne peut pas s'accorder en temps de guerre. Suivez-moi, nous avons à parler.

Il aida la jeune femme à se mettre debout.

— Où allons-nous ?

— À mon bureau.

Ils quittèrent la chambre et traversèrent un large couloir aux murs décorés de tentures grenat et de tableaux aux cadres dorés représentant des masques de tragédie grecque. Le sol était recouvert d'un tapis épais et de bonne facture. Trois lustres à cristal diffusaient une lumière douce au fur et à mesure qu'ils s'avançaient vers une porte située au fond du couloir.

— On ne s'embête pas au SOE, vous êtes logés par la reine d'Angleterre ? demanda Laure d'un ton incisif.

— Nous sommes à Prospero's Mansion, un théâtre qui appartient à un groupe d'amis.

Malorley s'arrêta devant une porte sur la droite et la poussa.

— Entrez et asseyez-vous, Laure.

Elle pénétra dans une pièce rectangulaire de taille moyenne toute en boiserie où était placé un bureau de style victorien. Une fenêtre encadrée par de lourds rideaux verts donnait sur une cour aveugle tandis qu'un miroir haut et large occupait le pan de mur qui lui faisait face. La décoration était minimale, une console posée contre un mur surmontée d'une photo dans un cadre et un tableau de scène de chasse à courre accroché à côté de la fenêtre.

Ils s'assirent l'un en face de l'autre de chaque côté du bureau, Malorley alluma à nouveau sa pipe et la scruta d'un œil bienveillant.

— Comment se passe votre entraînement ?

— Si l'on excepte le ratage de cette nuit, une vraie partie de plaisir. Trois semaines exténuantes de classe préparatoire à Brompton, ensuite deux semaines au centre d'endurcissement d'Arisaig House. Sans oublier le stage de parachutisme où j'ai failli me briser la nuque.

Malorley sourit. Visiblement, son entraînement ne lui avait rien fait perdre de sa verve.

— Je voulais connaître votre état d'esprit.

— J'ai craqué deux fois. Non… Trois en comptant la gifle au sergent-chef qui m'insultait pendant la séance de pompes.

Il la fixa en silence.

— Mais j'ai tenu bon, ajouta-t-elle avec une petite lueur de défi dans le regard. On dirait que ça vous déçoit ?

— Bien au contraire, je suis impressionné. J'ai lu votre test de résistance à l'interrogatoire façon Gestapo. Même les gros bras du service ont été bluffés.

— À la différence des autres recrues, moi, j'ai côtoyé de vrais SS en France, pas des instructeurs déguisés en nazis pour faire plus vrai…

— Vous repensez à votre père ?

Elle alluma une cigarette dont elle aspira une longue bouffée.

— Vous jouez les psys maintenant ? Ce qu'il y a dans ma tête ne regarde que moi.

— Je ne voulais pas être indiscret. Je pense qu'il serait très fier de vous.

— À mon tour de poser une question, fit Laure sur un ton plus apaisé. Avez-vous eu des nouvelles de Jane ?

Le visage de Malorley se rembrunit.

— Aucune. Pour moi, elle est morte sur ce pré, là où les cathares ont été brûlés vifs. Je préfère la savoir martyre plutôt que blessée aux mains des Allemands.

— Désolée.

Le téléphone sonna. Malorley prit le combiné tout en scrutant la jeune femme. Il répondit par oui ou par non et finit par raccrocher.

— Bien. Si vous êtes ici, c'est pour que je vous fasse une proposition.

— Je vous écoute.

— Avez-vous entendu parler de l'atterrissage de Rudolf Hess, le mois dernier, en Écosse ?

— Oui, comme tout le monde par les journaux. Il a été incarcéré à la tour de Londres et visiblement il n'a plus toute sa tête. Même Hitler a déclaré qu'il était dingo.

L'officier du SOE secoua la tête.

— Ça, c'est la version officielle. En réalité, il est venu proposer la paix à l'Angleterre sans que son Führer soit au courant. Figurez-vous que ce sinistre personnage nous porte dans son cœur, il nous voit comme des cousins aryens un peu têtus qui n'auraient pas compris la mission civilisatrice du Grand Reich. Churchill est venu lui rendre visite en secret pour se faire une idée du bonhomme. Il en est ressorti troublé.

— C'est-à-dire ?

— Le Premier ministre a découvert que ce personnage de haut rang dans la hiérarchie nazie s'était envolé en suivant les conseils de ses astrologues. Qu'il croyait à la magie et à l'occultisme depuis des décennies. Et qu'il n'était pas le seul…

— Vous m'en direz tant.

— Himmler lui-même est adepte d'étranges doctrines occultes qui vous feraient froid dans le dos si je vous en donnais les détails. Mais surtout, Hess a parlé au Premier ministre de la découverte au Tibet d'une swastika. Découverte qui aurait provoqué l'entrée en guerre de l'Allemagne quelques mois plus tard. Et ce n'est pas tout. Hess était aussi au courant de l'expédition du colonel Weistort à Montségur. Il savait parfaitement ce qu'il y avait dans la cache des cathares.

— J'ai du mal à croire qu'Hitler ait enclenché les hostilités grâce à une relique, répondit Laure en aspirant une nouvelle bouffée de fumée.

— Churchill aussi était sceptique. Mais je vous l'ai dit, il a changé d'avis.

Toute trace d'ironie sur le visage de Laure avait disparu. Malorley continua :

— À la suite de ces révélations, le Premier ministre a ordonné que l'on enferme Hess à double tour et surtout que l'on répande partout la version de sa folie. Mais…

Il s'interrompit pour sortir du tiroir un papier à en-tête du cabinet du War Office et le fit glisser devant la jeune femme.

— Il m'a aussi convoqué pour me demander de créer un département spécialisé dans les opérations occultes des nazis. Un équivalent de l'Ahnenerbe, en version réduite et avec, hélas, beaucoup moins de moyens.

Laure semblait dubitative.

— J'ai du mal à croire que votre Premier ministre ait pris au sérieux ces délires.

— Churchill est avant tout un pragmatique. Il ne croit pas aux pouvoirs magiques, mais il sait en revanche que certains de nos adversaires en sont adeptes. Il veut savoir ce qu'ils projettent pour les contrer sur leur propre terrain.

— Je ne comprends pas bien… Vous voulez vous aussi monter des expéditions comme les nazis ?

— Non, nous devons récolter toute l'information sur ce qu'ils préparent et envisager des opérations préventives. Mais d'abord, penser comme eux et pour ça j'ai besoin d'experts.

— Et ça existe ?

— Je mets en place une équipe de chercheurs, spécialistes d'ésotérisme, de magie et des religions premières. Autant vous dire que je rencontre des personnes parfois stupéfiantes. Ce matin, par exemple, j'ai rendez-vous avec un certain Aleister Crowley[1], qui m'a été recommandé par des amis. Un parcours étonnant, il a réussi à ouvrir un centre de magie à Corfou, à la barbe de Mussolini.

Il fit glisser la photo d'un homme chauve, au visage bouffi – sans doute à cause de la cortisone –, et au regard halluciné.

— Charmant personnage… Mais je ne vois pas très bien ce que je viens faire là-dedans.

— J'aimerais vous avoir avec moi.

Laure ouvrit de grands yeux étonnés.

— C'est une blague ? Je ne suis pas astrologue et je ne tire pas les cartes. En outre, je suis d'un rationalisme total.

1. Occultiste célèbre et sulfureux de l'avant-guerre en Angleterre.

— Moi aussi, mais il existe en ce monde des forces puissantes, des forces qui nous échappent. Nous les rejetons par principe, car notre esprit ignore encore comment les intégrer. Pourtant, un jour elles auront leur explication et leur justification. De la même manière que nous avons découvert les secrets de la radioactivité dont nous parlons tant aujourd'hui. La magie d'aujourd'hui est la science de demain. Et j'ai besoin de vous.

Elle le regarda longuement, puis secoua la tête.

— Merci pour la proposition, mais je n'ai qu'un but : retourner en France pour combattre les Allemands.

— N'est-ce pas plutôt le désir de vengeance qui vous anime ? Ils ont assassiné votre père.

— Et quand bien même… De toute façon, je n'ai aucune envie de jouer les archéologues. Vous n'avez qu'à envoyer une offre de service à ce traître de Tristan. Je suis sûre que si vous y mettez le prix, il retournera sa veste sans état d'âme.

Malorley ralluma sa pipe avant de hocher la tête d'un air triste.

— Je m'attendais à votre réaction. Vous savez qu'à cause de votre échec de cette nuit, vous ne serez pas parachutée en France avant au moins six mois. Et vous serez soumise à de nouvelles évaluations. Avec moi, vous seriez directement affectée à des missions en pays occupés.

Laure se massa l'arrière du crâne, décidément ses instructeurs n'y étaient pas allés de main morte. Elle hésita. La proposition était tentante et l'idée de se retaper à nouveau l'entraînement ne la tentait guère. Mais elle ne se sentait pas à l'aise avec ces histoires de magie, de sorcellerie… Elle contempla à nouveau la photographie du gros type chauve au visage libidineux. Non, impossible comme collègue de travail !

— Je ne crois pas…, dit-elle en repoussant le tirage. Bonne nuit, commander.

Elle se leva et le salua réglementairement. Malorley lui retourna son salut.

— Comme vous voudrez… Retournez dans votre chambre. Demain, on vous raccompagnera dans votre centre d'entraînement. Vous n'entendrez plus jamais parler de moi.

Elle se dirigeait vers la porte quand la voix de Malorley la rattrapa.

— Pourriez-vous me rendre un dernier service ? Sur votre droite, il y a un pot avec des cure-pipes, le tout posé au milieu de la desserte. Vous pourriez m'en passer un ?

— Bien sûr.

Le pot en terre cuite était pile au bon endroit. Juste sous une grande photographie accrochée au mur dans un cadre en argent ouvragé. Elle y jeta un œil distrait. Six hommes en tenues de combat posaient pour le photographe, épaules contre épaules, les visages fatigués, le fusil en bandoulière. Malorley se tenait au centre, en uniforme de l'armée espagnole républicaine.

— Cette photo, ça date de quand ? demanda-t-elle.

— Janvier 1937. Teruel, en Espagne pendant la guerre civile. L'Intelligence Service m'avait envoyé pour diriger une brigade internationale. Ce sont les officiers de mon unité, composée d'Anglais et de Français.

Laure retirait un cure-pipe quand son regard s'arrêta sur l'un des hommes, agenouillé, les mains posées sur le canon de son fusil. Elle fut frappée par son sourire ironique.

Laure resta silencieuse de longues secondes, les yeux toujours rivés sur le soldat.

— Le type sur la photo. Je ne rêve pas. C'est…

Derrière son bureau, Malorley l'observait avec attention.

— Je vous l'ai dit, des cadres de ma brigade. Mon cure-pipe, je vous prie.

Elle se retourna, le visage tendu.

— Arrêtez votre comédie ! dit-elle en collant le bout de son index sur le cadre photo. Vous voyez très bien de qui je veux parler.

Malorley haussa les épaules.

— Ça ne vous concerne plus puisque vous avez rejeté ma proposition.

D'un geste rageur, elle décrocha la photo du mur et revint devant le bureau pour la brandir sous son nez.

— Répondez-moi, Malorley, vous connaissiez cet homme depuis le début ? Il travaillait pour vous, n'est-ce pas ?

— Navré, c'est classé secret défense. Comme tout ce qui concerne les dossiers traités par ce département. Je vous souhaite une bonne fin de nuit, Laure.

— Ne jouez pas avec moi ! Vous saviez très bien que j'allais regarder la photo quand vous m'avez demandé votre foutu cure-pipe.

Il ne broncha pas.

— J'ai lu votre dossier de formation. L'un de vos instructeurs a remarqué votre sens aigu de l'observation. Il ne s'est pas trompé.

Laure d'Estillac fixait la photo avec insistance.

— C'est bien lui…

Le commander prit la photo entre ses mains.

— En effet, il est l'un de mes officiers les plus efficaces. Il s'appelle Tristan… Tristan Marcas.

Elle le regarda avec stupéfaction.

— Et la swastika emportée par les Allemands à Montségur ?

Malorley sourit.

— Mais… Votre affrontement dans le sanctuaire avec Tristan ?

— Vous qui descendez des cathares, vous savez pourtant bien que tout n'est qu'illusion… Tristan avait compris que le mécanisme installé par les cathares n'était qu'un leurre. Il était juste installé pour faire peur aux intrus. Qu'il ait retiré de la statue l'une ou l'autre des deux reliques jumelles, cela n'aurait rien changé, rien ne se serait effondré. Le plus important était de donner la fausse swastika aux Allemands.

— Comment a-t-il fait ?

— La mauvaise avait une croix toute simple gravée à l'envers. Une croix destinée aux bons chrétiens, mais qui symbolisait le néant pour les cathares. En clair, cette relique n'était qu'illusion.

— Et comment a-t-il su que vous alliez attaquer dans la grotte ?

— Tristan savait qu'il était suivi par nos services et que tôt ou tard nous pourrions le retrouver. Si nous n'étions pas intervenus, il aurait caché la véritable relique, à la barbe des Allemands. Il se serait arrangé pour m'envoyer un message d'une façon ou d'une autre, c'est un homme plein de ressources…

Il aspira une nouvelle bouffée et reprit :

— Les nazis sont partis avec la fausse swastika. Nous avons la vraie.

— Mais ils détiennent celle du Tibet ?

— En effet, un partout… Désormais le Bien et le Mal sont à égalité, même s'il reste deux autres swastikas à trouver. Ce sera notre mission. Et aussi d'élucider leur mystérieux origine. On ne sait pas qui les a façonnées et pourquoi elles ont été éparpillées aux quatre coins du monde il y a des milliers d'années.

Le regard de Laure se mit à briller.

— Alors s'ils pensent détenir cette relique de Montségur, les Allemands vont devenir incontrôlables… Leur folie va être décuplée, ils vont vouloir…

Elle s'arrêta net, comme frappée par l'évidence, avant de reprendre :

— …. Ouvrir un second front, c'est ça ?

— C'est quand ils se sentent invincibles que les Allemands deviennent vulnérables. Et…

Malorley reprit sa pipe et tira une bouffée avec volupté.

— … Nous avons un agent au cœur des Ténèbres.

Épilogue

À cet instant précis, à des milliers de kilomètres de là, plus à l'est, se produit un événement majeur.

En ce 22 juin 1941, à trois heures du matin précises, les divisions d'Hitler s'ébranlent sur plus de mille kilomètres de front pour déferler sur l'empire soviétique. Jamais dans l'histoire, l'homme ne connut invasion d'une telle ampleur. Alexandre le Grand, César, Attila, Gengis Khan, Napoléon, aucun conquérant n'avait forgé une armée aussi gigantesque.

En ce 22 juin 1941, un an jour pour jour après la signature de la capitulation de la France, quatre millions de soldats, sept mille chars et avions, un demi-million de chevaux sont lâchés sur les marches de l'Est.

En ce 22 juin 1941, d'européenne la guerre devient mondiale.

Pour Hitler, elle ne suit pas son cours, elle prend tout son sens. Car si toutes les guerres sont par essence monstrueuses, celle-ci, menée par un artiste raté devenu tyran, va se distinguer par un seul mot : Gesamtkunstwerk. *L'œuvre totale.*

La conquête militaire de la Russie va s'accompagner de l'extermination planifiée des populations considérées comme inférieures, juives, tsiganes et slaves... Pour le Führer et ses exécutants enthousiastes, ce n'est pas le mal qui est en œuvre. Bien au contraire. C'est le combat ultime pour le bien du peuple allemand, selon l'expression consacrée par la propagande nazie.

Et comme il fallait un symbole puissant à cette entreprise titanesque, Hitler choisit lui-même le nom de code de l'invasion :

Unternehmen Barbarossa.

L'opération Barberousse.

Frédéric Barberousse. Le héros mythique d'Hitler. Un nom auréolé d'un prestige immémorial dans toute l'Allemagne, l'empereur mythique du premier Reich, qui s'était lancé lui aussi dans une croisade à l'aube du premier millénaire. L'empereur dont la légende raconte qu'il repose dans une montagne magique en attendant son réveil pour rétablir la grandeur du Reich.

En ce 22 juin 1941, quelques heures après le solstice d'été, le nouvel empereur nazi vient de lancer sa plus grande croisade.

Prochain tome à paraître de la saga du Soleil noir :
LA NUIT DU MAL

Dans les pages suivantes, des annexes pour aller plus loin dans les thèmes abordés dans cet ouvrage.

JOROKMZVQY
FQYXMOBJKK
CLE SOE
Beaufort est la seule vérité

POUR ALLER PLUS LOIN...

« Suivez Hitler. Il dansera,
mais c'est moi qui ai écrit la musique.
Nous avons ouvert ses yeux, et lui avons
donné les moyens de communiquer
avec le peuple. Ne me pleurez pas :
j'aurai influencé l'histoire
plus qu'aucun autre Allemand. »

Dietrich Eckart, mentor d'Hitler,
membre de la société secrète Thulé.

Symbole du soleil noir. Il est représenté sur le sol en marbre de la chambre des généraux SS du Wewelsburg, le château d'Himmler. Signe païen, il décrit la course du soleil tout au long de l'année en intégrant douze fois le symbole runique nordique *Sowilo* ou *Sol*. Cette rune doublée forme aussi le signe abhorré des SS.

1. Démêler le vrai du faux

Comme il est écrit dans la préface, *Le Triomphe des Ténèbres* est une œuvre de fiction et l'histoire des quatre reliques sacrées relève de notre imaginaire, ainsi que les protagonistes principaux : Tristan, Weistort, Erika, etc. En revanche, le livre s'inspire de nombre de faits troublants et bien réels. L'expédition Schäfer au Tibet s'est déroulée entre 1938 et 1939, elle a été médiatisée à l'époque dans les journaux allemands et a donné lieu à un film documentaire. Le commandant de l'expédition, membre de l'Ahnenerbe, s'est fait offrir cent huit rouleaux du livre sacré tibétain, le *Kanjur*. Plus étonnant, les SS ont vraiment découvert et emporté à Berlin la statue d'un Bouddha ornée d'une swastika. Vieille d'un millénaire, elle a été façonnée à partir d'une météorite tombée sur terre il y a plus de dix mille ans !

Pour les amateurs de coïncidence, ou de synchronicité, nous n'étions pas au courant de cette découverte quand nous avons imaginé notre statue au Tibet. Ce n'est qu'à la fin de l'écriture, en rédigeant ces annexes, que nous sommes tombés sur cette étrange histoire[1]... Le voyage d'Himmler

---

1. Découverte relatée dans la revue scientifique *Meteoritics & Planetary Science*, le 14 septembre 2012, « Budha from space. An ancient object of art made of a Chinga iron meteorite fragment ».

à Montserrat a bien eu lieu tel qu'il est décrit dans le livre et il a réellement demandé aux moines du monastère s'ils ne détenaient pas le Graal. Côté anglais, la description du SOE de Churchill s'inspire de la réalité, mais il n'y a pas eu d'opération à Montségur ni de bureau spécialisé dans l'ésotérisme. Quant au libraire Silvio Trentin, il a réellement existé. Cet Italien exilé faisait partie des grandes figures de la résistance toulousaine. Un boulevard de la ville porte toujours son nom.

2. Nazisme et ésotérisme sortent du purgatoire

Aborder les liens entre nazisme et ésotérisme se révèle être un exercice périlleux. Le sujet a été évoqué dès 1939, dans le livre *Hitler m'a dit*. Écrit par Hermann Rauschning, ancien nazi, ex-président du sénat de Dantzig, et réfugié aux États-Unis avant la Seconde Guerre mondiale, l'ouvrage présente un Hitler halluciné en proie à des crises de délire mystique et adepte d'expériences surnaturelles. Si le livre a été un best-seller, la plupart des historiens n'y accordent que peu de crédit. La thématique ressurgit en France, dans les années 1960, par un livre qui a fait sensation et polémique, à l'époque : *Le Matin des magiciens*. Co-écrit par le journaliste Louis Pauwels et Jacques Bergier (que l'on aperçoit dans l'album de Tintin, *Vol 714 pour Sydney*), scientifique, espion et ancien déporté à Mauthausen, il abordait pour la première fois la dimension occulte de l'hitlérisme, mais sous une optique de « réalisme fantastique », ce qui irrita nombre de critiques de l'époque.

Par la suite, cette théorie a été essentiellement diffusée auprès du grand public dans des œuvres de fiction, tels la bande dessinée *Hellboy* ou nombre de thrillers et de romans de science-fiction uchronique dans lesquels l'Allemagne aurait gagné la guerre grâce à de mystérieux pouvoirs. Au rayon cinéma, est-il besoin de citer Indiana Jones dans ses recherches de l'arche perdue ou du Graal ? Le sujet irrigue aussi Internet. Des centaines de sites et de documentaires vidéo sont disponibles. Avec un spectre d'analyse allant de la curiosité de bonne foi aux théories les plus fumeuses – Hitler serait parti en soucoupe volante sur la Lune – voire à l'obsession malsaine et, pour finir, au révisionnisme éhonté.

Mais il n'en reste pas moins que la fascination de nombreux nazis pour l'ésotérisme et l'occultisme était bien réelle. Même s'il n'en faisait pas état en public, Hitler possédait dans sa bibliothèque personnelle des dizaines et des dizaines d'ouvrages consacrés à l'occulte, à commencer par les *Prophéties* de Nostradamus, comme il a été rapporté dans notre ouvrage. La découverte récente à Prague de la collection cachée des treize mille livres ésotériques d'Himmler n'en est qu'un des nombreux autres exemples.

Le problème principal consiste à trier ce qui ressort de l'anecdotique et ce qui tient lieu d'analyse sérieuse. Et ne pas s'imaginer que le nazisme c'est Harry Potter à la tête d'une division de panzers.

Pendant des décennies, le sujet a été ignoré ou regardé avec méfiance par les historiens officiels. Trop sulfureux ou sans intérêt. Les seules enquêtes disponibles l'étaient sous forme de livres publiés par des chercheurs indépendants ou des journalistes. Prenant la relève de Pauwels et Bergier, ils ont eu le mérite de mettre les mains dans la « boue occulte », pour reprendre l'expression de Freud, allergique à l'ésotérisme en général. Au fil des ans, on a vu surgir nombre d'informations surprenantes (voir bibliographie en fin d'annexes), souvent vraies, parfois fausses, avec des conclusions plus ou moins pertinentes, voire conspirationnistes. Dans les années 2000, un historien anglais, Nicholas Goodrick-Clarke, brise le tabou et publie un ouvrage de référence sur le sujet : *Les Racines occultes du nazisme.* Un verrou saute et petit à petit le sujet sort du purgatoire de l'histoire pour devenir crédible.

3. Une pensée totalitaire imprégnée de surnaturel

Les derniers travaux en date nous viennent d'un historien américain, Eric Kurlander, qui a publié en 2017 un ouvrage passionnant aux Presses Universitaires de Yale : *Hitler's Monsters : A Supernatural History Of The Third Reich*. Il confirme l'obsession de l'occulte et parle d'« imaginaire surnaturel » qui a façonné les esprits. Voilà ce qu'il dit dans une interview traduite par le site Slate[1] sur la « pensée nazie » :

« Pourquoi tant de nazis, en particulier, y croyaient-ils ou trouvaient-ils cette pensée intéressante ou potentiellement utile pour manipuler la population ? Parce qu'ils avaient grandi à une époque de véritable floraison de la pensée surnaturelle à travers toute l'Allemagne et en Autriche. Même les nazis les plus sceptiques considéraient cette pensée surnaturelle comme un outil. [...] En Allemagne, de très nombreux membres ou soutiens du parti nazi emploient des mots et des idées directement inspirés par ces théories "scientifiques" occultes et surnaturelles. On croit ainsi à l'existence de races inférieures, et à une civilisation de Thulé. [...] Nous sommes en effet à un moment historique, en Autriche et en Allemagne, où, pour diverses raisons, la

1. www.slate.fr/story/150573/nazis-surnaturel

popularité intrinsèque de certaines idées occultes et des doctrines parascientifiques, celle des religions alternatives, de la mythologie nordique et du folklore allemand, aiguillonnée par des crises comme la Première Guerre mondiale ou la Grande Dépression des années 1930, permet à l'imaginaire surnaturel de se répandre de manière plus large jusqu'à devenir une composante dangereuse de la pensée politique, un phénomène que l'on n'observe dans aucun autre pays à ce moment-là. »

À l'époque, la légende de l'empereur endormi Frédéric Barberousse qui doit restaurer le Grand Reich de mille ans est connue de tous les Allemands. Un poème célébrant son culte est appris par cœur dans toutes les écoles.

Le terrain étant déminé, plongeons-nous dans la période qui a fourni un terreau occulte fertile à la germination du nazisme.

4. Swastika, Thor et barde fou

Remontons le fil de l'histoire ésotérique du nazisme en partant de son symbole majeur : la croix gammée ou swastika (d'origine en langue sanscrit). Sur le plan grammatical, c'est un nom masculin, mais on l'emploie aussi au féminin depuis la fin du XIXe siècle. On la trouve depuis des millénaires dans toutes les civilisations, particulièrement en Asie, où elle est auréolée d'une signification positive : paix, harmonie, chance. Tourné vers la gauche, ce symbole représente aussi l'idée du mouvement, du soleil ou d'une rotation des forces cosmiques. Il apparaît sur des statues du Bouddha au Japon, en Chine et en Inde. La swastika est répandue, dans une moindre mesure, en Europe, en Grèce et chez les peuples nordiques.

Comment est-on passé d'un signe de paix à la sinistre croix gammée nazie, qui est orientée vers la droite, comme une inversion des valeurs positives initiales ? Contrairement aux idées reçues, Hitler n'a rien inventé en la prenant pour symbole de son mouvement politique. Elle était très populaire dans les milieux nationalistes racistes allemands qui pullulaient à la fin du XIXe siècle. Elle était pour eux la *Hakenkreuz*, l'emblème du marteau de Thor, le dieu nordique du Tonnerre.

Dans ces cénacles qui vénèrent la croix gammée tel le nouveau crucifix de leur religion aryenne émerge un homme d'influence : Guido von List. Cet Autrichien excentrique, pseudo-romancier, pseudo-philosophe, adepte d'un paganisme radical, professe un antisémitisme forcené et pratique avec ses disciples enthousiastes des invocations magiques dans la Forêt-Noire. L'influence du « barde nordique », tel qu'il se surnomme, est considérable auprès de la bonne société. Il crée son institut de recherche spirituelle, organise des conférences et rameute le ban et l'arrière-ban des milieux antisémites. Il popularise la croix gammée dans laquelle il voit le symbole du renouveau des forces germaniques face à l'invasion des races inférieures. Et nous sommes seulement en 1905, quinze ans avant la création du futur parti nazi ! Il n'était pas le seul à professer ces doctrines racialistes. En France, en Angleterre, aux États-Unis, surgissent des théoriciens qui professent des idées similaires, comme le Français Joseph Arthur de Gobineau, l'écrivain anglais Houston Steward Chamberlain. Ou, dans une moindre mesure, la créatrice du mouvement orientalo-spiritualiste théosophique, Helena P. Blavatsky qui croyait en l'existence de races plus évoluées que d'autres...

5. Un moine défroqué prophétise l'innommable

Parmi les admirateurs inconditionnels de Guido von List, va apparaître Lanz von Liebenfels, un homme qui va jouer un rôle clé dans les jeunes années d'Hitler. Cet ancien moine cistercien défroqué est le maître d'une société secrète ultra raciste : l'ordre des Nouveaux Templiers, qui n'avait de templier que le nom. Ce groupuscule pratiquait des rituels magiques et son gourou professait des croyances radicales : sélection d'hommes et de femmes blonds aux yeux bleus pour créer une pure race aryenne dans des établissements médicaux ; stérilisation ou extermination des populations jugées inférieures, juifs en premier lieu ; création d'un ordre militaire fondé sur la pureté du sang et des exercices de méditation spirituelle pour les cadres de cette chevalerie.

L'avant-programme, à la lettre, de ce qui se passera des années plus tard dans l'Allemagne nazie. Pour diffuser ses idées nauséabondes, Liebenfels édite la revue *Ostara*. On sait maintenant qu'Hitler, dans ses jeunes années d'étudiant aux Beaux-Arts de Vienne, était un lecteur assidu d'*Ostara*, qu'il en possédait toute une collection dans l'une de ses bibliothèques personnelles et qu'il a rencontré Liebenfels.

6. La société Thulé, magie et assassinats politiques

Toutes ces idées auraient pu rester lettre morte et retomber dans les poubelles de l'histoire de l'ésotérisme si des disciples du duo infernal, List et Liebenfels, n'avaient pas décidé d'aller plus loin.

Ils fondent, en 1918, une autre société secrète – encore une –, mais cette fois d'un genre nouveau : la *Thule-*

Gesellschaft, branche bavaroise du *Germanenorden*. On y retrouve un curieux mélange d'aristocrates, d'officiers de l'armée impériale, d'industriels et d'aventuriers de tout poil. L'objectif est devenu politique : il s'agit de mettre en pratique les idées professées par List et von Liebenfels. Chaque tenue commence en se saluant le bras levé et en criant « Sieg Heil ». Comme le fera Hitler des années plus tard. Ils prennent comme emblème un poignard surmonté d'une swastika, aux bords arrondis, et qui tourne à droite (l'inverse de l'asiatique). Le couteau affiche les ambitions de ses créateurs. Porter le fer chez les ennemis de l'Allemagne et faire couler leur sang. La Thulé finance des groupuscules paramilitaires nationalistes pour lutter contre les communistes qui prennent le pouvoir de façon éphémère en Bavière. Ces derniers vont se venger en assassinant sept de leurs cadres dirigeants. Une fois la révolte rouge matée, et les meneurs exécutés, des membres de la Thulé comprennent qu'il leur faut un mouvement analogue au parti communiste pour propager leurs idées auprès des classes populaires. Ils se rapprochent d'activistes d'extrême droite pour créer, en 1919, le DAP, *Deutsche Arbeiterpartei*, le parti ouvrier allemand. Qui deviendra quelques mois plus tard le parti national-socialiste. Pour la plupart des historiens, si des adeptes de Thulé ont bien participé à la création de ce monstre, cela ne voulait en aucun cas dire qu'ils le contrôlaient. Et pour cause, un jeune caporal exalté, un certain Adolf Hitler, va changer la donne.

7. Le mentor du futur Führer

Arrivé dans le parti pour l'espionner pour le compte de l'armée, l'immigré autrichien, ex-étudiant aux Beaux-Arts, va très vite s'impliquer dans l'organisation du mouvement, et taper dans l'œil d'un des dirigeants de la Thulé qui le prendra sous sa protection : Dietrich Eckart, co-fondateur du parti ouvrier allemand. L'homme est une figure majeure de la vie culturelle bavaroise, poète, traducteur de Peer Gynt, c'est un intellectuel brillant et dévoyé, auteur de pièces de théâtre. Directeur de presse, il édite le *Völkischer Beobachter*, une feuille de chou raciste qui deviendra par la suite le journal officiel du parti nazi. Antisémite féroce, il est en outre passionné d'occultisme et de mysticisme et a participé à la création des rituels ésotériques de la société Thulé.

Il est le premier à avoir pressenti en Hitler le messie en devenir du mouvement. Mais un messie qu'il faut éduquer et former pour guider la nouvelle Allemagne. Eckart va tailler la pierre brute pour en faire un diamant noir. D'un côté, il paye à Hitler des cours d'art dramatique et de rhétorique pour parfaire ses talents d'orateur et séduire le peuple, de l'autre il lui apprend les bonnes manières en société afin de rencontrer l'élite dans les salons munichois. Eckart n'hésitera pas à s'impliquer personnellement dans le putsch raté de 1923, tentative de coup d'État à Munich, organisé par Hitler et le général Ludendorff. Il mourra en 1923, dix ans avant l'accession de son protégé au pouvoir. Peu de temps avant sa mort il écrira ce texte prophétique :

« Suivez Hitler. Il dansera, mais c'est moi qui ai écrit la musique. Nous avons ouvert ses yeux, et lui avons donné les moyens de communiquer avec le peuple. Ne me pleurez pas : j'aurai influencé l'histoire plus qu'aucun autre Allemand. »

Hitler perd son mentor alors que son parti n'est qu'un groupuscule parmi d'autres. Il lui dédicacera le tome deux de *Mein Kampf* en le comparant aux plus illustres Allemands :

« Et je veux ranger parmi eux, comme un des meilleurs, l'homme qui a consacré sa vie à réveiller son peuple, notre peuple, par la poésie et par la pensée, et finalement par l'action. »

8. La pépinière du diable

Au fur et à mesure de son ascension, Hitler va prendre ses distances avec la Thulé, qui sera bientôt interdite comme la plupart des sociétés secrètes et initiatiques. S'il se moque en public des croyances occultes, il s'entourera de nombreux adeptes, passionnés par l'ésotérisme et qui constitueront sa garde rapprochée. Rudolf Hess, chef du parti nazi, féru d'astrologie, et qui s'envolera effectivement vers l'Angleterre pour négocier la paix. Alfred Rosenberg, « philosophe officiel » du parti et responsable des spoliations des biens culturels en Europe pendant la Seconde Guerre mondiale. Obsédé par les complots et l'occulte, il a fait cambrioler la plupart des grandes obédiences maçonniques en France et dans le reste des pays occupés, persuadé que les francs-maçons détenaient le secret des alchimistes... Il finira pendu à Nuremberg en 1946.

Si la majorité des cadres nazis ne sont pas portés sur l'occulte, le nombre des ex-membres de la Thulé au sein du mouvement est loin d'être anecdotique. L'historien Ian Kershaw, l'un des meilleurs biographes d'Hitler, explique qu'on trouvait dans cette société secrète le « *who's who* du parti nazi ».

9. L'Ordre noir et le château de Wewelsburg

Fondés par Himmler dès les premiers temps du parti nazi, en 1925, les SS – *Schutzstaffel* ou « groupe de protection » – créés pour assurer la sécurité personnelle d'Hitler, passent inaperçus si on les compare par exemple aux SA, la milice de choc des nazis. Pourtant, en une quinzaine d'années, ce simple service d'ordre est devenu une organisation tentaculaire, contrôlant une partie importante de l'économie de guerre, les services de renseignements intérieurs – le SD –, la police politique du pays – la Gestapo –, et disposant de centaines de milliers de combattants dont une grande part d'étrangers, telle la division Charlemagne, composée de Français.

Cette hégémonie de la SS dans l'Allemagne nazie est le résultat de l'ambition et de la volonté frénétiques de son fondateur : Heinrich Himmler. Longtemps moqué au sein du parti nazi, cet ancien éleveur de poules qui fit faillite devient, durant la Seconde Guerre mondiale, le personnage le plus important du Troisième Reich. Cette montée en puissance politique, économique et militaire lui vaut la confiance de plus en plus absolue d'Hitler qui, dès 1937, le charge de *régler la question juive*, d'abord en Allemagne, puis en Europe et en URSS occupées. Déjà créateur des camps de concentration pour les opposants politiques, tel Dachau, construit au printemps 1933, le Reichsführer va devenir, selon l'expression consacrée, *l'artisan de la Solution finale.*

Longtemps Himmler est apparu comme un organisateur, froid, méthodique dont l'efficacité redoutable reposait sur une absence totale d'état d'âme et une stricte application de l'idéologie nazie. Cette image est désormais revue en profondeur. La publication de ses notes privées, de ses discours réservés aux SS, les témoignages de ses collaborateurs dessinent aujourd'hui une tout autre personnalité.

Himmler apparaît plutôt comme un autodidacte compulsif – ressemblant en cela à Hitler – obsédé par les légendes nordiques, fasciné par les reliques, convaincu que la guerre est aussi et d'abord un combat spirituel qu'il faut gagner avec des armes ésotériques.

C'est ainsi qu'il conçoit progressivement la SS, comme un ordre de chevalerie, une élite militaire aryenne, sur le modèle des ordres chevaleresques du Moyen Âge, tels les chevaliers teutoniques. À cet Ordre noir, il faut un centre, un sanctuaire qu'Himmler va trouver au château de Wewelsburg qu'il acquiert fin 1933. Restauré, par des détenus du camp de concentration voisin, le château est prêt en septembre 1934. Il devient alors le centre de formation idéologique et ésotérique de la SS.

Himmler y aménage en particulier des salles pour organiser des cérémonies initiatiques, une crypte circulaire où devaient être enterrés les plus valeureux des généraux SS – une sorte de Table ronde funèbre –, une chambre pour Hitler qui ne devait être ouverte que le jour de la victoire finale... Une bibliothèque alimentée par le vol et le pillage des SS dans toute l'Europe et un musée où sont exposées les principales découvertes de l'Ahnenerbe.

Fasciné par la quête du Graal, obsédé par la sorcellerie, convaincu d'être la réincarnation de l'empereur germanique Henri Ier l'Oiseleur, Himmler ordonna lui-même la destruction de son rêve, le 31 mars 1945, pour qu'il ne tombe pas aux mains des Alliés. Mais l'arrivée plus rapide des troupes américaines sauva le château de la ruine. Restauré, il abrite désormais un musée consacré à son histoire tourmentée.

10. L'Ahnenerbe ou le laboratoire du mal

Durant l'Occupation, les habitants de la petite ville de Bédarrides dans le Vaucluse eurent la surprise de voir un beau matin des officiers SS prendre possession, au lieu-dit le Mont Thabor, d'une ancienne orangerie délabrée du XVIIIe siècle. Durant plusieurs jours, l'équipe procéda à de nombreux sondages et fouilles avant de disparaître sans explication. À son tour, la Provence venait de découvrir les unités spéciales de l'Ahnenerbe, comme la Normandie, les Pyrénées ou le Périgord… Mais que venaient donc faire des archéologues SS dans ce vieux bâtiment perdu dans la campagne du Comtat Venaissin ? Les érudits locaux finirent par éclaircir le mystère. En 1784, dans cette dépendance prêtée par le marquis de Vaucrozes, s'était installé un certain Pernety, érudit franc-maçon, penseur ésotérique et, surtout, le meilleur alchimiste de son époque. Durant des années, il fit chauffer son athanor pour chercher la pierre philosophale. Cent soixante ans plus tard, alors que plus personne en France ne se souvient plus de cette histoire, les spécialistes de l'Ahnenerbe débarquent eux aussi à la recherche du secret de l'alchimie…

Des quêtes ésotériques, des fouilles archéologiques, aux quatre coins de la planète pendant que le monde entier sombre dans la guerre : voilà l'œuvre, restée longtemps inconnue, de l'Ahnenerbe, la plus étrange des organisations de la SS.

Fondé en 1935, sur la demande expresse d'Himmler, cet institut universitaire a en apparence un but simple en plein accord avec l'idéologie nazie. Comme son nom l'indique : « recherche de l'héritage », l'Ahnenerbe a ainsi pour fonction de retrouver dans les domaines historiques, archéologiques, ethnologiques et religieux toutes les traces de la « race » germanique, de son origine aryenne et bien sûr, de sa supériorité absolue sur les autres hommes.

Cette quête va amener les spécialistes de l'Ahnenerbe aussi bien au Tibet, pour retrouver le berceau de la race aryenne, qu'aux Canaries, pour chercher des indices d'une présence viking, qu'en Suède, pour découvrir la véritable signification de la langue runique, ou qu'en Crimée, pour mettre au jour un hypothétique royaume goth.

Autant d'expéditions présentées comme scientifiques, mais qui ont souvent un arrière-plan ésotérique et des visées occultes.

Nombre de membres de l'Ahnenerbe sont convaincus que l'alphabet runique, comme l'hébreu pour les cabalistes juifs, est un alphabet sacré qui permet d'atteindre à la connaissance – et surtout à la puissance – du divin. Ou alors que le secret de l'essor des démocraties, dans le monde, depuis la Révolution française, est dû au pouvoir secret des francs-maçons dont les nazis pillèrent les archives dans l'Europe entière.

Histoire revisitée, archéologie idéologisée, l'Ahnenerbe se donne pour but de réécrire le passé en retrouvant les secrets perdus de cultures disparues. Toutefois, cet institut qui comptera jusqu'à cinquante départements de recherche et publiera des centaines de rapports et d'articles, ne poursuit pas qu'une quête ésotérique… L'institut va être mêlé aux effroyables expérimentations médicales dans les camps de concentration nazis sur des hommes, des femmes et des enfants. Et parmi les scientifiques qui se sont souillé les mains, on va retrouver l'un des membres de l'expédition au Tibet. C'est en effet à un membre éminent de l'organisation, Bruno Beger, qu'est confiée en décembre 1941 la mission de définir des traits anatomiques de la judéité. Pour parvenir à ses fins, Beger constitua donc une collection de crânes en envoyant une directive à la Wehrmacht ainsi rédigée : « … Après la mort provoquée du juif dont la tête ne doit pas être endommagée, l'assistant séparera ladite tête du torse et l'enverra à son lieu de destination dans un récipient en métal soigneusement fermé… » Menées durant toute la durée de la guerre, ces recherches anatomiques « sur les traits pathologiques de la forme du crâne juif » joueront un rôle dans l'élaboration de la Solution finale. Après-guerre, Beger a été condamné à une peine réduite et n'a jamais été inquiété par la suite.

11. Montségur, d'Otto Rahn à l'archéologie actuelle

C'est au début des années 1930 que le jeune Otto Rahn débarque en Ariège, fasciné par l'hérésie cathare qu'il a découverte durant ses études universitaires. Très vite adopté par les habitants, il visite les châteaux de la région, fouille aussi bien les grottes que les archives et recueille les confidences des érudits locaux dont beaucoup sont convaincus de la dimension ésotérique du catharisme. Une conviction que partage Otto Rahn qui est certain que si les cathares se sont attiré les foudres destructrices de l'Église de Rome, c'est qu'ils détenaient un secret dangereux pour la religion dominante. S'inspirant d'un poète allemand du Moyen Âge, Wolfram von Eschenbach, comme du *Parsifal* de Wagner, il en vient à la conclusion que si les cathares ont été persécutés, c'est parce qu'ils détenaient… le Graal. Une théorie qu'il développe dans son livre *Croisade contre le Graal*, paru en 1933 et qui attire aussitôt l'attention d'Himmler qui le fait rentrer à l'Ahnenerbe où il multipliera les conférences et les séminaires pour les cadres de la SS. Fort de son succès dans les hautes sphères du nazisme, il publiera un nouveau livre, *La Cour de Lucifer*, dans lequel il présente les cathares comme les détenteurs de la vraie lumière – selon l'étymologie latine de *Lucifer* : « celui qui porte la lumière » – opposés à l'obscurantisme de la religion catholique. Le choix de Lucifer est volontaire et une tradition ésotérique fait du véritable Graal la pierre précieuse tombée du front de l'ange rebelle dans sa chute du Ciel.

Pierre dotée des pouvoirs de Connaissance et de Puissance… Une idée qui ne pouvait que séduire Himmler, obsédé par le pouvoir des reliques médiévales, et qui enverra une expédition fouiller le château de Montségur, sous protection militaire. On ignore ce qu'ont pu trouver ces archéologues, mais on sait désormais qu'ils n'ont pas fouillé le bon château…

En effet, les ruines de Montségur telles qu'on peut les voir et les visiter aujourd'hui ne sont pas celles du siège de 1244. À la chute de la forteresse, les croisés l'ont rasée pour la reconstruire ensuite et se servir du château pour se défendre face au royaume d'Aragon.

Le véritable château de l'époque cathare n'avait donc pas du tout la configuration actuelle. Pas de large donjon à l'extrémité, pas d'enceinte en forme de sarcophage, il ne reste dans le château actuel que la base de quelques meurtrières dans le mur sud… Dont nous nous sommes servis pour notre jeu de piste.

Alors à quoi ressemblait le site de Montségur à l'époque cathare ? Il était constitué d'une tour centrale à laquelle était accolée une salle noble où vivaient le seigneur, Raymond de Péreille et ses proches. Tout autour un lacis de ruelles étroites, de maisons à étages, d'échoppes d'artisans, de réserves diverses, le tout enserré dans une enceinte. Il n'en reste aujourd'hui que quelques fondations encore visibles au sol du côté nord.

Notre description de Montségur pendant le siège est donc rigoureusement conforme aux fouilles archéologiques les plus récentes.

De même les deux fuites de cathares pendant le siège, rapportées dans le livre, sont parfaitement documentées dans les interrogatoires menés par l'Inquisition et disponibles pour les chercheurs.

On sait que la première fuite, en décembre 1243, a servi à mettre à l'abri le trésor monétaire des hérétiques afin de pouvoir financer leur survie clandestine qui durera encore un siècle.

On ignore encore pourquoi certains cathares se sont cachés sous le château lors de sa reddition, le 16 mars 1244, pour s'enfuir durant le bûcher, mais vous savez déjà que nous avons notre idée.

Fouillé, mesuré, étudié, le château de Montségur conserve pourtant encore un mystère qui nous a fascinés durant toute l'écriture du livre. Habité pendant près de quarante ans, violement assiégé pendant des mois, où est donc le cimetière de Montségur ?

Dans une cavité naturelle ? Une grotte artificielle ? Le mystère demeure, mais nous avons laissé quelques indices…

Bibliographie

Encyclopédie des symboles, Hans Biedermann, Michel Cazenave, Le Livre de Poche, 1996.

Dans la bibliothèque privée d'Hitler, Thimoty Ryback, Le Cherche Midi, 2009.

Hitler, Ian Kershaw, deux volumes, Flammarion, 2000.

Hitler et les sociétés secrètes, René Alleau, Grasset, 1969.

Hitler m'a dit, Hermann Rauschning, Pluriel, 2012.

Le Journal du diable : Les secrets d'Alfred Rosenberg, David Kinney, Robert K. Wittman, Michel Lafon, 2016.

La Vie mondaine sous le nazisme, Fabrice d'Almeider, Tempus, 2008.

La Lance du destin, Trevor Ravenscroft, J'ai lu, 1973.

Le Matin des magiciens, Jacques Bergier, Louis Pauwels, Gallimard, 1960.

Les Maîtres du IIIe Reich, Joachim Fest, Grasset, 2008.

Les Mystères du nazisme : aux sources d'un fantasme contemporain, Stéphane François, PUF, 2015. Et aussi du même auteur, *Le Nazisme revisité : l'occultisme contre l'histoire*, Berg international, 2008.

Les Racines occultes du nazisme et aussi *Soleil noir*, Nicholas Goodrick-Clarke, Éditions Camion noir, 2007. Chez le même éditeur, *L'Alliance infernale* de Peter Levanda, préfacé par Norman Mailer.

Ma Vie dans les services secrets, Noreen Riols, Calmann-Lévy, 2014.
Opération Ahnenerbe, Heather Pringle, Presses de la Cité, 2007.
Opération Shambhala, Gilles Van Grasdorff, Presses du Châtelet, 2012.
Les Reliques sacrées d'Hitler, Sidney D. Kirkpatrick, Le Cherche midi, 2012.
Les Sociétés secrètes nazies, Philippe Aziz, Versoix, 1978.
L'Imaginaire face au nazisme, Lauric Guillaud, Jean-Paul Debenat, Éditions le Temps présent, 2014.

Hitler's Monsters : A Supernatural History Of The Third Reich, Eric Kurlander, Yale University Press, 2017.
The Memoirs of Hitler's Spymaster, Walter Schellenberg, André Deutsch Editions, 1956.
Zodiac and Swastika, Wilhelm Wulff, Éditions Coward, McCann & Geoghegan, 1973.

Vidéographie :

La Mémoire volée des francs-maçons. Réalisateur Jean-Pierre Devillers avec Éric Giacometti et Jacques Ravenne, Adltv production. Diffusion : France 5, RTBF, chaîne Histoire.

Liens internet :

www.lefigaro.fr/culture/2016/03/22/03004-20160322ARTFIG00124-les-livres-d-himmler-sur-la-sorcellerie-retrouves-pres-de-prague.php

Et aussi, rien à voir avec l'ésotérisme, mais pour ne pas oublier l'innommable :
www.memorialdelashoah.org/

BONUS INÉDIT

Erika von Essling, entre fiction et réalité

On nous demande souvent comment nous créons nos personnages. Sortent-ils brusquement de notre imagination, sont-ils au contraire le produit d'une lente élaboration ou bien s'inspirent-ils, à des degrés divers, de personnes ayant existé ?

Pour les personnages historiques – comme Churchill ou Hess – présents dans ce livre la réponse semble aisée : on lit des biographies, puis des essais, enfin des articles, toujours plus précis et, une fois qu'on pense *posséder* le personnage, on est sûr enfin de pouvoir se mettre à écrire… Eh bien non, car la vérité est tout autre : plus vous accumulez de connaissances sur un personnage, plus il devient insaisissable et, quand vient le moment de le mettre en scène, il est souvent aux abonnés absents. Prenez une page blanche et commencez la description de Churchill, ou plutôt tentez de la commencer. Son visage sous son chapeau melon, sa silhouette de buveur de whisky, son éternel cigare, vous l'avez vu partout, vous ne connaissez que lui et pourtant… En fait, pour prendre vie, un personnage trop connu a besoin d'interagir avec un milieu inédit ou des personnages de pure création.

Dans ce roman, par exemple, Hitler, que l'on a vu mille fois hurler ses discours devant des foules hypnotisées, va être pris à un moment de sa vie où, méprisé, repoussé de tous, personne ne l'écoute. Ainsi pour devenir un véritable personnage de roman, une figure historique doit être confrontée à des *révélateurs* qui en dessinent d'abord les contours, puis lui donnent densité et enfin un destin.

Mais qu'en est-il de notre personnage principal, de ce trafiquant d'art, devenu la tête chercheuse de l'Anhenerbe ? Est-ce une création totale ou bien un modèle assumé ? Eh bien, au risque de décevoir certains de nos lecteurs qui rêveraient de mettre un nom véritable sur Tristan, nous l'avons inventé de toutes pièces. Il a surgi comme une évidence, avec son prénom et sa biographie, et nous l'avons aussitôt mis à l'épreuve. Pillage de monastère, arrestation musclée, détention violente, interrogatoires redoutables, tentative de fuite en compagnie de cadavres, fausse exécution… le moins que l'on puisse dire c'est que nous ne l'avons pas ménagé et il a tenu le choc. Voilà pourquoi vous le retrouvez tout au long de la saga du *Soleil noir* !

De plus, nous avons un rêve secret : qu'un jour, un lecteur érudit découvre le véritable Tristan !

Car quelque part, nous avons dans l'idée que, durant les grands conflits, beaucoup de coïncidences deviennent possibles et que ce personnage que nous avons créé a pu exister. Qui sait, une archive révélera peut-être la biographie d'un héros inconnu qui a eu le même parcours que notre personnage ?

Ce serait pour nous une véritable récompense !

Si Tristan est une authentique création, il est en revanche un personnage féminin de notre roman que nous avons découvert et dont la vie tumultueuse nous a largement inspirés. À la vérité, c'est une photographie en noir et blanc prise dans les années 1930 qui a déclenché notre curiosité. On y voit un groupe d'archéologues travailler au pied d'une falaise. Certains fouillent le sol, d'autres prennent la pose, mais sur une corniche, assise, une jeune femme s'est retournée, un sourire éclatant aux lèvres. La photographie a été prise sur un site rupestre en Espagne et ces jeunes archéologues ont l'air de vivre intensément leur soif de découverte. Comment penser que beaucoup de ces jeunes gens vont bientôt s'engager dans l'Ahnenerbe, cet institut universitaire de recherche fondé par Himmler, pour prouver la supériorité de la race aryenne ? Comment imaginer que, dans quelques années, c'est aux chercheurs de l'Ahnenerbe que le chef des SS va confier la mission de définir les traits physiques des juifs du Caucase, un crime de faciès qui va en conduire des milliers dans les camps de la mort ?

C'est ce paradoxe que nous avons voulu comprendre à travers le personnage de cette jeune femme souriante dont nous avons conservé le prénom – Erika – mais dont le nom véritable était Trautmann.

Nous l'avons donc suivie à la trace, de sa jeunesse en Prusse orientale jusqu'à sa collaboration avec le nazisme : l'itinéraire improbable d'une jeune fille de bonne famille devenue une des archéologues favorites d'Himmler. Un paradoxe, car Erika Trautmann était à l'origine photographe et illustratrice. Pas une archéologue, et si elle était rentrée à l'Ahnenerbe, c'est parce que Goering, un ami de sa famille, l'avait chaudement recommandée à Himmler. La rumeur murmurait d'ailleurs que le chef de la Luftwaffe était très épris de la belle Erika dont les cheveux d'or et le visage parfait l'avaient séduit au point de la demander en mariage. Une proposition qu'Erika aurait déclinée…

Ce n'était pourtant pas le genre du Reichsführer de suivre les conseils de son *ami* Goering, mais il se trouve qu'Erika avait aussi un allié de poids à l'intérieur même de l'Ahnenerbe : l'historien Franz Altheim. Un allié très intéressé, car depuis quelques mois Franz était devenu l'amant d'Erika. La jeune femme, amie des plus hauts dignitaires nazis, était tombée amoureuse d'un chercheur à la réputation déjà sulfureuse.

Altheim, déjà célèbre, était tout sauf un archéologue de salon ; ce qui le passionnait c'était partir en quête de découvertes inédites. Spécialiste de l'histoire romaine, il n'hésitait pas à confronter les théories les mieux établies aux recherches sur le terrain, ce qui lui valut quelques inimitiés tenaces dans le monde universitaire.

D'un caractère intrépide, il avait trouvé dans Erika la partenaire idéale pour l'accompagner dans ses expéditions les plus aventureuses. Mais il était aussi et surtout un grand illusionniste, c'est ainsi qu'en 1938, il réussit à convaincre Himmler de financer un voyage d'études archéologiques en Irak : tout simplement en proposant de doubler cette expédition scientifique par une mission d'enquête sur les ressources pétrolières du pays, et de la tripler en créant un réseau d'espionnage en faveur de l'Allemagne.

C'est ainsi qu'Erika et Franz parcoururent tout l'Irak, festoyant aussi bien dans les grands hôtels internationaux qu'errant dans le désert avec les tribus de Bédouins. Des tribus qui intéressaient beaucoup Himmler, qui souhaitait savoir si elles étaient prêtes à se rebeller contre les Anglais. Altheim ne le déçut pas et lui déclara, à son retour en Allemagne, que « les Bédouins prononcent le nom d'Hitler comme s'il était saint ». Le grand illusionniste était aussi un grand opportuniste !

On se demande d'ailleurs comment Erika a pu s'éprendre d'un tel aventurier. Elle, la fille d'un grand propriétaire terrien, qui avait fait l'école des Beaux-Arts de Berlin, qui s'était mariée pour divorcer au plus vite, n'avait pas vraiment le profil pour s'accorder à ce manipulateur compulsif qu'était Franz Altheim.

Alors, peut-être était-ce la passion de l'archéologie qui les avait réunis, car, dès 1934, Erika accompagne plusieurs équipes en France, en Espagne et en Italie où elle se spécialise dans les relevés d'art rupestre. C'est d'ailleurs sur le site préhistorique de Val Camonica, en Lombardie, qu'elle rencontra le grand amour de sa vie, Franz Altheim.

Une passion qui ne se démentit jamais. Après-guerre, Altheim parvint à convaincre les occupants soviétiques qu'il n'avait jamais collaboré avec les nazis – un véritable exploit – et réussit à passer à l'Ouest où il devint un des professeurs d'histoire ancienne les plus renommés de l'université de Berlin. Erika et lui, toujours ensemble, étaient ainsi devenus un couple mythique, ou plutôt un trio puisque Franz avait installé chez eux une de ses – très jeunes – étudiantes, qu'il finira par épouser.

Erika quitta la scène en octobre 1968, emportant dans la mort les lourds secrets de son amant qui, dernière provocation, la fit enterrer sous une pierre tombale gravée de symboles germaniques.

C'est ainsi qu'Erika Trautmann, au destin aussi fascinant et exceptionnel, est devenue, dans ce roman, Erika von Essling, un nouveau nom pour une nouvelle vie.

Une de plus.

Découvrez les deux premiers chapitres
du nouveau roman
d'Éric Giacometti et Jacques Ravenne

ÉRIC GIACOMETTI
JACQUES RAVENNE

La Nuit du mal

La saga du Soleil noir **

JC LATTÈS

Prologue

Crète
Automne 1941

Ils attendaient ça depuis longtemps. Plus longtemps encore, car leurs pères avaient attendu. Et les pères de leurs pères. Aussi loin que remontait la mémoire du village, ils savaient que cela allait arriver.

Ils ne savaient pas quand, ils ne savaient pas qui, mais après des siècles d'attente, ils savaient que le jour était arrivé.

Ou plutôt la nuit.

La nuit du sang.

Les cinq paysans se faufilent sans bruit entre les oliviers. Dans l'obscurité, un olivier ressemble à un être humain. Il en a la taille, souvent la silhouette, et, même si le vent l'a courbé, terrassé, il peut toujours dissimuler un homme. Un homme qui a besoin d'écouter. D'écouter l'ombre. Et l'ombre n'est jamais silencieuse. Elle murmure à qui sait entendre encore et toujours le même mot :

Xeni !

Xeni !
Xeni !

« Les envahisseurs. »

Des guerriers venus du Nord, le front ceint dans des casques d'acier. Venus souiller leur terre, voler le trésor sacré confié aux villageois par un étranger. Un étranger surgi des contrées boréales, du fond des siècles.

Les cinq paysans n'ont aucun doute, les hommes blonds qui se pavanent sous leurs yeux sont bien les barbares décrits dans l'antique prophétie.

Un vent doux et embaumé s'est levé, qui fait bruisser les oliviers. Un chant ancestral, paisible, lui aussi corrompu par la présence des envahisseurs.

Avant d'avoir un nom, ces parasites ont un bruit, celui des bottes qui martèlent la terre, des crosses qui battent à la hanche, le bruit de la guerre et de la mort en chemin.

Mais parfois la mort bifurque.

Derrière les oliviers, les paysans ont bougé. Maintenant il leur faut voir. Voir combien sont les envahisseurs.

Un, deux, trois.

Voir le canon des fusils que l'on vient de poser contre le mur, voir l'étincelle du briquet, le cercle minuscule et grésillant des cigarettes. Voir ces soldats redevenir hommes. Juste à temps pour mourir.

Les cinq paysans ont été formés pour offrir la mort à ceux qui oseraient braver l'interdit. Comme leurs pères avant eux, et les pères de leurs pères.

Ils ne sont pas que des laboureurs, ils sont des Fylaques. Des gardiens.

Tous de sang divin. Ils sont nés en Crète, l'île du miel, la terre choisie par la mère de Zeus, pour enfanter le père des dieux.

Et les Fylaques manient le kyro comme aucun autre Crétois. Le kyro, ce redoutable poignard dont la lame est gravée d'une encoche, teintée de rouge, en forme de goutte. La dernière goutte de sang qui doit rester dans le corps de l'ennemi.

Abrités derrière les oliviers, les cinq Fylaques observent les guerriers du Nord et ils sourient dans la nuit. Le premier ennemi vient de défaire son ceinturon, d'enlever sa vareuse. Il fait une chaleur accablante. Il n'a pas l'habitude. Lui et ses compagnons sont les enfants d'un pays froid, aussi froid que leurs cœurs.

Ils ont des corps pâles.

Mais plus pour très longtemps.

L'un des Fylaques quitte la lisière des oliviers. Il ouvre son kyro au manche de corne, le ressort est parfaitement huilé, la lame brunie au charbon pour éviter les reflets. Les autres le rejoignent. Une meute qui aiguise ses crocs.

Les envahisseurs leur tournent le dos. Ils s'affairent autour d'un puits. Ils n'entendront rien. Ils ont l'oreille rivée sur le seau qui remonte en heurtant la paroi. Toute la journée, ils ont eu soif. Et ils n'écoutent plus que leur désir.

Ils ont oublié qu'ils étaient des envahisseurs.

Ils n'entendent que la promesse de l'eau.

Un premier Fylaque jaillit.

Le chef de meute.

Il s'immobilise, perçoit le bruit du seau qui cogne contre la margelle, et frappe.

Le kyro est si acéré qu'il s'enfonce entre les côtes sans trouver de résistance et la douleur est si intense que l'étranger ne crie même pas. Il fixe les étoiles comme s'il ne les avait jamais vues. Puis la nuit s'étend sur ses yeux. Il chute sans bruit. Les soldats ont plongé les mains, les lèvres dans le seau, ils sont sourds à leur destin. Les lames s'infiltrent au plus profond de leurs cous. La dernière chose qu'ils sentiront, c'est le goût étrange de l'eau, c'est leur propre sang qu'ils viennent de boire.

Désormais, les étrangers sont des corps que les Fylaques disposent en étoile autour du puits.

Un signe de croix, non pour demander pardon, mais parce que le plus terrible reste à accomplir.

Puis les cadavres sont retournés sur le dos.

Chaque kyro s'immobilise juste au-dessous du sternum, puis fend la peau qui s'ouvre comme une lèvre humide.

Ensuite, ils plongent la main.

Et fouillent.

Quand ils se relèvent, une odeur douce et âcre monte du sol.

Thanatos.

Un ennemi n'est vraiment mort que quand on lui ôte plus que la vie.

1

Sud de l'Angleterre
Southampton
Novembre 1941

La ligne d'horizon s'estompait dans un ciel couleur de plomb. Un rideau de pluie s'abattait sur la mer argentée. Le bulletin météo de l'Amirauté ne s'était pas trompé, le mauvais temps surgissait toujours du sud-ouest. De France. Il n'était que trois heures de l'après-midi, mais la capitainerie du port avait allumé les fanaux de sécurité. Le vent léger pour l'instant allait gagner en vigueur.

Une intense activité régnait dans le port de Southampton, le plus important du sud de l'Angleterre après celui de Portsmouth. Des nuées de bateaux de tout tonnage entraient et sortaient des trois bassins principaux. Depuis le déclenchement de la guerre, cargos et navires militaires avaient remplacé les légendaires paquebots transatlantiques et les clippers de luxe. Le fantôme du *Titanic* s'était définitivement évanoui. On ne partait plus en croisière depuis Southampton, on partait en guerre.

Dans la cabine de pilotage du *Cornwallis*, le capitaine Killdare scrutait le ballet des grues au-dessus du pont principal. Le chargement des dernières caisses n'en finissait pas, le navire aurait dû appareiller depuis plus de deux heures. L'officier voulait quitter l'estuaire le plus rapidement possible et doubler l'île de Wight avant un possible raid de la Luftwaffe. Si l'intensité des bombardements avait chuté depuis fin mai – l'Angleterre avait gagné la bataille de l'air grâce à ses escadrilles de Spitfire –, les Allemands envoyaient encore des piqûres de rappel sur les cibles stratégiques, militaires ou civiles. Southampton et Portsmouth continuaient de recevoir leur ration de fer et de feu. Immobilisé au port, le *Cornwallis* représentait une proie trop facile pour les vautours du gros Goering.

Agacé par le retard, Killdare décrocha le téléphone intérieur pour appeler le responsable de la cale.

— Bon sang, Mathew, ils font quoi vos dockers ? Vous voulez qu'on passe la nuit ici ?

— Encore une caisse et c'est terminé, capitaine. Le vérin de la grue s'est bloqué à cause d'une putain d'huile synthétique.

— Elle a bon dos l'huile, et pourquoi pas un sabotage des nazis tant qu'on y est ? Je vais vous dire le fond de ma pensée, même en temps de guerre les dockers se la coulent douce.

Le capitaine Killdare raccrocha, encore plus contrarié. De toute façon il était de mauvais poil depuis une semaine. Depuis son rendez-vous dans les bureaux de l'armateur au centre-ville où, à sa grande stupéfaction, le directeur des opérations maritimes de la Cunard Line lui avait confié le commandement du *Cornwallis*, un navire de croisière de faible tonneau à destination de New York.

Un navire de croisière ! Killdare détestait ces navires.

Lui, sa spécialité d'avant-guerre, c'étaient les cargos. Il jouissait d'une solide réputation sur toutes les mers du globe pour acheminer à bon port n'importe quelle marchandise. Précieuse ou pas. Les armateurs se battaient pour l'embaucher depuis qu'il avait sauvé un cargo en perdition au large de Macao alors qu'une partie de l'équipage s'était empressée de quitter le navire.

Et voilà qu'on le réquisitionnait pour diriger le *Cornwallis*. Même pas un navire de croisière de classe A, du type *Queen Mary*, non, un cent cinquante mètres, deux ponts. Le *Cornwallis* avait été réquisitionné pour convoyer du matériel de haute technologie aux États-Unis. Une nouvelle stratégie mise en place par l'état-major. Un officier de la flotte de l'Atlantique présent lors de l'entretien avait argumenté ce choix : « Les sous-marins U-Boots chassent en meute dans l'Atlantique, ils prennent pour cible les convois militaires et les gros cargos. Les torpilles sont trop précieuses pour les gaspiller sur des navires de transport civil. »

La porte de la cabine s'ouvrit dans un grincement désagréable laissant passer un homme de haute stature sanglé dans un imperméable brun clair. Il avait un chapeau de feutre mou à la main. Killdare lui envoya un regard glacé en guise de bienvenue.

— Bonjour capitaine, je suis John Brown, dit l'intrus sur un ton posé. Ravi de faire votre connaissance.

Le marin dévisagea Mr Brown avec méfiance. On l'avait prévenu de son arrivée. Une huile, selon le secrétariat de la Cunard. L'homme avait la cinquantaine, le visage fin et blanc, typique des bureaucrates londoniens qui pullulaient dans les ministères ou dans les banques. Son nom sentait le pseudonyme à plein nez. Ça puait les emmerdements. Le capitaine grommela un bonjour et serra la main, plus ferme qu'il ne l'aurait cru, du quinquagénaire souriant.

— Que puis-je pour vous ? demanda Killdare d'une voix aussi morne que possible.

— Vous comptez partir dans combien de temps ?

— Je dirais d'ici une demi-heure.

— Parfait. L'un de mes subordonnés embarque avec vous pour cette traversée. Pouvez-vous être attentif à son bien-être ?

Le capitaine haussa les épaules.

— Vous voulez parler du barbu malpoli qui empeste le tabac, scotché à une mallette plombée, et qui occupe la cabine 35 B ? Il sera traité avec tous les égards dus à son rang de passager du pont supérieur, ni plus ni moins. Maintenant, si ça ne vous ennuie pas, j'ai un navire à faire partir. Je transmettrai vos sollicitations à mon second et vous souhaite une bonne journée.

Le marin se détourna pour mettre fin à l'entrevue et se mit à inspecter les manomètres du tableau de pilotage. Une poignée de secondes s'écoula, la porte de la cabine n'avait pas bougé.

— Capitaine, nous nous sommes mal compris.

Killdare se retourna, une carte militaire dansait sous son nez, ornée de la photo de Mr Brown.

Colonel James Malorley, division stratégique, armée de terre.

— Voyez-vous, ce passager, le barbu malpoli, est mon adjoint. Et il est en mission confidentielle de la plus haute importance pour le gouvernement britannique. Il serait souhaitable que vous lui accordiez toutes les facilités pendant son séjour sur votre bateau. Notez que j'emploie le conditionnel par politesse.

Killdare se redressa. Il avait fait quatre ans dans la Royal Navy et, par réflexe, se tenait droit face à un haut gradé.

— Désolé colonel, mais vous auriez dû vous présenter plus tôt. Avec les raids des boches, je suis un peu nerveux. Plus vite j'aurai appareillé, mieux je me porterai.

— Un réseau d'espions allemands a été démantelé la semaine dernière à Portsmouth, je me méfie des oreilles qui traînent. J'ai un pli à vous remettre.

Le colonel Malorley lui tendit une enveloppe de plastique jaune cachetée du sceau du cabinet du Premier ministre.

— Ce sont vos instructions, à ouvrir quand vous serez en pleine mer. Vous remarquerez qu'elles émanent de la plus haute autorité. Lisez-les attentivement. Le type malpoli, le capitaine Andrew, viendra vous expliquer de quoi il s'agit.

— Si la mission est d'une si haute importance, n'est-il pas dangereux d'y mêler des civils ? J'ai une trentaine de passagers à bord. Je sais que nous sommes en guerre, mais utiliser des innocents comme couverture ce n'est pas... sportif.

Malorley sourit.

— Vous croyez qu'Hitler et sa bande sont sportifs, eux ? Ce sentiment vous honore, mais ne vous préoccupez pas des passagers, ce sont tous des professionnels. Ils connaissent les risques. Par ailleurs, vous serez escorté par deux sous-marins tout au long de votre traversée. En toute discrétion, je vous rassure. Ils vous attendent à l'extérieur du port.

Une sirène retentit deux fois dans le poste de pilotage. Le signal de fin de chargement envoyé par le second.

— Ah, je vois que l'heure du départ a sonné. Je vous souhaite bonne chance.

Le colonel le fixa pendant de longues secondes.

— Si je vous disais que vous avez entre vos mains l'avenir de cette guerre, vous me croiriez ?

— À voir la dégaine de votre subordonné, je miserais ma solde de l'année à cent contre un. Mais de nos jours tout est possible, comme parler à un colonel de l'armée qui se fait appeler Mister Brown ou voir l'Europe danser sous les ordres d'un type qui porte la moustache de Charlot. J'emmènerai votre foutue cargaison à bon port, même si je dois traverser la mer des Sargasses et affronter Neptune en personne.

Le colonel lui tapa sur l'épaule et sortit du poste en rabattant les pans de son imper, la température avait baissé de plusieurs degrés, l'humidité s'infiltrait jusque dans le col de sa chemise.

Quand il mit un pied sur le quai mouillé, la sirène du *Cornwallis* résonna dans le bassin. Des employés du port en combinaison jaune moutarde détachaient les amarres et les lançaient aux marins qui grouillaient sur le pont.

Le colonel James Malorley, alias Mr Brown, responsable des opérations spéciales du SOE, observa l'étrave noire du *Cornwallis* qui s'éloignait du quai avec lenteur. Quelle ironie, le navire choisi pour emporter la swastika sacrée, la première des quatre reliques qui passait dans le camp des alliés, portait le nom du chef des armées anglaises pendant la guerre d'indépendance. Lord Cornwallis, l'ennemi juré de George Washington.

Une forte odeur de mazout imbiba le quai, le navire tournait sur lui-même pour mettre la proue en direction du canal. Dans les tréfonds de la coque, les machines grondaient à bas régime.

Malorley jeta un dernier coup d'œil au navire, vissa son chapeau de feutre sur la tête, puis tourna les talons pour rejoindre la capitainerie où l'attendaient son Amilcar et, à l'intérieur, Laure d'Estillac.

Il ne voulait pas l'admettre, mais il était soulagé de voir la swastika partir de l'autre côté de l'Atlantique, à des milliers de kilomètres. Lui et ses collègues du SOE avaient risqué leur vie pour l'arracher aux griffes des nazis. Et certains l'avaient perdue.

Le visage de Jane surgit du fond de sa conscience. Il revoyait encore et encore l'expression étonnée, presque enfantine, de la jeune agente lorsqu'elle avait été fauchée par la rafale d'un soldat allemand. Ses cheveux blonds ondulaient sous la lumière des projecteurs de l'ennemi. Elle était tombée loin, quelque part dans le sud de la France, tout près des montagnes des Pyrénées. En terre hérétique, dans un champ à Montségur, à l'endroit exact où des cathares avaient été brûlés des siècles auparavant. Il n'avait rien pu faire pour la sauver, s'enfuyant comme un lâche pour mettre en sûreté la relique.

Malorley gardait encore le souvenir du baiser qu'elle lui avait donné pendant leur fuite du château. Un long baiser, comme si la courageuse jeune femme savait que ce serait le dernier.

De grosses gouttes maculèrent le quai. Il frissonna et resserra son écharpe autour du cou. L'averse dégoulina sur son chapeau, lava son esprit et brouilla le visage de Jane. Pour un temps seulement. Elle s'inviterait tôt ou tard dans un songe éveillé ou un cauchemar.

Il pressa le pas, la capitainerie se trouvait de l'autre côté du bassin et il ne voulait pas arriver totalement trempé dans la voiture.

Soudain, une sirène stridente retentit dans le port. Le sang de Malorley accéléra dans ses veines, les muscles de ses jambes s'actionnèrent mécaniquement. Depuis le début de la guerre, comme pour une majorité d'Anglais, le réflexe devenait instinctif. Il courut le long du quai jusqu'à perdre haleine. Il ne lui restait que quelques minutes de survie devant lui. Ce n'était pas la sirène d'un navire, c'était celle de la défense antiaérienne. Un cri qui annonçait le retour de l'aigle allemand. Et son vol cruel était promesse de sang, de feu et de mort.

Des mêmes auteurs :

Romans :

Le Rituel de l'ombre, Fleuve noir, 2005.
Conjuration Casanova, Fleuve noir, 2006.
Le Frère de sang, Fleuve noir, 2007.
La Croix des assassins, Fleuve noir, 2008.
Apocalypse, Fleuve noir, 2009.
Lux Tenebrae, Fleuve noir, 2010.
Le Septième Templier, Fleuve noir, 2011.
Le Temple noir, Fleuve noir, 2012.
Le Règne des Illuminati, Fleuve noir, 2014.
L'Empire du Graal, Lattès, 2016.
Conspiration, Lattès, 2017.

Nouvelles :

In nomine, Pocket, 2010.

Essai :

Le Symbole retrouvé : Dan Brown et le mystère maçonnique, Fleuve noir, 2009.

Série adaptée en bande dessinée :

Marcas, maître franc-maçon. Le Rituel de l'ombre (volume 1), scénario par les auteurs et dessin par Gabriele Parma, Delcourt, 2012.

Marcas, maître franc-maçon. Le Rituel de l'ombre (volume 2), scénario par les auteurs et dessin par Gabriele Parma, Delcourt, 2013.

Marcas, maître franc-maçon. Le Frère de sang (volume 1), scénario par les auteurs et dessin par Éric Albert, Delcourt, 2015.

Marcas, maître franc-maçon. Le Frère de sang (volume 2), scénario par les auteurs et dessin par Éric Albert, Delcourt, 2016.

Marcas, maître franc-maçon. Le Frère de sang (volume 3), scénario par les auteurs et dessin par Éric Albert, Delcourt, 2016.

Le Triomphe des ténèbres est aussi un livre audio disponible aux éditions Audiolib.
Écoutez un extrait, lu par François Hatt.

Le Livre de Poche s'engage pour l'environnement en réduisant l'empreinte carbone de ses livres. Celle de cet exemplaire est de :

550 g éq. CO_2

Rendez-vous sur www.livredepoche-durable.fr

Composition réalisée par NORD COMPO

Achevé d'imprimer en mars 2021, en France sur Presse Offset par
Maury Imprimeur – 45330 Malesherbes
N° d'imprimeur : 252411
Dépôt légal 1re publication : mai 2019
Edition 07 - mars 2021
LIBRAIRIE GÉNÉRALE FRANÇAISE – 21, rue du Montparnasse – 75298 Paris Cedex 06

57/9614/0